**좋아하는 그림을 벽에 걸듯,
좋아하는 드라마를 머리맡에 놓아둘 수 있다면**

마음을 어루만졌던 드라마는 오래도록 남아 어느 허하고 고된 날
문득 위로로 다가오곤 합니다. 그러다 자연히 내 삶에 의미를
남긴 드라마가 방 안 소중한 곳에 놓여 있는 모습을 상상했습니다.
인생드라마 작품집은 그렇게 기획되었습니다.

시의성에 얽매이지 않고 가치에 더 집중한 작품과 감정의 물결을
다시 일으킬 밀도 있는 이야기들을 한 권의 책에 담고자 합니다.
그리고 이에 걸맞은 아름다운 물성을 더해 작품을 소장하고
간직하는 기쁨을 선사하고자 합니다. 인생드라마 작품집이 뭉근히
독자에게 가닿는 책이 되길 기대합니다.

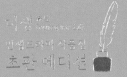

미생 3

인생드라마
작품집 시리즈

미생

未生: Incomplete Life 3

정윤정 대본집

용어 정리

S#	Scene. 신. 같은 시간, 장소에서 상황이나 행동, 대사, 사건이 나타나는 한 장면.
Na.	Narration. 내레이션. 서사가 진행됨에 따라 장면으로 나타나지 않는 것들을 해설하는 일.
E.	Effect. 수화기 너머 들리는 목소리처럼 해당 신 공간 밖에서 들리는 소리.
Off.	말하는 인물이 상황 속 공간에 있지만 화면에 보이지 않고 소리만 들리는 것.
OL.	OverLap. 현재 장면과 다음 장면이 겹쳐지는 효과, 앞 사람 대사가 끝나기 전에 시작한다는 의미로도 사용.
Cut to.	신 안에서 화면이 전환될 때 사용.
F.I.	Fade in. 화면이 점차 밝아지면서 장면 전환.
F.O.	Fade out. 화면이 점차 어두워지면서 장면 전환.
Dis.	Dissolve. 한 장면이 다른 장면과 교차되며 서서히 바뀌는 기법.
Ins.	Insert. 상황을 강조하거나 이해를 돕고자 삽입하는 화면.
몽타주	편집된 장면들을 짧게 끊어 붙여서 의미를 전달하는 화면.

차례

Episode 14

제14국

문 앞에 "원인터내셔널 2013년도 시무식"이라는 알림판 혹은 현수막이 있다.

그래   (Na) 새해를 맞아 시무식이 열렸다.

문이 확 열리면서 몇몇 원인터 직원 나오고

그래   (Na) 모든 임직원이 참석한 대규모 시무식.

마 부장과 정 과장, 하 대리, 유 대리 싱글벙글하며 상장 케이스와 봉투를 들고 나온다. 영이, 이들의 뒤를 이어 나오고

그래   (Na) 지난 한 해, 가장 뛰어난 성과를 거둔 팀에 대한 소개와 포상이 이뤄졌다.

이어서 그래, 좀 실망한 표정으로 나오고 영업3팀과 영업2팀도 얘기하며 나오면

그래   (Na) 타 팀의 실적들이 눈앞에 펼쳐졌다. 요르단 건으로
                       기대감에 부풀었던 마음이 부끄러워지는 순간들…

아무렇지 않은 표정으로 얘기하며 나오는 상식, 동식, 천 과장을 돌아보는 그래. 앞서가던 영이가 문득 뒤를 보면, 고개 돌리던 그래와 눈이 마주친다. 가볍게 목례하고 가는 영이. 석율, 성 대리, 문 과장 등 섬유팀 사람들 나온다. 성 대리와 석율, 서로 마땅찮은 분위기다. 석율, 뒤로 슬쩍 빠져서 영업3팀 쪽에 붙어서 같이 온다. 그래 옆을 지나던 강 대리와 백기, 상식을 비롯한 영업3팀 사람들에게 인사하고 간다. 다들 새해 인사를 가볍게 나누는 표정.

그래   (Na) 전부인 것처럼 보여도 조금만 벗어나보면 아주 작은 부분의
                       일부임을 알게 된다.

S#2 —— 철강팀, 낮

독일 업체와 능숙하게 독일어로 통화하는 백기.

백기   (독일어) 지난 12월에 문의하신 스테인레스 코일은 스테인리스 444 강종을
                       추천합니다. 물탱크, 저수조, 온수기 등에 사용 가능한 강종입니다.

뒤에서 강 대리가 듣고 있는 걸 느낀 백기, 보란 듯이 더욱 자신 있게 통화한다.

백기   (독일어) 네. 스테인리스 444 코일 2D 제품은 킬로그램당 1.25유로에
        납품 가능합니다. 그럼 브로셔 보내드릴 테니 원하는 납품 분량 잡아주시면
        저희가 견적 보내드리겠습니다. 최대한 좋게 뽑아 보겠습니다. 네. (끊는다)

강 대리 (Off) 장백기 씨.

강 대리 (독일어 발음) 봐~아~

백기   (영문을 몰라 보면) ?

강 대리 독일에서 W 발음할 땐 영어 V 발음보다 울림이 있어야 해요. 봐~서탕크.
        봐~서. V 발음처럼 코와 입 앞쪽으로 소리를 빼는 게 아니라 칫솔질하다
        너무 안쪽으로 넣어 헛구역질하듯 발음을 굴려서.

백기   ⋯?

강 대리 따라 해보세요. 봐~! 봐~써. 봐~겐. 봐~이스, 뷔어~스트~

백기   (어색하게 따라 한다) 봐~써. 봐~겐. 봐~이스, 뷔~스트~

강 대리 그래요. 봐아!

강 대리, 아무 일 없었다는 듯 서류 챙겨 들고 나간다.

백기   (멍~하게 보다가 빠직해서 일그러지며) 내가 독어독문과인데⋯

S#3 — 자원팀, 낮

영이, 인트라넷 결재 시스템 확인하면, '노르웨이 광물팀 추가사업—북극 연안광물 자원 개발의
건' 결재가 전부 승인된 화면이 보인다.

영이   과장님, 노르웨이 광물팀 추가 사업 결재 났습니다.

정 과장 어, 노르웨이는 그대로 진행하면 되고, 안영이 씨는 이제 캐나다 오거나이징
        좀 도와. 유 대리, 현지 금융 쪽은 좀 알아봤어?

유 대리 계속 알아보고 있어요. 시공사 선정하려면 시간 좀 걸리겠는데요.

영이   복합발전단지 개발 사업 관련해서 풍력과 태양광 쪽 말씀하시는 거면
        제가 좀 알아보던 시공사 리스트가 있습니다.

정 과장 그럼 그쪽은 안영이가 일단 맡아봐.

영이   네, 알겠습니다.

동식, 일본 막걸리 수입업체와 통화하고 있다.

동식   (일본어) 그럼 유자맛 막걸리를 샘플로 보내드릴 테니까 검토해보시기 바랍니다.
        (듣는. 표정 안 좋고) 아, 네. 저알콜로는 출시 계획이 없는 걸로 알고 있습니다.
        알아보고 다시 연락드리겠습니다. 감사합니다. 네,

그래, 보고서를 작성하다가 뒤를 돌아본다. 머리 긁으며 전화 끊는 동식.

동식   저알코올 막걸리를 찾는데, 안 취할 거면 막걸리를 왜 먹나. 응?
그래   일본에선 요즘 위스키에 탄산수를 섞거나 보드카와 주스를 혼합한 칵테일이
        인기라는데요… 저알코올 음료나 맥주 맛 음료 쪽으로 선호도가 바뀌고
        있는 거 아닐까요?
동식   장그래.
그래   네?
동식   요즘 과외해? 일본 여친 생겼어?
그래   네? 아… (웃음)
동식   (취조하듯 들이대며) 그럼 이럴 땐 어떻게 해야겠어? 주문이 확 줄었어.
그래   (긁적) 아… 그건 잘…
동식   안 하네. 과외. 안 해.

그래, 웃는데 울리는 동식의 휴대전화. 받는 동식.

동식   네, 엄마. (듣다가, 싫어하는) 아 선은 무슨. 장가갈 시간이 어딨어요,
        바빠 죽겠는데 (사이) 예뻐? 사진 좀 보내봐. 일단 끊어요. (끊고) 재무팀 간다.

그래, 나가는 동식의 뒷모습 보고 씩 웃고는 혼자 일하고 있는데

함 차장   (들어오며) 오 차장님, 어디 가셨나? 나 자원3팀 함 차장인데.
그래   (일하다가 일어나며) 네, 회의 들어가셨습니다.
함 차장   아하… 급한 일인데, 작년 결산 중인데, 영업3팀 자료가 몇 장 누락돼서 말이야. 찾아
        줄 수 있겠나. 2분기 우리 팀과 TF 건에서 당기 원재료 매입 항목 액수가 필요한데.
그래   (조금 망설이면서) 아… 네.

그래, 캐비닛을 열고 파일 찾는다. 그런 그래를 유심히 보고 있는 함 차장. 2분기 결산 파일을 꺼

| 그래 | 여기 있네요. 복사해드릴까요? |
| 함 차장 | (다가와 파일 보면서) 어 맞네. 그래. |

S#5 ── 탕비실, 낮

복사하고 있는 그래를 스윽 보고 있는 함 차장. 다 끝난 그래가 돌아서서 복사물을 착착 정리해서 준다.

함 차장	(받으며) 요르단 건 아이디어가 신입한테서 나온 생각이라던데. 자넨가?
그래	(머쓱하고) 아… 네.
함 차장	(슥 보며) 그래, 일 잘하게 생겼네.
그래	아… 감사합니다.

동식, 서류 들고 들어오다가 함 차장을 알아본다.

동식	어? 함 차장님 안녕하세요. (의아해서 그래와 번갈아 보면)
함 차장	응. 김 대리, 영업3팀에 볼일 있었는데 이 친구가 처리했어. (간다)
동식	장그래 씨, 저 양반 별말 없었어?
그래	네… 그냥 업무 얘기 하셨는데요.
동식	(의심스럽게 보며) 그럴 리가 없는데… 기획실 근무했던 양반이야. 배 속에 구렁이 열 마리는 들었을걸. 자기 팀 인원 공백 생겼다고 충원 요청했다더니… (그래를 슥 돌아본다)
그래	?
동식	(물 마시면서) 아무튼 장그래, 회사에 소문이 꽤 나서 이런저런 이유로 접근하는 사람이 있을 거야.
그래	누가 저 같은 사람을…
동식	(커피믹스 하나 집어 들면서) 사장까지 호평한 신입사원 탐나지. 그러다 쓸모없어져도 걱정 없다고 생각하겠지. (멈칫하고 그래를 본다)
그래	(아무렇지 않은 듯 밝게) 커피 제가 타서 갈게요, 대리님.
동식	어? 어… 부탁해.

동식, 아차 싶은 표정으로 나가면 그래, 얼굴 어둡게 굳어진다.

11　　　**동식**　　　(E, 커피믹스 하나 집어 들면서) 사장까지 호평한 신입사원 탐나지.

　　　　　　　　　　그러다 쓸모없어져도 걱정 없다고 생각하겠지.

　　　그래　　　(중얼거리듯…) 저는… 계약직 사원이니까요…

S#6 — 영업3팀, 낮

파일철과 커피를 들고 사무실로 들어오는 그래. 동식, 상식에게 뭔가 이야기하다가 자리로 간다.

　　　상식　　　(상기되고 무거운 표정으로 보다가) 장그래, 좀 전에 함 차장 다녀갔어?

　　　그래　　　네.

　　　상식　　　책임자 없을 땐 자료 함부로 공개하지 마. 니가 책임질 수 없는 일은 안 하는 거야.

　　　그래　　　(약간 의기소침해서 고개 떨구며) 네, 알겠습니다.

자리에 앉아 슥슥 업무 준비하던 상식, 볼펜을 탁! 던진다. 소리에 놀란 동식과 그래, 상식을 본다.

　　　상식　　　(열받아서) 어디 내 팀에 와서…!

　　　그래　　　(놀라 보면)

　　　천 과장　　　(통로에서 걸어 들어오며) 다녀왔습니다. (싸한 분위기 보고, 동식과 그래에게)

　　　　　　　　　　무슨 일 있었어?

　　　동식　　　함 차장님 와서 장그랠 떠보고 갔나 봐요. 거기 팀원이 부족하거든요.

　　　천 과장　　　경우 없네. 연초부터 남의 팀에 와서 사람 빼 갈 궁리나 하고.

기분 나쁜 표정으로 미동 없이 앉아 있는 상식을 보는 그래. 상식, 갑자기 벌떡 일어나 나간다.

S#7 — 자원3팀 사무실, 낮

굳은 얼굴로 걸어가는 상식. 바쁜 분위기의 자원3팀. 함 차장, 통화하고 있다.

　　　함 차장　　　내일 드릴게요! 오늘은 수량 확인해야 해서 도저히 시간이 안 나요!

　　　　　　　　　　(돌아서다가 상식을 발견한다)

　　　상식　　　(미동 없이 서서 함 차장을 본다)

　　　함 차장　　　(뜨끔해서 안절부절) 아, 알겠습니다. 5시, 아니 5시 반까지 팩스 넣을게요.

　　　　　　　　　　(끊고 상식에게 다가서서) 오 차장님.

　　　상식　　　(말없이 보기만)

함 차장	어쩐 일로… 필요한 자료는 좀 전에 받아왔습니다.
상식	많이 바쁘시네.
함 차장	인원이 너무 부족해서요.
상식	위에다 인원 보강 얘기하셔야지.
함 차장	말이 통하나요. 긴축이다 뭐다…
상식	그래서 내 팀 건드립니까?
함 차장	(당황) 무슨 말씀을… 아녜요~
상식	(OL) 장그래 건드리면 안 됩니다.
함 차장	(우물주물) 예… 예.
상식	(OL) 그건 날 건드리는 겁니다.
함 차장	예…
상식	이만 가보겠습니다.
함 차장	예…
상식	(나가려다가 빈 책상을 발견한다. 돌아보며) 전에 있던 직원은 어떻게 됐습니까?
함 차장	회사가 계약 연장을 안 해줘서… 그만뒀습니다. 아무리 잘 키워도 회사가 재계약을 포기하면 별수 없는 거 아닙니까?
상식	(말없이 빈 책상을 보는) …

S#8 — 마 부장실, 낮

못마땅한 표정의 마 부장, 한 손으로는 서류를 넘기며 쩝쩝거리면서 햄버거를 게걸스레 먹고 있다. 영이, 다가와 커피를 조용히 내려놓고, 꾸벅 인사하고 돌아선다. 마 부장, 우적우적 씹다가 영이의 단화를 흘깃 본다. 소리 없이 걸어가는 영이의 신발을 바라보는 마 부장, 비웃듯 코웃음 친다. 그때, 서류철 들고 들어오는 정 과장. 자기 자리로 가려고 하는데

마 부장	(버럭) 정 과장!
정 과장	예? (쫄아서 급히 마 부장 앞으로)
영이/하, 유 대리	(마 부장을 본다)
마 부장	(보던 서류 코앞에 들이밀며) 이 튀니지 입찰 건 어떻게 됐어?! 삼정물산한테 홀랑 뺏겼지! 거기 미래자원본부 상무가 내 대학 동긴 거 몰라? 내가 아주 쪽팔려서 상판을 들고 다닐 수가 없다고!
정 과장	그게… 뺏긴 게 아니라 튀니지 바이어 쪽에서 이미 삼정물산과 진행을…
마 부장	(OL) 야! (벌떡 일어나서 서류를 말아 들고 정 과장의 배를 쿡쿡 밀고, 이마를 쿡쿡 밀며) 니 입은 변명이나 하라고 뚫어놨냐? 가죽이 모자라서 뚫어놨어? 어? 어?!

13   하 대리와 유 대리, 한 걸음 다가가다가 더 못 가고 쫄아서 어쩔 줄 모른다.

마 부장   상사 다닌다는 놈이 계약서로 빼주는 거지 뭔 놈의 말이 많아! 되게 해 와!
        무조건! (서류 책상 위에 던지고 다시 앉아 먹는다)

쫄아 있는 정 과장과 하 대리와 유 대리. 돌아보다가 영이와 눈이 마주친다.

S#9 ─ 휴게실, 낮

우거지상으로 풀썩 앉는 정 과장, 넥타이를 손가락으로 느슨하게 풀며 한숨 쉰다. 하 대리와 유 대리도 와서 옆에 앉는다.

정 과장   아! 정보를 그렇게 늦게 줘놓고는 어쩌라는 거야.
하 대리   부장님 우격다짐이 어디 하루 이틀인가요 뭐.
유 대리   아, 근데 저는요. 그 쿡쿡 찌르는 것 좀 안했으면 좋겠어요.
정 과장   (한숨 푹) 내가 중고딩 때도 안 당해본 걸… 아후… 커피나 한 잔씩 하자.

그때 똑똑, 하며 탕비실 쪽에서 모습을 나타내는 영이. 돌아보는 세 사람.

영이   커피 한 잔씩들 하시겠습니까?
정 과장/유 대리 (슬쩍 하 대리 눈치 보면서) 어? 어…
하 대리   어, 고마워.
정 과장/유 대리 (마주본다)

영이, 쟁반에 커피를 들고 들어와 세 사람 앞에 착착 놓아준다. 뜨거운 커피를 한 모금 마시고서야 숨통을 트는 세 사람. 영이, 인사하고 돌아서서 나가는데 문자 온다. 보는 영이. "신입사원들은 5시까지 5층 회의실로 모이세요. ─인사팀"

S#10 ─ 긴 통로, 낮

걸어가는 영이, 뒤에서 기분 좋은 얼굴의 석율이 온다.

석율   안영이 씨~
영이   (돌아보고 인사하며) 좋은 일 있어요?

석율	(주먹 쥐어 보이며) 응, 선빵 날린 뒤론 만사 오케이야!
영이	(께름칙하게 본다)
석율	흥! 남자라고 허세 작렬해서 (흉내 내며) 진짜 책임이 뭔지 보여줘?
	그러더니만 아직까지 안 보여주고 있네? 크크크크.

영이, 코너에서 그래가 돌아 나오고 그 뒤로 백기가 오는 게 보인다. 네 사람, 인사하고.

영이	(그래에게) 아, 하 선생은 잘 만났어요?
그래	(당황, 자기도 모르게 발끈) 내가 그 사람을 왜 만납니까?
석율	(백기에게) 아 참! 장백기 씨는 스키 가서 어떻게, 여자 좀 꼬셨어?
백기	(빠직!) 전 그런 거 안 합니다.
영이	(그래에게 일부러 똥그랗게 뜨고) 연말은 하 선생이랑 보낸 거 아니었어요?
그래	안영이 씨!
석율	그러니까 말야, 스키장은 여자 꼬시러 가는 건데.
백기	무슨 그런 말도 안 되는 얘길 해요!
석율/영이	(마주 보면서 큭큭 웃는다)
그래/백기	안영이 씨!/이것 보세요!

석율/영이, 웃음 멈추고 둘을 봤다가, 다시 킥킥 웃고는 둘이서 간다. 기가 막힌 표정으로 둘을 봤다가 서로 보고 어색하게 보고 각자 가는 그래와 백기.

S#11 — 원인터 로비 안, 낮

로비 문 열고 나오는 최 전무. 마침 들어오던 상식과 만난다. 표정 굳어지는 상식, 최 전무에게 인사를 하면, 서로 쳐다보는 두 사람.

최 전무	외근 다녀오나.
상식	아닙니다. 앞에 잠깐 손님이 와서요.
최 전무	음. 요르단 건은 잘 진행되고 있구?
상식	네, 전무님 덕분에. 이제 선적 준비 중입니다.
최 전무	박 과장 일이나 지난번 요르단 재추진 일이나 신입 공이 컸다면서?
상식	…예.
최 전무	기백도 있고, 총명한 청년이군. 오 차장이 인복이 있는 모양이네.
상식	(뼈 있는) 전무님의 안목 아니십니까?

최 전무, 상식을 본다. 상식도 받는다.

최 전무　　　…가보게. (돌아선다)

상식　　　(인사하고 가려 하면)

최 전무　　　박 과장 일은 너무 개의치 마. 할 만한 일을 했어.

상식　　　…. 네. 감사합,

최 전무　　　(OL) 그런데 말야. (돌아서서) 그런 일이 있었으면… 나한테 먼저 말을
　　　　　　　해줄 순 없었나? … 그 정도는 할 수 있는 거 아닌가?

상식　　　(쳐다본다)

최 전무, 상식의 시선을 받다가 그냥 웃으며 돌아간다. 상식, 차에 타는 최 전무를 보다가 옅게
인사하고 돌아선다.

S#12 ── 소회의실, 낮

화이트보드에 공지 사항 몇 가지 메모되어 있고 한참 전달 중인 분위기.

인사팀 대리　　그리고 작년 복지 포인트는 소멸되니까 다 쓰시는 게 좋습니다.
　　　　　　　연차도 꼭 쓰셔야 하구요. 봉사활동은 인사 고과에 반영되는 거 아시죠?

석율　　　봉사활동 저도 참 좋아하는데요. (그래 보며 속삭이듯) 난 걍 헌혈할 거야.

인사팀 대리　　헌혈은 두 번 이상 안 쳐줍니다.

석율　　　(입술 내밀고 울상)

인사팀 대리　　올해부터 신입은 교육에 마일리지가 적용이 돼서 적어도 30시간 이상
　　　　　　　이수 하셔야 합니다. 영어, 무역, 정보처리 등 포함입니다. 시험 성적, 출석이
　　　　　　　80퍼센트 이상이라야 이수한 걸로 되고요 통과 못 하면 월급에서 교육 금액만큼
　　　　　　　차감이 됩니다.

그래　　　(살짝 한숨 내쉬며 혼잣말처럼) 영어가…

석율　　　(그래에게 속삭인다) 괜찮아 초급반 있어 초급반. 거기 임원들도 많아, 걱정 마.

인사팀 대리　　마지막으로 연봉 계약서 작성들 해서 인사팀으로 오십시오. 각자 봉투에
　　　　　　　이름 적혀 있습니다. (하고 각각 이름 적힌 봉투 세 개 테이블 위에 두고 나간다)

석율, 백기와 영이에게 나눠주고 자기 것 갖고서야 당황! 그래를 본다. 그래도 당황해서 보고, 영
이 백기도 각각의 당황한 표정으로 서로 본다.

석율　　　(그래와 봉투를 번갈아 본다) 아…

그래   아… 그럼 (당혹감 누르며) 저는 먼저 가보겠습니다. (꾸벅하고 나간다)

석율   (문이 닫히자) 아… 아! 진짜 저 인사팀 대리, 고문관 아냐?

영이, 약간 착잡한 표정으로 그래가 나간 문을 본다. 역시 그래 쪽을 보다가 영이를 보는 백기, 영이의 시선이 문에 머무르고 있는 걸 보며 신경이 쓰이는.

S#13 ─ 통로, 낮

터벅터벅 걸어오는 그래. 자리에 앉은 사원들이 연봉 계약서를 작성하고 있는 모습을 본다.

그래   (Na) 1월은 연봉 조정과 임금 인상의 시기다. 물론 계약직은, 해당사항 없다.

영업3팀 쪽으로 걸어오는 그래, 일하고 있는 상식의 얼굴이 보인다.

그래   (Na) 부서장이 평가하고 해당 부처 팀장이 승인. 해당 직원이 서명하는 순간, 적용된다.

그래, 발걸음이 그대로 멈춘다.

그래   (Na) 가나다라마 혹은 ABC의 평가에 내 자리는 없다.

돌아서서 되돌아 나가는 그래…

S#14 ─ 옥상 정원, 낮

그래, 걸어오며 사람들이 삼삼오오 모여서 얘기하는 모습을 본다…

사원1   인센티브 얼마 나왔어?

사원2   쪼금~ 천도 안 돼.

지나가며 적당한 곳에 앉는 그래.

그래   (Na) 같은 사람이고 싶다.

그래, 멍하게 있는데 동식, 천 과장, 강 대리, 성 대리, 황 대리가 커피 마시며 떠들면서 나온다.

성 대리	아 젠장, 일은 열심히 했구만 회사에서 안 알아줘~ 회사는 왜 안식년이 없는 거야?
천 과장	(그래를 봤다) …
동식	난 집에서 장가가라고 난리라 설, 추석 그런 명절은 좀 없었으면 좋겠어.
	이번 달에도 선 자리 하나 잡혀 있어.
강 대리	(커피 마시며) 김 대리는 멀쩡한데 왜 선만 보면 번번이 퇴짜지?
동식	모르지~이. (휴대폰에서 사진 찾아 보여주며) 어떤 것 같아?
일동	(호기심에 본다)
황 대리	오~ 이쁜데?
성 대리	참하네. (관심 없어지고) 인센티브 누가 제일 많이 받았지?
그래	(Na) 저런 사람들처럼…

보다가 일어서서 가는 그래. 천 과장, 처져서 가는 그래를 본다.

S#15 — 영업3팀, 낮

자리에 앉아 혼자 일하고 있는 상식. 축 늘어져서 들어오는 그래를 흘깃 보곤 다시 일을 한다. 그래를 다시 보면, 상식이 보는 것도 모르고 고개를 떨군 채 자리에 앉는 그래.

상식	(보다가) 장그래.
그래	네? (본다)
상식	인사팀 일 끝난 지가 언젠데 어디 갔다 지금 와?
그래	(당황) 죄송합니다.
상식	(보다가) 원가표 어디다 놨어? 정리하라고 했던 거.
그래	네? (뒤적뒤적 찾으며 버벅거린다)
상식	(한쪽 눈썹이 치켜 올라간다)
그래	여기 한 장 있고요… 아, 여기 나머지 있네요… 여기도 한 장 더…
상식	(버럭) 뭐 하는 거야!
그래	!
상식	뭐 대단한 일이라도 끝낸 것처럼 굴지 마. 빨리 평소대로 돌아가라구.
그래	죄송합니다.
상식	시무식 때 봤지? 우리가 한 일들은 회사에선 일상적인 성과야. 물론 어려운 일을 한 거지만, 그 상황에 말리면 안 돼. 평소에 하던 대로…
그래	(OL) 차장님.

상식	왜?
그래	평소에 하던 대로 하면 되는 거죠? … 평소대로만 하면… 이대로만 하면 정직원이 되는 거죠?

약간 충격을 받은 상식, 그래를 본다. 말을 하지 못한다.

S#16 ― 소회의실 안, 낮

블라인드 쳐진 회의실에 앉아 있는 착잡한 표정의 상식과 그래.

상식	안 될 거다.
그래	…
상식	데이터는 그래. 대학 4년, 어학연수 다녀온 사람들도 많고. 그 사람들도 취직을 못 해서 고통받고 있어. (본다) 그들이 그 시간에 지불한 비용과 노력을 생각해본다면 취업 우선순위에서 밀리는 게 당연할지도 몰라.
그래	(책상 위만 본다)
상식	고급 인력을 쓰고 싶으니 학력, 학점, 특기를 보는 거고… 그렇게 해도 알 수 없는 게 사람이라 여러 특이사항을 따져 가산점을 주고, 할 수 있는 모든 걸 따지지.
그래	(상식을 본다)
상식	회사의 매뉴얼은 철옹성 같아. 네가 끼어들 틈은 없을 거야.

고개를 떨구고 더 침울해지는 그래. 말없이 보던 상식, 일어나 나간다. 상식이 나간 문을 바라보다 일어나는 그래.

S#17 ― 소회의실 밖, 낮

블라인드 쳐져 있는 소회의실을 굳은 얼굴로 돌아보는 상식. 천 과장과 동식이 문 쪽 통로에서 온다.

동식	과장님, 뭐 하세요?

그때 소회의실에서 약간 침울한 얼굴의 그래 나온다. 천 과장, 그래를 본다.

동식	어?

상식	오늘은 일찍 퇴근하자.
동식	(당황) 이… 일찍이요? 가만있어봐… 일찍 가서 뭐 하나…?
상식	(무뚝뚝하게) 선본다면서? 준비라도 해. 가서 그 뭐야 마사지도 좀 받고. (휙 간다)
천 과장	(다시 그래를 본다)

S#18 ─ 통로, 낮

퇴근하는 그래가 지나가는 뒤로 보이는 한 부서. 그 부서 안쪽 비워진 책상에서 걸레질하며 얘기 중인 두 사람의 풍경.

대리	(E) 그 친구 내일부터 출근인가?
사원	(E) 예, 계약직이구요, 1년입니다.

해당 책상 위 귀퉁이에 적혀진 글귀, "곧 돌아온다! 이 자리는 내 것이다!" 그 위에 걸레 든 손이 놓이더니 슥슥 닦는다. 지워지는 글귀. 깨끗하게 비워진 휑한 책상.

S#19 ─ 원인터 밖, 저녁

쓸쓸한 표정으로 나오는 그래, 기둥 옆을 지나가다가 멈춘다. 기둥을 짚는다.

그래	(Na) 내… (스윽 기둥을 만진다) 인프라인 줄 알았는데… 잠깐 빌린 거였구나.

그래의 눈에 전에 쪽지를 끼웠던 기둥 틈이 보인다. 쪽지를 빼내 펼쳐보면 적힌 "YES"라는 글자를 착잡하게 보는 그래, 다시 쪽지를 다시 도르르 말아 기둥 틈새로 넣는다. 그 기둥을 보는 그래. 나오던 천 과장, 기둥 옆에 선 그래를 본다.

천 과장	장그래 씨.
그래	(돌아보면)
천 과장	(다가오며) 거기서 뭐 해?
그래	(자기도 모르게 기둥을 막아선다) 아니에요… 가시는 거예요?
천 과장	응. (가려다가 그래보고) 일찍 끝났는데 나랑 술 한잔할까?
그래	네?
천 과장	살짝 간만 적셔줄 정도만.
그래	(천 과장을 마주 본다)

S#21 — 닭갈빗집 안, 밤

천 과장, 그래에게 술 따라주면서

천 과장	내가 회사 생활 하면서 가장 좋았던 게 뭔지 알아?
그래	글쎄요…
천 과장	술을 배운 거.
그래	아…
천 과장	외로운 거 이놈한테 풀고, 힘든 거 이거 마시고 넘어가고, (반 잔쯤 마시고)
	싫은 놈한테도 굽실거릴 수 있었던 것도 다 이 술 때문이라고.

말없이 술잔을 비우는 그래. 그래의 빈 잔을 다시 채워주는 천 과장. 그래도 천 과장의 빈 잔을 채워준다.

천 과장	근데... 가장 후회하는 것도 술을 배운 거지.
그래	(본다)
천 과장	일상이란 걸 즐겨본 적이 없는 것 같아. 심심한 걸 즐겨본 적도, 한가한 걸
	누려본 적도. (남은 잔을 비운다) 고독해질 필요도 있는데, (살짝 웃으며 그래를 본다)
	그러질 못했어.
그래	(잔 채워주며) 천천히 드세요.
천 과장	술, 즐겁게 마셔. 독이 된다구. 수승화강이라고… 차가움은 올리고
	뜨거움은 내려라. 머리는 차갑게 가슴은 뜨겁게. 술은 열을 올리거든.
그래	(Na) 수승화강. 바둑을 두는 모두가 몇 번씩은 들어본 말이다. 머리는 차갑게.
	가슴은 뜨겁게.
천 과장	난 오늘부로 술 끊는다.
그래	(놀라서) 네?
천 과장	(살짝 웃으면서) 장그래 씨 덕에 간만에 일하는 기분이 들었어.
	오랜만에 가슴이 뜨겁달까.
그래	…별말씀을요. 저 때문에 고생하신 거 압니다. 죄송하다는 말씀도
	못 드렸습니다. 그것도 죄송해서.
천 과장	일 많은 건 고생해도 고생 아니야.

천 과장, 말없이 술을 마시면서 전무와의 장면을 떠올린다.

[Flashback] 제12국 S#5 전무실

천 과장   (의아하고 긴장됨) 저를 왜 영업3팀에 보내시는 겁니까?

최 전무   일하라고 보내지. 가서 잘~ 도와서 영업3팀 한번 키워보라고.

천 과장   (당황해서) …

최 전무   (천 과장을 흘깃 봤다가 툭!) 자네… 말야. 풍치가 뭔지 아나?

천 과장   네?

최 전무   자네 생각엔 풍치를… 뽑는 게 낫겠어? 그냥 두는 게 낫겠어?

천 과장   (당황한 얼굴로 최 전무를 보는 천 과장)

심란함에 어두워지는 천 과장, 자기 술잔에 술을 따르더니 천천히 끝까지 비운다. 그런 천 과장을 보고 있는 그래.

S#22 ─ 영업3팀, 밤

어두운 창밖을 보고 앉아 있는 상식.

[Flashback] S#15

그래   평소에 하던 대로 하면 되는 거죠? … 평소대로만 하면…
이대로만 하면 정직원이 되는 거죠?

어두운 상식의 얼굴…

S#23 ─ 섬유팀, 밤

석율, 일하고 있는데 일하는 척하고 있는 성 대리가 시야에 들어온다. '흥!' 하듯 보고 다시 일에 집중하는데.

문 과장   성 대리, 내일 9시 30분 회의지? 회의 자료 정리해서 올려놔. (일어나며)
내일 바로 들어가게. (퇴근 준비한다)

성 대리   네, 알겠습니다. (석율에게) 한석율 씨, 말씀 들었지? 오늘 밤까지 정리해야겠어.

석율   (당황) 네?

성 대리   원연구소 자료 업데이트됐는지 체크하고 해외 뉴스 자료랑 코트라 자료
있는지 체크하고 무역보험공사에서 보내온 업체별 신용 조사 보고서
추가해놔. 페이지 구성은 보도자료, 코트라, 무보 자료, 연구소 자료, 우리 보고

자료순으로 열다섯 장 이내로 정리해. 알았지? (석율 노려보며 한 자 한 자 힘줘서)

책임지고 하라고.

석율　(꽉 다문 얼굴로 성 대리를 본다)

문 과장　(나가며) 그렇게 하나하나 다 가르쳐주면 언제 스스로 하겠어?

너무 그런 것도 좋은 거 아냐.

성 대리　(웃으며) 그렇긴 한데요, 아까처럼 잠깐만 방심해도 펑크가 나요.

우리 석율 씨가 아직은 신입 티를 내잖아요. 당분간 챙길게요. 봐주세요.

석율　(기가 막히다) 하―

성 대리　(얄밉게 웃으며) 저도 최종 확인하고 퇴근하려고요.

문 과장　(나가며) 하여간, 정말 깐깐하다니까.

성 대리　(꾸벅 인사) 들어가십시오.

석율도 인사한다. 문 과장이 완전히 나간 후, 수화기를 들어 전화하는 성 대리.

성 대리　어~ 오빠야. 어쩌지? 갑자기 야근해야 해서 오늘 못 나가겠다.

아~ 미안미안. 담에 배로 쏴줄게. 그래. (끊는다)

석율　(저 인간이 웬일이지? 하며 의아해서 보는)

성 대리　(친구에게 전화) 야, 뭐 하냐? 퇴근 안 해? 여기로 와라. 한잔하게.

석율　(다시 기가 막힌)

성 대리　오케~이! 맨날 가는 데서 봐. (옷 입고 나가며 석율 돌아보지도 않고)

끝나면 바로 문자 줘. 알았지?

석율　허! (어이없어서 입이 다물어지지 않는다)

그대로 가만히… 컴퓨터를 보며 가만히… 있는 석율… 무슨 생각을 하는지 알 수 없는 얼굴과 깊은 눈으로 컴퓨터를 보고 있다.

S#24 ─ 원인터 외경, 밤

(E) 뚜루루루 뚜루루루

S#25 ─ 16층 전경, 밤

(E) 뚜루루루 뚜루루루

S#26 ── 섬유팀, 밤

(E) 뚜루루루

모니터를 보고 있는 석율. 전화가 울리지만 받지 않는다. 한참 있다가 꾹 눌러서 전화 끊는다. 띠링. 문자 오자 보는 석율. "퇴근해." 문자다. 석율… 그럴 줄 알았다. 씩 웃는다.

석율　　　똥 묻은 놈하고 싸우려면, (모니터를 본다) 똥 묻을 각오 정도는 해야지.

모니터의 화면이 그제야 보인다. "정말 문서를 삭제하시겠습니까? y, n" "y"를 누르는 석율. 삭제된 문서. 어둠 속의 16층…

S#27 ── 원인터 외경, 아침

S#28 ── 엘리베이터 안, 아침

진동 전화벨이 울리는 엘리베이터 안. 출근하는 석율. 전화받을 생각 없이 휘파람까지 불며 느긋한 얼굴로 시계를 본다. 9시 1분 전이다. 엘리베이터가 열린다. 천천히 내리는 석율. 시계 보면 9시다. 안 들어가고 느긋하게 벽에 기대 잠시 쉬는 석율. 다시 전화 온다. 안 받는 석율, 잠시 그러고 있다가 천천히 16층 입구 문 쪽으로 가는 석율.

S#29 ── 섬유팀 통로 + 섬유팀, 아침

당황해서 전화하고 있는 성 대리와 약간 화난 얼굴의 문 과장이 있는 게 보인다. 석율, 썩소 날리고 다급한 몸짓으로 들어간다.

석율　　　죄송합니다.

성 대리, 전화를 끊으며 확 본다. 석율의 휴대전화 진동이 멈춘다. 석율, 곁눈질로 자기 컴퓨터를 보면 폴더트리가 열려 있다.

문 과장　　한석율 씨, 회의 자료 안 만들었어? 아침에 회의 있단 말 못 들었어?!
석율　　　아뇨, 만들었습니다.

성 대리	(화들짝 놀란다)
문 과장	(성 대리 보며) 뭐야? 만들었다잖아?
성 대리	(당황) 왜… 왜… 얘기 안 했어?
석율	퇴근하라고 문자하셨잖아요.
성 대리	(당황해서 문 과장을 봤다가 버럭) 인트라넷에 올려놨어야지!
석율	어제 인트라넷 시스템 점검 시간에 걸려서 못 올렸습니다.
성 대리	프린트라도 해놓고 갔어야지!
석율	프린터도 고장이라…
성 대리	(화가 나지만) 근데 왜 컴퓨터 안에 없어?
석율	(놀라며) 네? 없어요? (가서 조작하는 듯하다) 아… 어제 시스템이 영 불안정하더니, 저장이 안 됐나 보네요.
문 과장	(당황!) 뭐?!
석율	(가방 열며) 걱정 마세요 (USB 꺼내며) 백업해뒀습니다.
문 과장	(안심하고 성 대리에게) 그러니까 자네는 어제 이거 확인 못 했다는 거야?
성 대리	(당황한다)
석율	(작업하며 씩 웃는다. 프린트 건다)
성 대리	죄송합니다. 밤에 손님이 찾아오는 바람에 자리를 비웠더니…
문 과장	그것 참, 왜 하필 그럴 때 손님이 찾아와. 자료 확인해보고 나한테 보내줘.
석율	(멈칫한다)
성 대리	(웃으며) 네, 걱정 마십시오.
석율	(뭔가 이상하다. 별로 화를 안 내고 자리로 가는 문 과장을 본다, E) 이게 아닌데…
성 대리	(출력물 보면서) 한석율 씨! 이 수치 맞는 거야? 띄어쓰기는 왜 이래?
석율	…
성 대리	이 자료 그대로 드렸으면 어쩔 뻔했어! 아직도 문서 정리가 이래!
석율	(성 대리를 멍하니 보며, E) 이게 아닌데…
성 대리	과장님, 정리 다시 해서 빨리 만들겠습니다.
문 과장	한석율 씨는 지각 시말서 써서 올려! (나가며) 회의 들어갔다 올게.
성 대리/석율	(꾸벅) 다녀오십시오.
석율	(성 대리 보며, E) 이게 아닌데…

성 대리, 석율을 흘깃 보며 썩소를 짓고 자리에 앉아 컴퓨터 켠다. 쳐다보는 석율.

그래	(E) 싸움은 기다리는 것부터 시작입니다.
백기	(E) 상대가 강할 때는요.
석율	(일그러지며, E) 강하기는!

영업3팀이 모여서 회의를 하고 있다.

상식   (천 과장 보며) 오늘 요르단 바이어 미팅 있지? 장소는 회사인가?

천 과장   예, 낮에 대사관 방문 후에 4시 회사 도착입니다.

동식   미팅 후 5시엔 국내 업체 소개하고 저녁 식사 자리로 이동할 예정입니다.

상식   전무님까지 참석할 거니까 식사 자리 신경 쓰도록 해. 내일은 해외투자팀과
         같이 미팅하는 거지? 장그래, 자료 정리 어느 정도까지 돼 있어?

그래   저녁까지 끝내겠습니다.

상식   (고개 끄덕하고는) 천 과장, 김 대리, 2시까지 해외투자팀 회의 들어가고,
         그… 이상한 것 좀 따지지 말라고 그래. (나간다)

동식   차장님, 오늘 기분 계속 안 좋으시네…?

휴대전화 문자, 띠링 울린다. 동식 문자 확인하면, 동식의 엄마다. "이번 주에 선볼 아가씨 사진
보낸다." 사진을 클릭하는 동식,

천 과장   (슥 보며) 오~ 이쁜데? 이번엔 꼭 장가가. 이상하네. 아니 우리 김 대리는
         멀쩡한데 왜 장가를 못 가?

동식   그러게요. 직장 되지. 키도 되지. 살도… 때문인가?

천 과장   머리 때문일까?

동식   (진지하게) 목소리 때문 아닐까요?

웃는 동식과 천 과장. 그러나 그래만 웃지 않고 상식을 본다.

영이, 마 부장 앞에 서서 설명을 하고 있다.

영이   뉴질랜드 건 관련 삼정물산 임 상무님과의 골프는 쉐마 CC로 잡았습니다.

마 부장   야! 처음 듣는 데잖아?! 후진 데 아냐? 저번에 삼정물산 얼마나
         삐까뻔쩍 했는지 알지?

영이   요즘 가장 핫한 컨트리클럽입니다. 지난번 태국 총리 방한 때도
         초청 기업인들과 이곳에서 라운딩을 즐겼습니다.

마 부장   (못마땅하게 보다가 홈! 헛기침한다)

영이	골프 전 선물은 마커가 있는 그린 보수기를 준비했습니다. 환경을 먼저 생각하는 이미지라 선택했습니다. 라운딩 동선은 조금 이따 파일로 보내드릴 거고 사업 이야기는 18홀까지 먼저 꺼내실 필요가 없다고 생각합니다. 골프 후 식사는 컨트리클럽 내 레스토랑이 잘,
마 부장	(OL) 다 필요 없고 캐디가 이뻐야 돼! 그래야 얘기가 술술 나오지.
영이	예쁜 것도 중요하지만 중요한 사업 이야기를 나누시는 자리라 진중하고 단정한 분들로 요청했습니다.
마 부장	(말문이 막혀 있다가 다시) 근데 안영이, 너 삼정물산 그 신우현 팀장하고 무슨 관계야?
영이	(얼굴 확 굳어져서 마 부장을 본다)
마 부장	지난번에 그 뭐야? 한국 경제인 모임인가? 거기 갔더니 신우현하고 니 이름이 막 나오더라. 몸가짐 조심하고 다녀! 그,
영이	(OL, 약간 흥분해서) 업무와 상관없는 질문이십니다.

하 대리, 정 과장, 유 대리 놀라서 엉? 하고 본다.

마 부장   뭐?!

화가 나서 벌게진 얼굴로 바라보는 마 부장에게 목례하고 확 돌아서 나가는 영이. 이때 통로를 걸어오는 백기, 어두운 얼굴로 가는 영이를 본다. 마 부장, 씩씩거리며 통로를 보며 "저… 저…" 하고 있는데, 책상 위 전화가 울린다.

마 부장   (씩씩거리면서 전화 받으며) 어 곽 부장, 커피? 어, 그래. 한잔해. (계속 씩씩거리면서 던지듯 전화 끊고 영이 쪽 확 보며) 망할!

S#32 — 중앙 정원, 낮

창백하게 굳은 얼굴로 나오는 영이, 뒤에 따라오는 백기.

백기	… (다가가서) 무슨 일이에요?
영이	아, (아무렇지 않은 얼굴로) 아무 일도 아니에요.
백기	마 부장님,
영이	(OL) 아무 일도 아니에요. (웃는)
백기	…

이때, 곽 부장과 함께 커피 들고 나오다 웃고 있는 영이 보고 욱하는 마 부장.

마 부장	(버럭) 야! 안영이! 너는 상사한테 그렇게 싸가지 없이 대들고 나오니까 기분이 째져? 그래서 남자랑 시시덕거리고 있어? (다가온다)

사람들, 영이와 마 부장에 집중하고. 영이, 어두운 얼굴로 굳는다. 당황해서 가지도 오지도 못하고 쭈뼛거리고 있는 백기.

마 부장	니가 이러고 분 냄새 흘리고 다니니까 조심하라고 한 거잖아. 상사 된 입장에서 그런 이상한 소문 휩쓸리지 말라고 미리 알려주는 건데 어디 따박따박 대들어? 너 이러다가 시집이나 제대로 가겠어? 내가 딸 같아서 하는 걱정이야.
영이	…제가 왜 부장님 딸입니까…
마 부장	뭐? (당황, 뚜껑 열리고) 그… 그럼 니가 아들이냐? 이거 또라이 아냐?
백기	(굳어서 마 부장을 본다)
마 부장	(커피 들고 있는 것 잊고 그 손으로 삿대질을 하면서) 왜 그러고 봐. 왜 너도 성희롱으로 고발할라고?

순간 영이 쪽으로 날아오는 커피. 그때 백기가 영이를 잡아끌려고 나서다가 커피를 맞는다. 목을 타고 흐르는 뜨거운 커피에 미간을 찌푸리는 백기. 모두 놀란다. 마 부장도 놀라고, 영이도 놀라서 백기를 본다.

마 부장	(놀라고 당황해서) 그… 그러게 왜 거기 서 있어? 상사가 뭐라고 하면 옆에 서서 들어야지. (슬슬 목소리 줄고) 눈 보며 따박따박 따지니까 그런 거야. (돌아서서) 야! 곽 부장! (하면서 확 돌아서 간다.)
백기	후우~
영이	괜찮아요?

목덜미에 젖은 와이셔츠 쪽을 손으로 만져보는 백기, 따끔거린 듯 넥타이와 와이셔츠 단추를 풀어서 어깨 쪽을 조금 열고 돌아본다. 불긋불긋해 보인다. 와이셔츠는 얼룩졌다.

영이	(보며) 의무실 가서 연고라도 발라야 하지 않을까요?
백기	괜찮아요. (손수건을 꺼내 닦으며) 먼저 갈게요. 대강 좀 씻어내야겠어요.

닦으면서 가는 백기를 쳐다보는 영이.

Episode 14

노트북을 펴놓고 뭔가를 타타타탁 치고 있는 석율.

그래　　　(들어오다가 의아해서) 여기서 뭐 해요?

석율　　　(대답 안 하고 타이핑하는 데만 열중한다)

그래　　　점심 먹으러 가자면서요?

석율　　　(손을 휘휘 저으며 집중해서 타자만)

그래, 의아해서 다가가서 보다가 깜짝 놀란다. 사내 인트라넷 익명 게시판에 모 대리가 얼마나 불합리한 선배인지를 잔뜩 토로해놓고 있는 석율.

그래　　　(놀라서) 한…석율 씨.

석율　　　홍! 강하기는!

엔터 탁 치면서 완성하고는 다크한 포스를 뿜으며 일어나는 석율, 석율의 모니터 화면 안에 사내 인트라넷 익명 게시판, "이런 선배 어떤가요?"라는 제목의 글이 올라와 있다. 석율, 노트북을 탁 접고 옆에 착! 끼고 그래를 확 보며

석율　　　밥 먹으러 가자 친구! 안영이 씨는?

그래　　　(끔벅끔벅)

쇼핑백을 두고 앉아 있는 영이, 백기 나오다 본다.

백기　　　영이 씨.

영이　　　아, (목을 본다. 와이셔츠에 얼룩이 그대로다) 목은 괜찮아요?

백기　　　아, 네. 아무렇지도 않아요. 한석율 씨가 아까 찾던데. 점심 같이 먹기로
　　　　　　했는데 없어졌다면서,

영이　　　(OL, 쇼핑백을 내민다)

백기　　　(의아한)

영이　　　갈아입어요, 나 때문에 그런 거니까.

백기　　　네? (깜짝 놀라 쇼핑백 안을 본다. 와이셔츠를 꺼낸다. 당황해서 뒷주머니에서 지갑을 꺼내며)
　　　　　　어… 얼맙니까?

영이	비싸요, 완전 최고급이니까.
백기	(당황해서) 아, 그러니까 얼마…
영이	(OL) 5000만 원이요.
백기	(멈칫) …
영이	(웃으며) 아까 고마웠어요.
백기	(지갑을 도로 집어넣고는 와이셔츠를 받아 든다)
영이	(웃으며) 동기 사랑 나라 사랑.

S#35 — 화장실, 낮

화장실 세면대 위에 빈 쇼핑백 놓여 있다. 칸 문이 열리면서 새 와이셔츠를 대강 입은 백기가 벗은 와이셔츠를 들고 나와 쇼핑백에 넣는다. 거울을 보며 위에 열린 단추 두 개를 마저 잠그고 양 소매의 단추를 잠근다. 쇼핑백에서 넥타이를 꺼내 맨다. 거울을 보는 백기… 피식 웃음이.

S#36 — 자원팀, 낮

서류를 휙휙 넘겨보는 마 부장. 그 앞에 움찔 기가 죽어 서 있는 정 과장.

마 부장	(버럭) 이거 봐! 이게 사업 놀이야!

각자 자리에 앉아 풀이 죽어 있는 자원팀 사람들.

마 부장	사려는 생각만 하고 깎으려는 생각은 왜 못 해?
정 과장	(어렵게) 업체들의 요구가 너무 강력해서…
마 부장	(고함치는) 그게 아니라 일 성사시키고 싶은 욕심이 앞서서 그런 거 아냐! 2퍼센트가 뭐냐! 2퍼센트. 순이익 3퍼센트, 무리면 근사치라도 뽑아내야지!

정 과장의 머리를 쿡! 찌른다. 이때, 들어서는 영이와 눈이 딱 마주치는 마 부장, 더욱 욱! 화가 치민다.

마 부장	저거 봐 저거 또 눈 치뜨고 저러고 보고 있잖아. 상사한테 저건 무슨 애티튜드야. (다시 정 과장 보고 이제는 머리를 콱콱 밀며) 너는 부하 직원 교육을 어떻게 시켜서 상사한테 바락바락 대들게 만들어?!

사무실에 버럭버럭 울리는 마 부장의 고함.

마 부장	애티튜드부터 다시 트레이닝 해! (휙 돌아서 나간다)

그 자리에 굴욕적으로 그대로 조용히 있는 네 사람.

정 과장	(맥없이 한숨 쉬면서 힘없이) 담배나 피러 가자… (나가는)
유 대리	(따라 나가면서) 우리 내일도 나와서 근무해야 되는 거 아녜요? 주말인데.
영이	(그들을 본다) …

S#37 ― 그래 집 외경, 낮

참새 짹짹짹짹 소리만.

S#38 ― 그래 집 마루, 낮

무릎을 꿇고 양손으로 마루에 걸레질을 하고 있는 그래, 이마에 땀이 송글송글 맺힌 채 복근 운동하듯 길게 쭉쭉 닦으며 생각에 잠겨 있다.

상식	(E) 안 될 거다.

> [Flashback] S#16
>
> | 상식 | 데이터는 그래. 대학 4년, 어학연수 다녀온 사람들도 많고. |
> |---|---|
> | | 그 사람들도 취직을 못 해서 고통받고 있어. (본다) 그들이 |
> | | 그 시간에 지불한 비용과 노력을 생각해본다면 취업 우선순위에서 |
> | | 밀리는 게 당연할지도 몰라. |
> | 그래 | (책상 위만 본다) |
> | 상식 | 회사의 매뉴얼은 철옹성 같아. 내가 끼어들 틈은 없을 거야. |

어두워진 그래, 생각을 떨치듯 쭉쭉 닦다가 앉아서 상의를 까뒤집어서 배를 탕탕 두드려본다. 다시 쭉쭉 닦는데 전화 온다. 보고 얼른 받는

그래	(반가운) 대리님!
동식	토요일인데 뭐 해?
그래	그냥 집이요.
동식	오늘 약속 있어?

그래	아뇨.
동식	잘됐다. 백업 좀 하고 있어라.
그래	네?
동식	나 오늘 선보잖아. 지금까지 경험으로 봐선 또 뻥! 차일 거거든.
	정초부터 여자한테 뻥! 차여봐. 기분이 어떨지.
그래	(당황) 아… 그렇진 않을,
동식	(OL, 위협하듯) 머리 때문에 차일 거라며?
그래	(당황) 아, 아니. 그… 그건,
동식	지금으로부터 한 시간만 백업해. 한 시간 지나서도 연락 없으면
	넌 백업 풀고 형님은 장가가는 거고.
그래	혀… 형님…?
동식	(툭 끊는다)
그래	(전화기를 본다)

S#39 — 덕수궁 돌담길, 낮

겨울, 덕수궁 돌담길의 풍경. 몇몇 사람이 거닐 듯 걷고 있다. 그 와중에 선본 여자와 걷고 있는 동식.

동식	시간 괜찮으시면 식사라도…
여자	(좀 불편한) 아뇨… 그냥… 다음… 기회에…

말없이 걷는 두 사람.

동식	다음엔 확실히 기회가 있는 건가요?
여자	(난처하게 보다가) 아뇨… 제 스타일이 아니세요. 죄송합니다.
동식	(저돌적으로) 어떤 스타일 좋아하시는데요? 제가 살이 너무 많나요? 뺄까요?
	옷을 못 입나요? 아니면 머리를 필까요? 제 목소리 때문이죠?
여자	(당황) 아…
동식	(빙긋 웃으며) 아니, 회사에서요… 동료들이 그렇게 놀리길래요.
여자	아… (어색하게 웃는) 저… 별로 이기적으로 보이지 않아서 싫은 거예요.
동식	(놀라서) 네?
여자	밖에선 사람 좋다 소리 듣겠지만… 같이 사는 사람은 답답할 것 같아요.
동식	아닙니다. 저 완전 이기적입니다. 이기 끝판왕인데…
여자	죄송해요. 아버지가 그런 분이라 어머니가 힘든 걸 많이 보고 자랐거든요.
	그냥 제가 싫을 뿐이에요. 죄송합니다. (인사하고 간다)

동식　　(E) 뭐야, 살도 머리도 목소리 때문도 아니잖아… (쓸쓸하게 웃으며)
　　　　　이기적이지 않아서 싫다니… (너털웃음) 이기적이지 않은 게 사랑받지 못하는
　　　　　이유라니… <u>흐흐흐흐흐</u>.

S#40 ─ 그래 집 마당, 낮

마당을 쓸고 있던 그래, 시계를 본다.

그래　　(웃으며) 잘되시나 보네…

기다렸다는 듯 휴대전화로 전화가 온다. 보고 머뭇하는 그래.

그래　　대리님 (듣는…) 알겠습니다. 천천히 드세요. 곧 갈 테니까요.
　　　　　이미 꽤 드신 것 같은데… (끊고, 휴~ 숨 내쉬다가) 아~ 장소를 안 물어봤네.
　　　　　(하는데 전화가 온다. 바로 받으며) 네, 어디 술집이에요?
하 선생　(E) 어? 우리 드디어 마시는 거예요? 나 전화할 줄 어떻게 알았대요?
그래　　(당황하는) 어… 어.
하 선생　(E) 어우~ 이러면서 튕긴 거구나! 내가 전화할 때까지 기다린 거죠?
그래　　(어이없어) 허~

S#41 ─ 술집 안, 밤

그래, 발그레 취해서 조금 풀린 눈으로 앉아 있다. 앞에 앉아 있는 동식, 하 선생, 꽤 불콰하게 취
해 있다. 서로 주거니 받거니 말을 잇고 있다.

동식　　(버럭) 내가 뭐 어때서?! 이기적이지 않은 게 뭐 싫어? 예전에는 대기업 다니면
　　　　　일등 신랑감이었는데!
그래　　(조용히 한 잔 홀짝 마신다)
하 선생　(말 받아서) 이제는요, 여자든 남자든 약아졌어요. 예전에 미덕으로 삼았던 것들이
　　　　　이제는 안 통한다구요~
동식　　(주거니) 그러게요. 남자들도 남성 우월주의가 줄어든 만큼 희생정신도 같이
　　　　　없어져서 여자가 자기한테 기대는 게 싫은 거고!

하 선생	(받거니) 여자도 사회생활 늘면서 편하게 살지 못할 거 같으면 마음도
	열지 않는 거고! 그 사람이 얼마나 좋은 사람인지는 중요하지 않은 거지~
그래	(또 홀짝 소주를 들이킨다)
동식	(갑자기 확 돌아보며) 장그래, 니 생각은 어때?
그래	(취해서 멍…) 네? 뭘요?
하 선생	결혼에 대한 가치관 말이에요.
그래	전 계약직인데요.
동식/하 선생	(놀라서) 어?
그래	(끔벅끔벅 보다가 슬며시 술을 홀짝인다)

쳐다보는 동식과 하 선생.

S#42 ── 거리, 밤

| 동식 | (취해서 고래고래) 2차 가자고요! 2차! |

하 선생, 그래를 보면 취해서 약간 흔들흔들하고 있다.

| 하 선생 | 다음에 갑시다. |
| 그래 | (인사 꾸벅) 그럼 안녕히 가십시오. |

비틀비틀 걸어간다.

하 선생	(동식에게) 그럼 담에 또 봬요. 뵙게 되면. (얼른 그래를 따라간다)
동식	어? 어? 걘 왜 따라가요?!
하 선생	(보지도 않고) 장그래 씨랑 같은 방향이에요.

S#43 ── 몽타주, 그래의 집 근처, 밤

#그래 집 근처 일각. 그래, 약간 비틀해서 걸어가면, 뒤따르는 하 선생, 말짱한 모습이다.
#그래 집 근처 다른 일각. 그래, 비틀거리던 걸음이 약간 멀쩡해지고, 하 선생을 의아하게 돌아본다. 그래를 못 본 척 따라 걷는 하 선생.
#그래 집 앞 골목.

그래	(하 선생 홱 돌아보며) 가세요. 왜 안 가세요. 집이 어디세요?	34

그래   (하 선생 홱 돌아보며) 가세요. 왜 안 가세요. 집이 어디세요?   34

하 선생   (턱짓으로 어딘가를 가리키며) 저기예요. 저기.

그래   (어이없고) 아, 어디요? 가시라구요. 우리 집 다 왔어요.

하 선생   (끄덕거리며) 예에~ 가던 길 가세요. 저도 우리 집 가니까.

S#44 — 그래 집 앞, 밤

문 앞에 다다르고 멈춰 서는 그래. 쫄래쫄래 따라와 마치 데려다주는 것처럼 서 있는 하 선생.

그래   (홱 돌아본다) 어딘데요? 집이.

하 선생   (집을 보며) 여기예요?

그래   네, 이제 쓸데없이 문자 하지 마세요.

하 선생   그래요. 그럼 이제 쓸데 있게 문자 할게요. (손 흔들며 온 방향으로 간다)

그래   ! 내 전화번호 어떻게 알았어요?!

하 선생   (돌아서서 웃으며) 소미 어머님께 여쭤봤죠. (생긋 웃고 간다)

그래, 어이없이 보다가 쓸쓸한 얼굴로 들어가려는데 동식의 문자가 온다. "장그래, 계약직도 결혼해. 한다고!" 문자를 말없이 보는 그래.

S#45 — 석율의 집, 밤

수건으로 세수한 얼굴 닦으면서 통화 중인 석율.

석율   열차는 표 없구, 고속버스 타야지. (듣고) 회사 일이 바빠서 예매도 못 했어.
버스는 당일에 한 자리 정도 있더라구. (노트북 열린 책상 위에 앉는다) 걱정 마세요.
꼭! 내려갈 테니까. 네네~ 주무세요.

끊고, "후~" 하며 포털 검색창에 "고속버스 터미널"이라고 입력했다가 멈춘다. 뭔가 생각난 듯 씩 웃으며 사내 인트라넷에 접속한다. 자신이 올린 "이런 선배 어떤가요?" 게시글을 찾는다. 조회수 200회 정도. "호오~" 하면서 보는데, 댓글들도 달려 있다.

석율   엇! (하면서 얼른 글 클릭하면서 댓글 맨 밑으로 가서 '글쓰기'에 "저 선배 섬유1팀 성준식 대리 아닌가여?"라고 쓰고 씩 웃으며) 야! 성 대리, 공개 망신 한번 당해봐라. (댓글 읽으려고 스크롤 올리다가 뚜악! 얼음이 된다)

댓글 중 긴 댓글의 시작. "섬유1팀 대리 성준식 대리입니다. 물의를 일으켜 죄송합니다. 모두 신입을 잘못 가르친 제 잘못입니다." 점점 사색이 되는 석율. '본문에 적힌 S 대리는 접니다' 투의 예의 없이 글을 올려 회사 분위기를 망친 석율에 대해 넓은 아량과 이해를 구하는 댓글. 석율, 허… 영혼이 빠져나가는 멍한 얼굴이다. 그 위로, 음성과 함께. 성 대리의 댓글 아래로 붙은 댓글들.

(E) 야 신입 너 진짜 그러는 거 아냐!

(E) 아무리 사수가 마음에 안 들어도 팀에서 해결해야 합니다. 이렇게 말 옮기는 거 아닙니다.

(E) 기본도 안 됐어. 섬유1팀 신입이 누구야?

(E) 그놈 잘라버려라. 오겠다는 애들 많다.

넋이 나간 듯 멍~한 얼굴의 석율.

[Flashback] 제12국 S#53

영이   어떻게 싸울 건데요? 신입이.

그래   일단 기다려야 하지 않을까요?

그래   싸움은 기다리는 것부터 시작입니다.

백기   상대가 강할 때는요.

팔에 얼굴을 묻고 책상에 엎드리는 석율…

S#46 ── 원인터 외경, 아침

S#47 ── 원인터 로비 + 엘리베이터 앞, 낮

석율, 다크서클에 코가 빠져서 회전문을 밀고 들어온다. 옆문에서 인사하며 들어오는 영이, 회전문을 밀고 들어오는 백기도 인사하고. 그러나 침울한 석율은 인사를 하는 둥 마는 둥이다.

백기   얼굴이 왜 그래요?

그래   (Off) 안녕하세요.

그래, 빠른 걸음으로 온다. 영이, 그래에게 인사한다. 그래도 인사하다가 석율을 보고

그래   어디 아파요?

석율   …

Episode 14

석율　　　(쳐다보면서 맥없이) 아… 오늘 설 선물 나오는 날… 내가 진짜 작년 추석에 받은
　　　　　　수제 햄 세트 그거 구경만 하고 성 대리 줬었는데… 내가 왜 그랬을까.
　　　　　　왜 그랬을까아~ (엘리베이터에 탄다)

그래와 영이, 그런 석율을 보며 탄다. 곧이어 직원2, 3, 4가 탄다. 닫힘 버튼을 누르고 9층 누르
는 직원4.

직원1　　　너 게시판 봤어? 한석율이 누구야?
석율　　　　!
그래/영이　　(영문을 모르고 서로 보는)
직원2　　　섬유팀 성 대리네 애.
직원1　　　(혀 끌끌) 진짜 요즘 신입들은 못써.

석율, 움찔해서 슬그머니 영이와 그래와 백기 뒤로 슬슬 옮긴다. 영이, 백기, 그래, 뭔가 싶어 의
아하게 석율을 돌아본다. 그 위로 계속 속닥대는 직원들, "요즘 신입들은 간도 커요" "간이 큰 게
아니라 머리가 없어. 익명 게시판이 진짜 익명이 될 줄 아나" "성 대리가 맘이 좋은 거지" "맘이
좋은 게 아니라 우유부단해 그 친구는"… 등등.

S#48 —— 15층 엘리베이터 앞, 낮

영이와 백기, 내린다. 마지막으로 그래가 따라 내린다. 신경 쓰이는 듯 돌아보면 석율, 괜찮다고
어서 가라 손짓하며 보낸다. 닫히는 엘리베이터 문.

S#49 —— 15층 사무실 입구 + 통로, 낮

사무실로 들어와서 각자 헤어져 자기 자리로 가는 백기, 영이, 그래. 통로를 걸어가는 그래의 시
선에 사원들이 수제 햄 세트 쇼핑백을 들고 있는 모습이 보인다. 책상 위에도 올려져 있다. 그리
고… 그 중간중간 계약직 자리에서 보이는 작은 식용유 상자.

그래　　　…

영업2팀 쪽으로 걸어오는 그래. 장미라 자리에서 식용유 보며 얘기하고 있는 다인.

다인   언니, 우린 또 요거네요. 추석 때 받은 것도 아직 남았는데…
장미라   (기가 찬 듯) 몇 년째 식용유냐? 지들 햄이나 부쳐줘라 이거야?
실무직 여직원1 (지나가다가) 됐어, 계약직은 그나마도 안 나오는 데가 부지기수야.

3팀 앞으로 가면서 자기 자리를 본다. 화분에 가려져 있던 식용유가 그래의 걸음에 따라 점점 드러난다. 자리로 와서 식용유를 쳐다보고 서 있는 그래… 상식이 오는데도 모르고 그러고 있다. 상식, 멈추고 굳은 얼굴로 그래를 쳐다보고 있다. 그래, 힘없이 식용유를 만져보는데 상식, 그 옆을 무심한 듯 지나가면서

상식   욕심내지 말라고 했잖아.
그래   (멈칫, 본다)
상식   (책상에 앉으며 일하는 척하면서) 욕심내지 마.
그래   (자기도 모르게 울컥해서) 욕심도 허락받아야 되는 겁니까?
상식   (멈칫 본다) …뭐?
그래   (쳐다본다) …
상식   (쳐다본다) …
그래   계약직. 정규직. 신분이 문제가 아니라… 그게 아니라… (말을 못 잇고 상식을 본다)
상식   (보는) …그게 아니라?
그래   …그게 아니라 …그냥 일을 하고 싶은 겁니다. 차장님하고 과장님하고
              대리님하고… 우리… 같이… 계속…
상식   ! …

그때 동식과 천 과장 인사하며 들어오다가 두 사람의 묘한 분위기에 멈칫한다. 무슨 일인지 몰라서 "어…" 하는데

상식   선은 어떻게 됐어?
동식   (분위기 눈치 보며) 어… 뭐, 잘…
상식   (일어나며) 잘 좀 하지. (나간다)

그래, 그 자리에 그대로 서 있고. 동식, 천 과장, 의아하게 두 사람을 본다.

동식   무슨 일 있어?

S#51 — 옥상 정원, 낮

굳은 얼굴로 나오는 상식··· 담배를 꺼내 문다.

그래   (E) ···그게 아니라 ···그냥 일을 하고 싶은 겁니다. 차장님하고 과장님하고
          대리님하고··· 우리··· 같이··· 계속···

상식   ···

          [Flashback] 자원팀, 낮(과거)
          대리 상식   (PPT 파일 넘겨 보면서 놀라서) 오! 이건 시키지도 않았는데
                      어떻게 이렇게까지 했어?
          은지   (웃으면서) 다 가르쳐주신 거잖아요.
          대리 상식   가르쳐준다고 다 성과를 내는 건 아니야.
          은지   (웃으면서) 어쨌든 대리님 덕분입니다. 감사합니다.
          대리 상식   (정말 놀랍다는 얼굴로 감탄하며 PPT 파일을 보고 있다)
          은지   (보다가) 계속 이렇게만 하면 저도 회사에 남을 수 있는 거죠?
          대리 상식   (웃으면서) 어? (하고 은지를 본다)

그대로 담배를 물고 착잡하게 있는 상식.

S#52 — 탕비실, 낮

파쇄하고 있는 그래, 제2국에서처럼 파쇄기를 멍~하게 보고 있다. 백기가 들어오다가 그러고 있
는 그래를 본다. 파쇄는 이미 끝나 있지만 그래는 그대로 서 있다.

백기   뭐 해요? (커피 쪽으로 간다)

그래, 깜짝 놀라서 돌아보는데 뒤이어 영이가 복사지 들고 들어오다가 아는 척하고. 그때, 동식이
급하게 얼굴 휙 내밀며 법인카드를 그래에게 흔든다. 그래, 다급히 다가가 카드 받으면

동식   삼부테크 미팅 스케줄이 당겨졌네. 나 지금 가봐야 되니까 헨리 줄 선물
          좀 사다놔. 저녁에 줘야 하니까 점심시간에 바로 가.

그래	(당황해서) 뭐… 뭘로,
동식	홍삼! 무조건 홍삼! (하고 휙 간다)
그래	어…
영이	이따 점심에 같이 사러 갈까요?
백기	(멈칫, 보면)
그래	어… 그래도 돼요?
영이	네.
백기	(빠직) 아니 장그래 씨는 바이어 선물도 혼자 못 삽니까?
영이/그래	(어? 하고 백기를 본다)
영이	저기… 우리 팀도 어차피 사야 돼서요…
백기	(큼)

S#53 —— 홍삼 매장 안, 낮

나란히 서서 상품을 고르고 있는 그래와 영이. 와중에 영이, 백기 쪽이 신경 쓰인다. 곁눈질로 보면 한쪽에서 상품을 보고 있는 백기.

그래	가격이랑 상품 고려하면 이게 좋을 것 같아요.
영이	(얼른 보며) 네? 아, 괜찮네요.
그래	(백기 쪽을 보고) 백기 씨는 누구 선물이랬죠?
영이	네? 글쎄요… 부모님이랬나?

영이, 다시 백기를 본다. 백기도 영이를 보다가 둘이 눈이 마주친다. 당황하는 두 사람. 그때 백기에게 다가온 점원이

점원	손님은 어떤 상품이 필요하세요?
백기	(버벅) 아, 그러니까. 몸에도 좋고, 먹기도 편한
점원	(웃음) 저희 상품은 전부 몸에도 좋고 먹기도 편한 상품들인데요.
영이	(피식 웃으며 그래에게) 여자 바이어들도 있다면서요?
그래	네. 어… 이게 여자들이 먹는 건가 보네요.
백기	(OL, 퉁명하게) 다 샀으면 들어갑시다!
그래/영이	(돌아보는)

Episode 14

그래, 바이어 선물들 양손에 들고 낑낑거리며 들어온다.

동식	(받으며) 어, 수고했어.
상식	(자리 정리하며) 오늘은 일찍 퇴근하자? (동식 보고) 가다가 킹스 들러서 주고 갈 거지?
동식	네.
상식	헨리한테 안부 전해주고, 장그래, 이리 와봐.
그래	(가면)
상식	(봉투 건넨다) 자, 이거.
그래	?
상식	설 잘 보내고 와.
그래	(당황해서) 아, 이건 괜찮습니다. (하고 다시 주려는데)
천 과장	어른이 주시면 감사합니다~ 하고 받는 거야.
그래	아…
동식	(웃음)
상식	(웃지 않고 돌아선다)
그래	…

S#55 ─ 원인터 밖, 낮

수제 햄 들고 퇴근하는 몇몇 사람 사이에 식용유 들고 걸어 나오는 그래. 건물을 빠져나와 주머니 속 봉투를 꺼내서 물끄러미 보는 그래… 다시 걸어간다.

S#56 ─ 그래 집 외경, 밤

S#57 ─ 그래 엄마의 방, 밤

약간 앓는 소리 하면서 누워 자고 있는 그래 엄마. 그래, 들어와서 머리맡에 봉투 스윽 놓는데. 그래 엄마가 흘깃 본다.

그래 엄마	설 뽀너스야? 요새도 봉투에 넣어서 줘?
그래	아뇨, 차장님이. 설 지내라고 주셨어요.

41   **그래 엄마**   그래? 아이고 고마운 분이네. 인사 잘했지이?

"네" 하고 그냥 나가려다가 돌아눕는 엄마 보곤 다시 앉아 다리 주무르는 그래.

그래 엄마   주무를라면 좀 팍팍 주물러라. 사내 자슥이 매가리도 없이.
그래   … (주무른다)

눈 감고 자는 듯한 그래 엄마.

S#58 ── 그래 집 마루, 밤

나오는 그래. 마루에 앉는다. 하늘을 본다. 달이 없는 깜깜한 밤, 적막하다.

[Flashback] S#50
상식   욕심내지 말라고 했잖아.
그래   (멈칫, 본다)
상식   (책상에 앉으며 일하는 척하면서) 욕심내지 마.
그래   (자기도 모르게 울컥해서) 욕심도 허락받아야 되는 겁니까?
상식   (멈칫 본다) …뭐?
그래   (쳐다본다) …
상식   (쳐다본다) …
그래   계약직. 정규직. 신분이 문제가 아니라… 그게 아니라…
(말을 못 잇고 상식을 본다)
상식   (보는) …그게 아니라?
그래   …그게 아니라 …그냥 일을 하고 싶은 겁니다. 차장님하고
과장님하고 대리님하고… 우리… 같이… 계속…

그래, 어느새 눈물이 흐른다.

그래 엄마   (E) 내일 시끄러운 인간들 몰려올 테니 적당한 데 가서 쉬었다 와.

얼른 눈물을 닦으면서 뒤를 돌아보며 "네?" 하는 그래.

한복 입은 아이가 엄마 아빠 손을 잡고 지나가고, 그 외 행인 몇몇이 지나간다.

#그래 집 앞. 조깅복 차림으로 대문에서 나오는 그래. 골목을 돌고 돌아 계속 걷는다.

그래   (Na) 어머니는 내게 자유를 주셨다. 바둑을 포기했을 때,
              몇몇 친척 어른들의 책망을 높은 언성으로 막아냈던 어머니다.

#거리 일각

그래   (Na) 오늘은 또 어떤 이야기로 어머니 속을 후벼 파실까. 첫 직장을 도망치듯
              나와 군대로 도망간 이야기? 겨우 취직한 게 2년짜리 계약직?

#한강 둔치. 조깅로 걷다가 한강과 한강 다리가 내려다보이는 곳에 선 그래.

그래   (Na) 명절은 가족이란 이름의 폭력을 확인하는 자리가 되기도 한다.
              그곳에 어머니 혼자 남겨두고 나온 것이 못내 걸렸지만, 그래도 내가 없는 것이
              더 나을 것이라 위로했다. 그런데… 갈 곳이 없다.

다시 걷기 시작한다.

그래   (Na) 나는 어쩌면 이렇게 가난한 삶을 살아왔는지…
              커피 한 잔, 영화 한 편, 한강을 함께 걸어줄 친구 한 명 없다.

땅만 보고 걷던 그래, 문득 옆을 쳐다본다. 건너편에 빌딩 숲 보인다.

빈 로비를 가로질러 가는 그래.

S#62 ── 15층 사무실, 낮

그래, 들어서면 뭔가 분주하고 소란스러운 소리와 움직이는 사람들. 박스들을 옮기고 쌓고 있다.

사원1	이거 어디에 놓을까요?
사원2	여기 쌓아두면 돼.
사원3	(박스 들어 올리며) 조심! 무거워!
사원2	물건 들어왔다고 공장에 연락 넣어! 미국 업체한테 물건 받았다고 전해주고!
그래	(다가서서) 제가 뭐라도 도울까요?
사원2	(보고) 아~ 3팀 장그래 씨?
그래	네. 도울 일이라도…
사원2	뭐 일도 없는 연휴에 회사에 나왔어요? 우리도 일이 있어서 나온 거지만… 계약직인데 너무 무리하지 마요~ 그런다고 다 정사원 시켜주는 것도 아니고.
그래	아… (E) 그놈의 계약직… 오늘은… 어디에도 있을 곳이 없네…

발길을 돌려서 다시 나오는 그래.

S#63 ── 원인터 밖, 낮

맥없이 걸어 나오는 그래… 몇 발자국 걷다가 문득 멈춘다. 그대로 가만히 있다…

그래	(Na) …잘못한 거 같다…

휙 돌아서서 빠른 걸음으로 간다.

그래	(Na) 생각이 짧았다.

S#64 ── 동네 일각 거리, 낮

가쁜 숨 내쉬며 탁탁탁 뛰어오는 그래.

그래	(Na) 어머니 혼자 두고 면피해선 안 되는 거였다.

헉헉, 숨이 찬 그래, 멈추지 않고 계단을 뛰어 올라온다.

Episode 14

급히 들어서는 그래. 숨을 고르는데 툇마루 밑에 신발들 보인다. 들어가려는데,

그래 엄마	(E) 우리 그래가… 바둑 할 때부터 싹수는 보였던 거고…
그래	…
그래 엄마	(E) 이놈이…
그래	(Na) 제발… 대신 변명하지 마세요.
그래 엄마	(E) 이렇게, 대단한 가락이 있는 줄은 애저녁에 알아봤지! 한밤중에 들어와! 얼마나 일이 많고 이놈아 쓰임이 많은지… 언젠가는 즈 회사 높은 사람이 한밤중에 와서 엄청스레 있다 가! 얘가 바둑 둘 때도 그리 사람들이 찾아대. 어찌나 이 사람 저 사람 얘를 찾고 불러다 묻는지 원.
그래	(점점 더 당황하며 얼어붙는다)…
그래 엄마	(E) 정장 입은 태는 또 얼마나 나는지 알아? 우장바우 같은 지 애비 옷 입었는데도 어찌나 멋들어지는지 몰라아~ 원래 회사 다니던 놈처럼 딱 태가 나오더라니까. 그리구, 그 회사가 그냥 회사냐고. 우리나라 다섯 손가락 안에 들어가는 무역회사여.
숙부	(E) 형수님, 아이고~ 알았어요.
친척	(E) 계약직에 이런 난리는 첨 겪네~ 정직원 되면 큰일 나겠다. 허허허.
그래 엄마	(E) 이누마, 계약직은 아무나 하는 거야? 우리 그래가 갖은 고초 겪어가면서…
숙부	(E) 에유~ 왜 또 우나 형수님…

그래의 고개가 푹 꺾인다. 등 돌려 나가려는 그래의 뒤로

그래 엄마	(E) 이놈 바둑 안 되고 눈치 뵐까봐 웃는 낯으로만 대했는데… 이놈이 또 우릴 보고 웃어! 속이 썩어가는 놈이 웃어! 그런 놈이야, 우리 그래가!

천천히 대문을 빠져나가는 그래의 쓸쓸한 뒷모습.

혼자 걷고 있는 그래. 하늘을 올려다보는 그래.

그래	(Na) 잊지 말자. 나는 어머니의… 자부심이다. 모자라고 부족한 자식이 아니다.

펼쳐진 강을 멀리 보고 서 있는 그래.

S#67 — 원인터 외경, 낮

S#68 — 원인터 로비 안, 낮

사람들한테 인사하면서 들어오는 그래, 엘리베이터 문이 열리는 걸 보고 "어!" 하고 뛰어가서 탄다. 잠시 후 사람들과 인사 주고받으며 들어오는 상식. 그 뒤로 로비 문에서 들어오는 최 전무. 사람들이 인사하고. 상식을 본 최 전무.

        [Flashback] S#11
        상식   (뼈 있는) 전무님의 안목 아니십니까?

최 전무	…오 차장.
상식	(돌아본다. 인사하고)
최 전무	명절 잘 지냈나?
상식	(떨떠름하게) 네. 전무님도 잘 보내셨습니까?
최 전무	응… 음…
상식	(인사하고 가려고 하면)
최 전무	오랜만에 차나 한잔하지?

S#69 — 영업3팀, 낮

아직 아무도 없는 빈 영업3팀을 보면서 들어오는 그래. 가방을 놓고 옷을 벗어 걸고… 상식의 빈 자리를 돌아본다. 쓸쓸한 표정.

장미라	장그래 씨, 나 커피 마시러 가는데 한 잔 갖다줄까요?
그래	(일어나며) 아, 아닙니다. 제가 타서 마실게요. (간다)

S#70 — 전무실, 낮

소파에 말없이 앉아 있는 상식. 최 전무, 양복 윗옷을 옷걸이에 걸고 소파로 다가온다.

최 전무	새 사업 준비해야겠네?
상식	아… 네. 열심히 하고 있습니다.

최 전무	(끄덕이며 웃으면서) 음… 그 친구가 한 건 더 하는 건가? 그 장그래라는 친구 말이야.
상식	(최 전무를 바라본다)
최 전무	재미있어. 이런저런 계산 고민 없이 일 하나만 보고 달려들잖아. 겁도 없이. 누구처럼.
상식	(굳은 얼굴)
최 전무	아… 그러고 보니 오 차장 그맘때가 생각나네. 아이템 잡고 일 배울 때가 즐겁지. 그때 기억나나? 우리 동해에서 게르마늄 처음 파냈을 때 말이야.
상식	(얼굴 탁! 굳어진다)
최 전무	정제 설비 찾으려고 이리 뛰고 저리 뛰고. (즐겁게 피식 웃으며) 보험도 못 들고 진행한 건이 부지기수였지. 결국 그 업체에서 생산 못 하겠다는 통보받고는 그때… 바이어가? 그래, 마에하시! 거기서 다 물어내라고 해서 책임지고 몇몇 잘리기도 했잖아.
상식	(표정이 일그러진다.)
최 전무	그때도 버틴 게 우린데… (씁쓸하게 웃는) 난 말이야. 오 차장 아니 상식아, 가끔 니가 왜 나한테서 멀어졌는지 그게 궁금했다. 우리가 그렇게… 전우처럼 끈끈하게…
상식	(OL, 정색하고) 그때 책임지고 잘린 사람은 이은지 씨 하납니다.
최 전무	(멈칫!) 뭐? 누구?
상식	(누르며 보고 있는)
최 전무	(기억을 더듬는 듯) 아… 아아~ (아무것도 아니라는 듯) 걔 죽은 애?
상식	!
최 전무	내 기억으로… 걔가 무슨 부정을 저질렀던 거 같은데? (피식 쓰게 웃으며)
상식	! (눈을 부릅뜨고 전무를 본다)
최 전무	니가 왜 아직도 영업3팀에서 그러고 있는지 내가 알겠네. 모자란 놈. 그때도 그렇게 계약직 사원들을 무리하게 싸고돌았지. 그 장그래란 친구한테도 그럴 건가?
상식	(일어나며) 차는 다음에 마시겠습니다. (돌아서 나오는데)
최 전무	(Off) 아~아… 그때 니가 책임진다고 했었지.

! 멈춰 서는 상식, 돌아보면. 최 전무, 상식 보면서.

최 전무	아… 아니었나? 책임 안 진다고 했었나? (의도적으로 갸웃하고 웃으며) 가물가물하군.

상식, 얼굴이 사색으로 굳어진다.

S#71 — 옥상, 낮

커피를 들고 담담하게 한숨 돌리러 나오는 그래. 옥상 2층에 서서 커피를 마시며…

S#72 — 전무실 층 통로 + 엘리베이터 앞, 낮

일그러질 대로 일그러진 얼굴로 걸어오는 상식.

> [Flashback] 제5국 자원팀 최 부장 자리(과거)
> 최 부장   그래서… (너무도 평온한 표정) 은지 아니면? 니가 책임 질래?
> 상식   (순간, 멈칫 눈빛 흔들린다)
> 최 부장   응? 니가 책임질 거야?
> 상식   (호흡이 가빠진다)

이를 악물고 걷는 상식. 마침 엘리베이터에서 서류 들고 내리던 선 차장, 그런 상식을 본다. 상식도 흥분한 얼굴 그대로 선 차장을 본다.

S#73 — 옥상 정원, 낮

그래, 커피 마시고 있는데 문이 쾅 열리면서 터질 것 같은 분위기의 상식이 거칠게 들어와 난간 쪽으로 간다. 뒤로 선 차장이 따라 들어온다. 그래, 놀라서 숨듯이 뒤로 물러선다. 분노한 얼굴로 멀리 보고 있는 상식. 보다가 다가가는 선 차장.

선 차장	(얼굴을 보고) 숨 좀 쉬세요.
상식	(선 차장을 봤다가 다시 멀리 본다) …최 전무가, (어이없이 웃으며) 은지를 기억 못 하더라구.
그래	?
선 차장	못 하는 척하는 거겠죠.
상식	아니, 그 양반은 정말 기억 못 하는 거야. 담아둘 가치가 없으니까. 본능적으로 그 계산이 되는 사람이야.
선 차장	(본다)
상식	그 사건에서 자기는 완벽하게 지웠어, 스스로도 속아 넘어갈 만큼 완벽하게. (선 차장 보며) 의도가 아니라 본능이야. 그래서 무서운 사람이고.
선 차장	(후~ 내쉬면)

상식	은지 그 친구한테 (자기를 비웃듯) 자기계발서에 나올 법한 얘기들을 매일 해줬었어.
선 차장	(멈칫 본다)
상식	야간대학엘 가라. 꿈을 꿔라. 노력은 배신하지 않는다. 열심히 하면 길이 보일 거다.
그래	…
선 차장	똑똑한 친구였으니까요.
상식	내가 주제넘게 굴지 않았으면, 살아 있… (말 잇지 못하고) 편하게 회사 다니다 좋은 남자 만나서 시집가서 잘살고 있었을 거야. 좋은 애니까.
선 차장	…
상식	그 친구가 웃으면서 그랬어. "대리님 감사합니다. 이렇게만 하면 되는 거죠?"
그래	!
선 차장	(본다)
상식	똑같은 말을 장그래, 그 녀석이 묻더군.

[Flashback] S#15

그래   이대로만 하면 정규직이 되는 거죠?

그래	!
상식	안 된다고 했어.
선 차장	차장님.
상식	은지 때보다 더 어려운 시대잖아. 대책 없는 희망이, 무책임한 위로가 무슨 소용이야?
선 차장	… (앞을 보며 약간 뼈있게) 전 그 대책 없는 희망, 무책임한 위로 한마디 못 건네는 세상이란 게 더 무섭네요.
상식	(선 차장을 본다)
선 차장	대책 없는 그 말 한마디라도 절실한 사람들이 많으니까요.

선 차장을 보는 상식… 상식을 보는 그래… 말없이 서 있는 세 사람… 잠시 후 상식이 무겁고 단호하게 입을 뗀다.

상식	그래도 안 돼.
그래	!
선 차장	(상식을 본다) …

그렇게 그래와 상식. 엔딩.

Episode 15

제15국

옥상으로 나오는 그래… 옥상을 본다… 그런 그래 위로.

상식   (E) 안 된다고 했어.

        [Flashback] 제14국 S#73
        상식   대책 없는 희망이. 무책임한 위로가 무슨 소용이야?
        선 차장   대책 없는 그 말 한마디라도 절실한 사람들이 많으니까요.

        선 차장을 보는 상식… 상식을 보는 그래… 말없이 서 있는 세 사람…
        잠시 후 상식이 무겁고 단호하게 입을 뗀다.

        상식   그래도 안 돼.

난간에 서서 멀리 보는 그래.

그래   (Na, 옥상을 보며) 끝이 정해진 길…

        [Flashback] 제14국 S#50
        그래   …그게 아니라 …그냥 일을 하고 싶은 겁니다.
                   차장님하고 과장님하고 대리님하고… 우리… 같이… 계속…

멀리 보는 그래… 고개 숙였다가… 다시 들며 애써 담담하게 웃으며

그래   (Na) 그래도 아직… 1년이나 남았잖아. 같이 걸을 수 있는 길.

멀리 보며 담담하게 웃는. 담담해서 더 슬픈 그래의 얼굴.

영업3팀, 일 시작하고 있는데 씩씩하게 출근하는 그래. 큰 소리로 인사하면서

그래   안녕하십니까?!
일동   (깜짝 놀라서 본다)

동식	아, 진짜. 장그래, 요즘 왜 그래? 장그래?
그래	그럼 업무 보겠습니다! (상식을 봤다가 자리로 가서 가방을 놓는다)
천 과장	장그래 씨, 요즘 아주 씩씩해.
그래	(옷을 벗으면서 웃는다)
상식	(쳐다보는) …

S#3 ─ 탕비실, 낮

컵 세 개를 준비해놓고 처진 얼굴로 원두커피를 내리고 있는 석율.

성 대리   (E) 15층 내려가서 원두커피 좀 부탁해. 카페 가서 한 잔씩 사서 돌려도 좋고.

석율, 전의를 상실한 깊은 한숨을 쉬는데… 복사할 자료를 들고 들어오는 백기.

백기	어? 한석율 씨.
석율	(맥없이 본다) …
백기	기운 좀 내요. (혼잣말하듯) 기다리라니… (복사하며) 우리는, 기다릴 수밖에 없더라구요. 나도 해봤잖아.
석율	(백기를 보다가) 기다리다,

그때 울리는 백기의 휴대전화 화면에 '이상현'이 뜬다.

백기	(받으며) 아, 이상현 씨.
상현	(E) 백기 씨, 잘 지내요?
백기	그럼요. 오랜만이네요?
상현	(E) 별일 없음 오늘 술이나 한잔하죠. 나 오늘 그 근처 갈 거거든.
백기	그럴까요? 이따 연락해요. (끊으면)
석율	(중얼, 맘에 안 든다는 듯) 이상현은… (하다가 다시) 기다리다,
강 대리	(외근 복장으로 들어오며) 자료 좀 줘봐요. 지금 나가야 돼서 보고 가려고.

백기, 복사본 한 부 준다. 석율, 쩝… 휙휙 넘겨가며 읽는 강 대리의 표정 살피는 백기.

강 대리	(꼼꼼하게 보다가 다시 건네며) 장백기 씨. (서류 보며) 여기 이 문장은 must보단 shall을 써주는 게 좋습니다. shall이 리걸 레터(legal letter)에선 강제성이나 의무를 강조하면서도 공손한 느낌을 주거든요.

백기	(조금 빠직) 아, 그래도 조금 더 강하게 must로 해야 하지 않을까 싶어서…
강 대리	(심드렁하게 서류 주며) 그럼 그렇게 하든지. (물통에서 물 받는)

백기, 꿍 하고 쳐다보면서도 펜 꺼내서 must를 shall로 고치는데

석율	(백기에게만 들리게) 너도 참 피곤하게 산다… (슬쩍 강 대리 봤다가 백기에게) 기다리다,
다인	(OL, 급히 들어오며) 대리님, 큰일 났어요! 아카바행 배에 구멍이 났대요!
강 대리	뭐?!

컵 휙 버리고 급히 뛰어가는 강 대리, 백기 역시 서둘러 따라간다. 남은 석율… 멍…

S#4 — 통로 + 철강팀, 낮

급하게 들어오는 강 대리. 통화하고 있는 차 과장을 본다. 뒤이어 들어오는 백기와 다인.

차 과장	네. 정확히 파악하고 다시 연락드리겠습니다. 네. (끊으면. 다급히 서류 챙기며) 20분 뒤에 회의하자고. (나간다)
다인	(강 대리에게) 방금 연락받은 거라 정확한 건 모르겠구요. 당장 가라앉을 정도는 아니래요.
강 대리	(윗도리 벗으며 자리로 가면서) 어디쯤에서 그렇게 됐대요?
다인	베트남 근처요.
강 대리	(백기에게 바쁘게) 무보공 쪽에 연락하고 (다인에게) 신다인 씨는 선사에다가 실시간으로 업데이트 해달라고 해줘요. (돌아서다가) 아, 내 미팅 스케줄 좀 취소해 주고 (백기보며) 백기 씬 바이어한테, 아. 내가 할게. 회의실만 좀 잡아줘요.

다급히 전화 거는 강 대리. 백기, 불안하게 철강팀 보며 웅성거리는 다른 팀 사람들에 당황한 기색이 역력하다.

S#5 — 회의실2, 낮

굳은 얼굴로 앉아 근심에 잠겨 있는 차 과장과 백기. 강 대리, 들어오며 들고 있던 서류를 차 과장에게 주면서

강 대리	최악의 경우 물품 대체할 수 있는 국내 및 해외 업체 리스트입니다.

백기	다른 배를 그쪽으로 보내서 옮겨 실으면 안 되는 건가요?
강 대리	제품 하나당 20피트짜리입니다. 불가능해요.
백기	크레인 같은 걸 이용하면.
강 대리	(OL) 베트남 근처 바다가 유속도 빠르고 시야 확보하기도 어려워요.
	그 방법은 무리니 더 생각하지 않기로 하죠.
백기	그럼… 예인선 같은 건 혹시.
차 과장	(OL, 답답한) 예인선은 턱 하니 하늘에서 내려오나? 그거 수배해서 보내는 동안
	다 가라앉아.
백기	(입을 다무는)

S#6 ── 15층 사무실 입구 통로, 낮

외근 갔다 오는 동식과 그래. 철강팀 보고 웅성거리는 몇몇 사람들 보며 의아하다. 황 대리, 서류 보며 지나가는데

동식	무슨 일이야?
황 대리	철강팀 사고 났어. 그저께 아카바로 띄운 배에 구멍이 났대.

"어?!" 놀라는 동식. 철강팀 쪽으로 간다. 그래도 동식을 따라간다.

S#7 ── 철강팀 앞, 낮

동식, 빈 철강팀 쪽으로 가는데 소회의실3에서 철강팀이 굳은 얼굴로 나온다. 차 과장, 동식과 그래 인사 받고 철강팀 쪽으로 간다.

동식	(강 대리에게 다가가며) 배에 구멍이 났다고?!
강 대리	응. (지나가려다 돌아보며) 아, 김 대리. 작년에 영업2팀에서 선박 사고 났던 거 있지.
	그거 어떻게 처리했었지?
동식	아… 그거 회항해서 물건은 다른 배로 옮겼을걸? 출항한 지 얼마 안 돼서.
강 대리	(낙담) 아… 그래…
동식	큰일 났다. 어떡하냐? (그래 보며) 가자.
그래	근데… 배에 구멍이 났으면 때우면 되지 않나요?
강 대리	(그래를 본다)
백기	장그래 씨. 지금 장난하는,

강 대리	(OL, 생각하며) 그래, 때우면 되지…
백기	(강 대리를 본다)
동식	(어색하게 웃으며) 아니, 강 대리. 뭘 그렇게 진지하게 받아.
강 대리	가능성 있는 조언이야.
백기	(당혹한 얼굴로 강 대리를 본다)
동식	(당황해서) 어? 어… 어… (그래 끌며) 그… 그래? 가자 (끌고 가며) 빨리 와, (속닥) 괜히 독박 쓴다.

동식에게 끌려 휘적휘적 가는 그래를 보는 강 대리와 굳은 얼굴의 백기.

S#8 — 철강팀, 낮

강 대리, 다급히 들어오며

강 대리	차장님. 배에 납땜을 하면서 가는 건 어떨까요?
차 과장	뭐?
백기	(당혹한 얼굴로 강 대리를 본다)
차 과장	(무슨 소리냐는 듯) 그게 가능해?
강 대리	구멍이 홀이라면 불가능하지만 크랙 정도라면 가능할 겁니다.
차 과장	(미심쩍은) 그게…
강 대리	일단 배에 잠수부 보내서 크랙 여부 확인해보죠. 바로 손쓸 수 있게 가까운 항구에 용접공들도 대기시키고요. 포워더 쪽에서 해야 되는 일이지만 급하니까 우리가 먼저 처리하고 나중에 행정 처리 넘기면 돼요.
차 과장	(조금 생각하다 끄덕이며) 좋아! 해보자구!
백기	(약간 굳은 얼굴로 강 대리를 보면)
강 대리	(백기에게) 그 지역 가까운 지사에 연락해요. 일단 잠수부, 용접공 확보하라고 하고.
백기	네… (자리로 간다. 자리에서 바쁜 강 대리를 다시 돌아본다)

S#9 — 영업3팀, 낮

들어오는 상식. 열중해서 사업 아이템 보고서를 작성하느라 상식이 들어온 줄도 모르는 그래. 상식, 그런 그래를 쳐다보며 자리로 가면서

| 상식 | 장그래, 주간업무보고 작성했어? |

그래	네? 아! 네! (책상 위에 서류들을 갖다준다)
상식	(쳐다보고 받으며) 몽골 건 계약서 점검하라는 거 했어?
그래	아, 네. (또 서류 갖다준다)
상식	일본 막걸리 건 B/L 드래프트 작성은 아직 못 했지?
그래	아, 다 됐습니다. (또 서류 찾아서 갖다준다)
상식	('뭐야? 이 시키' 하듯 보다 받으며) 일 다 했는데 뭘 그렇게 열심히 해?
그래	아… 다음 사업 아이템 준비하라고 하셨잖아요. 저도 하나 잡아보려구요.
상식	? 너 혼자 하게?
그래	(해맑게 웃으며) 네.
상식	(본다. 허, 웃고) 너 한 번도 단독으로 아이템 잡아본 적 없잖아…
그래	아… 그… 그럼… 하지 말까요?
상식	(허! 코웃음 치고) 아냐, 해봐.
그래	(꾸벅하고 가서 다시 열심히 한다)

S#10 ── 자원팀, 낮

영이, 컴퓨터 작업 하고 돌아보며

영이	유 대리님, 노르웨이 광물 건 공유 폴더에 자료 올려놨습니다.
유 대리	(일하면서) 응.
정 과장	나한테 프린트 하나 해줘.
영이	네. (일어서는데 전화 온다. 보면 엄마. 문득 굳어지는 얼굴) … (받으며) 엄마, 내가 바로 전화할게. (굳은 얼굴로 나간다)

S#11 ── 옥상, 낮

영이	(기가 막혀서) 뭐?
영이 엄마	(E) 어떡하니…
영이	(이를 악문다) …
영이 엄마	(E) 니 아부지… 이번에도 엄마가 못 말렸다…
영이	…
영이 엄마	(E) …영이야.
영이	뭘 어떡해?
영이 엄마	(E) …미안하다…

영이	아버지가 새 사업을 하든 말든, 전세금을 빼 갔든 말든, 그게 나하고 무슨 상관인데?
영이 엄마	(E, 가냘픈 숨소리만)
영이	(울음이 나올 것 같지만 누르며 떨리는 소리로) 엄마… 나… 겨우 정신 들었어요.
	아빠가 (삼키며) 신 팀장한테, 그렇게 하고… 내가 지난 반년을 어떻게 살았는지,
	엄마 잘 알잖아. 이제 내 인생 살라며?
영이 엄마	(E, 떨리는 들숨 소리만) …
영이	(떨려오는 입술을 꾹 깨물고) …
영이 엄마	(E) …지… 집주인이 월세로 돌려준대. (어렵게) 워… 월…세 보증금만 부탁할게.
	월세는 엄마가 어떻게든,
영이	(OL, 터질 것 같다) 엄마!
영이 엄마	(E) 당장 짐 싸서 나앉게 생겼는데 어떡하니?
영이	내가 돈이 어딨어?! 이제 겨우 대출금 다 갚았는데! 이제 겨우 끝났어요.
	이제 겨우 숨통이 트였는데! (악물고) 난 못 해요. (전화 끊어버린다)

금방이라도 눈물이 터질 듯한 얼굴로…

S#12 ─ 영업3팀, 낮

중얼중얼하면서 열심히 아이템 보고서를 작성하고 있는 그래. 그 뒤로 자기 자리에 앉아서 팔짱을 끼고 빤히 쳐다보고 있는 상식. 열심히 하던 그래가 뭔가 뒤가 서늘해져서 슥 돌아보면 상식, 그래를 쳐다보고 있다.

그래	(당황하며) 차장님…
상식	(쳐다본 채로) 응.
그래	무슨 하실 말씀이라도,
상식	없어.
그래	아… 네. (다시 돌아서 열심히 작업한다)

상식, 여전히 빤히 쳐다보다가 심란한 얼굴로 획 일어나 나간다.

S#13 ─ 통로, 낮

상식, 걸어가는데 강 대리와 백기가 서류 보면서 얘기하며 급히 오다가 인사한다.

상식	어, 철강팀 사고 났다더니 수습 좀 됐어?
강 대리	네, 장그래 씨 덕분에요.
백기	(강 대리를 본다)
상식	(어이없는 웃음) 장그래가 뭘 했다고.
강 대리	다행히 크랙이 크지 않아서 장그래 씨 말대로 땜질이 가능하답니다.
	그래서 지금 그렇게 수습하고 있어요.
백기	(다시 안 보는 척하면서 강 대리를 본다)
상식	(어이없이) 그게 무슨 장그래 덕분이야. 일하는 사람들 덕분이지.
	그놈은 뒷걸음질 치다 쥐 잡은 소고.
강 대리	(웃으면서) 뒷걸음질로 쥐를 잡았으니 진짜 실력 있는 소네요.
상식	(픽 웃으면)
강 대리	정답은 모르지만 해답은 아는 사람들이 있어요. 장그래 씨처럼요.
백기	(굳어지는 얼굴) …
상식	(어이없이 웃으면서) 꿈보다 해몽이 좋아. (손짓하며) 바쁜데 가봐.

백기와 강 대리, 인사하고 간다. 어이없이 코웃음 치며 밖으로 나가던 상식, 점점 으쓱해지면서 얼굴에 웃음이.

S#14 — 철강팀, 낮

백기와 강 대리, 들어오는데 백기 자리에 전화 오고 강 대리는 차 과장에게 간다.

백기	(받아서) 네, 한 대리님. 아! 다행입니다. (들으며 볼펜으로 메모하고)
강 대리	(차 과장에게 가며) 선사에서 ETA는 선박 정비되는 대로 다시 알려주겠다고
	했습니다. (서류 건네며) 정박 가능 항구와 추가 비용 내역입니다.
백기	네. (끊고 볼펜 든 채 와서) 다낭 쪽 한 대리님인데요. 1차 땜질 끝났다고 합니다.
	(강 대리에게) 말씀하신 대로 잠수부들은 계속 대기시켜놨습니다.
강 대리	(차 과장한테) 2차 크랙 생기게 되면 그때 다시 정박해서 땜질하길 반복하면
	될 것 같습니다. 혹시 모르니 2차 정박 가능한 곳 섭외해놓겠습니다.
	처리에 별문제 없을 것 같습니다.
차 과장	그래. (후…) 십년감수했군. (뒷목 만지면서) 장그래 그 친구 아니었으면 어쩔 뻔했나.
백기	…

그때 강 대리, 서류 들고 들어오는 그래를 본다.

강 대리	장그래 씨.
백기	(멈칫해서 돌아보면)

그래, 다가와서 인사하고 강 대리에게 들고 있던 서류 중 일부를 준다.

그래	천 과장님이 갖다드리라고 하셨습니다.
강 대리	(받으면서) 고마워요. 아까도 고마웠어요.
그래	네?
강 대리	땜질.
그래	아, (머리 긁으며) 아니, 제가 뭐…
강 대리	(웃으며) 앞으로도 종종 부탁해요.
그래	(당황해서) 네? (무슨 말인지 모른다. 끔벅끔벅 보면)

강 대리의 웃고 있는 표정 보던 백기, 굳은 얼굴이 되어 볼펜을 든 그대로 나간다. 백기를 쳐다 보는 그래.

S#15 — 휴게실 + 탕비실, 낮

화가 치밀어 오른 채 휴게실로 확 들어오는 백기.

> [Flashback] S#13
> 강 대리   정답은 모르지만 해답은 아는 사람들이 있어요. 장그래 씨처럼요.

조금 서성이는 백기.

> [Flashback] S#14
> 강 대리   (웃으며) 앞으로도 종종 부탁해요.

치밀어 오르는 백기. 손에 있던 볼펜을 자기도 모르게 확 집어 던진다. 탕비실 쪽으로 날아가는 볼펜. 백기, 여전히 화난 채 휴게실 안쪽으로 성큼성큼 걸어가서 선다… 후… 들끓는 마음을 가라앉히는 백기… 잠시 후 볼펜을 집으러 탕비실로 나서는데 그래가 떨어진 볼펜을 주워 들고 있다. 멈칫하는 백기. 당황해서 얼굴이 붉어진다. 그래, 볼펜을 들고 백기를 본다.

그래	장백기 씨 겁니까?
백기	(대답 없이 장그래를 정면으로 본다)

그래	… (주면)
백기	(보고 있다가 볼펜을 탁 잡아채며) 장그래 씨는 남의 일 신경 쓸 시간 있으면 본인 부족한 부분이나 메꾸시죠.
그래	(본다)
백기	오지랖도 도를 넘으면 병입니다.
그래	(굳은 얼굴로 본다)
백기	…
그래	…네, 충고 고맙습니다.

목례하고 돌아서서 파쇄하는 그래. 백기, 그런 그래를 붉어진 얼굴로 강하게 본다. 파쇄기 소리가 골을 긁는 것 같다.

S#16 — 영업3팀, 낮

굳은 얼굴로 들어오는 그래. 다시 컴퓨터 앞에 앉아 하던 아이템 작업을 마저 한다. 그러다가 백기의 말을 떠올린다.

> [Flashback] S#15
> 백기　　　　　장그래 씨는 남의 일 신경 쓸 시간 있으면 본인 부족한 부분이나
> 　　　　　　　메꾸시죠.

열심히 작업하던 손이 스르르 멈추는 그래. 잠시 그대로 가만히 있던 그래, 헛웃음 웃고.

> [Flashback] 제10국 S#57, 58
> 말없이 전화 받고 있는 백기.
>
> 그래　　　　　(E) 장백기 씨, 부탁드립니다.
> 백기　　　　　…알겠습니다. 감사팀에 문의해서 알아볼게요.
> 그래　　　　　고맙습니다.
>
> [Flashback] 제11국 S#1
> 그래, 백기 서로 쳐다보다가
>
> 그래　　　　　(백기에게 가서 낮게) 고맙습니다…
> 백기　　　　　인사 들을 만한 거 아닙니다. (간다)

[Flashback] 제14국 S#10

| 석율/영이 | (마주 보면서 큭큭 웃는다) |
| 그래/백기 | 안영이 씨! / 이것 보세요! |

석율/영이. 웃음 멈추고 둘을 봤다가. 다시 큭큭 웃고는 둘이서 간다.
기가 막힌 표정으로 둘을 봤다가 서로 보고 어색하게 보고 각자 가는 그래와 백기.

| 그래 | (허탈하게 웃는데) |
| 석율 | (Off) 미친 거야? |

그래, 깜짝 놀라서 돌아보면 맥없는 얼굴의 석율이 와 있다. 의자 끌어다 앉으며 모니터 작업물을 보는 석율.

석율	오~ 새 아이템. 오~ 달라. 인턴 때 준비하던 거하곤 완전 차원이 다른데?
그래	(손으로 가리면서) 왜 남의 껄 함부로 봅니까?
석율	(책상에 머리를 콱 묻었다가 들며) 나 현장으로 갈까 봐.
그래	네? 왜요?
석율	여기는… 이 회사에선… 내가 바꿀 수 있는 게 아무것도 없는 것 같아. 고작, 선임의 불합리를 바꿔보겠다는 것도 용납이 안 되잖아.
그래	…
석율	강한 놈하고 싸울 때는 기다려야 한다고? 언제까지?
그래	(약간 당황)
석율	내가 두려운 건, 기다리다가 저놈처럼 될까 봐. 그게 겁나. 저놈도 처음부터 저랬을 건 아닐 거 아냐?
그래	(본다)
석율	(그래 보며) 근데, 넌 미친 게 아니라면 왜 혼자 실실 웃고 있는 거야?
그래	아… (사이 뒀다가 흠… 내쉬며) 뭘 어떻게 해도 절대 좁혀지지 않는 거리가 있네요.
석율	(OL) 장백기?
그래	(멈칫 본다)
석율	한 발 가까워졌다 싶으면 다음 날 두 발 멀어져 있고. 그렇게 계속 도돌이표인 사람 (끄덕끄덕) 있지.

S#17 — 술집, 밤

| 상현 | 에? (못 믿겠다는) 그 장그래가요? |

백기	(말없이 술만 마시는)
상현	(어이없는) 아니, 폭탄이 무슨 (정말 속상해서) 아~ 나 진짜. 세상 정말 더럽네. 아니, 빽으로 들어와서 빽으로 시험 붙고 빽으로 지 맘에 안 드는 사람 짜르고 빽으로 아이템을 따요?
백기	(희미하게 웃으며) 그건 아니에요, 상현 씨.
상현	(미치겠다!) 아~나, 진짜. (술을 벌컥벌컥 마신다)
백기	천천히 마셔요.
상현	(술잔을 탕! 놓으며) 그렇게 새치기하는 자식들 때문에 나 같은 사람들이 피 보는 거 아닙니까?! 내가 왜 떨어졌게?! 에?! 좋아! 나 아니라고 쳐! 그래도 (점점 화가 난다) 그 새끼 살리자고 우리 중에 하나가 희생된 건 사실이잖아요!
백기	PT 때 잘하긴 했잖아요.
상현	뭘 잘해? 버벅거리다가 뭔 말도 안 되는 더러운 슬리퍼 판 거? 그러고 붙었네? 그게 다 그 자식 빽의 크기를 증명한 거라구요! 씨방! 내가 개벽이는 인정해도 그 새끼는 인정 못 해!
백기	…
상현	(가만히 있는 백기를 보다가) 장백기 씨도 이제 좀 솔직해보시죠.
백기	(당황해서 보면)
상현	장그래가 우리라고 생각해요? 아니죠? 걔는 걔예요. 우리는 우리고.
백기	(본다) …
상현	공평한 기회? 웃기고 있네. 걔가 우리랑 어떻게 공평한 기회를 나눠요?! 울 엄마가 나 학원 보내고 과외 붙이느라 들인 돈이 얼만데! 울 엄마 고생이 얼만데! 이건 역차별이라고요!
백기	(그대로 가만히 있다. 상현을 보고 있는 듯 아닌 듯)
상현	(회한이 밀려온다. 눈물까지 맺혔다) 씨방, 나도 놀걸. 중고딩 내내 12시 안에 자본 적이 없다구요. 초딩 때요? 학원만 몇 개를 돌았게요. 대학 땐 (차마 말을 다 못 잇고) 어후~ (기가 찬 듯 헛웃음 치며) 어학연수… 근데 이게 뭐야.
백기	…상현 씬 회사 다닐 만해요?
상현	…임시로 다니는 거예요. 대기업 가야죠. 백기 씨, 그거 알아요? (정색하고 보면서) 우리가 계속 우리로 있으려면 대기업에 가야 한다고요.
백기	…
상현	(다시 와락) 그래서? 장그래는 지금 뭐, 어떻게 하고 있는데요?

S#18 ─ 그래 집 밖 외경, 밤

(E) 탁탁탁탁

S#19 ─ 그래 방 안, 밤

켜진 전등과 컴퓨터 화면. 탁탁탁 키보드 소리. 화면과 서류 번갈아 쳐다보는 그래.

그래　　　(Na) 이번 기획안은 최대한 프로의 냄새가 나야 한다.

포스트잇들 붙어 있는 『무역용어사전』을 넘겨 보는 그래. 다시 타이핑하면서

그래　　　(Na) 사업의 방향과 목적 타당한 비전에 대해 적절한 전문 용어를 넣어
　　　　　　 상사의 양식에 걸맞은 기획안 보고서를 만들었다.
그래　　　후… (모니터 내용을 들여다보면서 자기도 모르게 미소 지어진다)
그래　　　(Na) 글쎄, 모르겠다. 뭔진 모르겠지만 이번엔 느낌이 좀 다르다.
　　　　　　 차장님은 다른 사람을 설득시키려면 내 확신이 중요하다고 하셨다.

　　　　　　 [Flashback] 제13국
　　　　　　 요르단 PT 때 상식의 모습.

그래　　　(Na) 확신이… 든다.

상기된 얼굴로 모니터를 보고 미소 짓고 있는 그래.

S#20 ─ 원인터 외경, 낮

S#21 ─ 영업3팀, 낮

보고할 PPT 보고서를 챙기고 있는 그래.

동식　　　(외근 준비하며) 어~ 장그래. 자신 있나 본데?
그래　　　(당황해서) 아닙니다.

상식	(자리에서 흘깃 본다)
천 과장	제때 퇴근도 안하고 엄청 열심히 하던데, 잘했을 거야.
그래	그건 아니구요… (웃으며) 그냥 최선을 다했습니다.
상식	최선을 다하는 건 학교 다닐 때나 대우받는 거고, 직장은 결과만 대접받는 데고.
그래	(흠칫)
천 과장	장그래 씨는 아이디어가 남다르잖아요.
상식	(일어나 정리하며) 아이디어만 남다르지, 가끔.
동식	(그래에게) 왜 또 삐뚤어지셨대.
그래	…
상식	(나가며) 거 아무것도 모르는 애한테 자꾸 바람 넣지 마들!
그래	…
동식	(가방 들고 나가면서) 저는 다녀와서 따로 볼게요. (간다)
상식	(그래 보며) 뭐 해? 남다른 아이디어 한번 보자. 기대는 안 하지만.
그래	(챙겨서 앞장선다)

천 과장, 웃으며 가고. 상식 가는 그림 위로.

| 그래 | (E) 해외 유명 관광지에 환경 보호를 위한 전기 자동차 렌트 및 판매 사업… |

S#22 ― 소회의실3 안 + 밖, 낮

| 그래 | (상기돼서) 이 분석을 통해 우리는 파리의 에펠탑, 호주의 오페라하우스, 그리고 미국의 그랜드캐니언을 비롯한 해외 유명 관광지의 환경 보호를 위한 움직임이 활발해질 것이라는 예측을 할 수 있었습니다. 그러므로 차세대 성장 동력인 전기 자동차 렌트 및 판매 사업은 분명히 큰 성과가 있을 것으로 예상됩니다. 이상으로 발표를 마치겠습니다. |

상기된 얼굴로 상식과 천 과장을 보고 있는 그래. 그러나… 어이없는 표정의 상식과 어색하게 박수를 치는 듯 마는 듯한 천 과장…

상식	헛똑똑이 하나 탄생했구만.
그래	(놀라고 당황한다) 네?
상식	(일어나며) 사업 아이템 얘기하겠다더니 뭐가 이리 현란해? 어설프게 알지도 못하는 용어 갖다 붙이고. 누구한테 파는 건지, 뭘 팔려는지 하나도 알아들을 수가 없네.
그래	(당황해서 천 과장을 보면)

천 과장	그…래도 아마추어 느낌은 안 나는데요.
상식	말이 먼저가 아니란 말이야. (나간다)
천 과장	(쩝… 하고 그래의 어깨 툭 쳐주고 나간다)

혼자 앉아 있는 장그래… 회의실 밖에서 지나가던 백기, 그리고 앉아 있는 그래를 본다. 그래, 고개 들다가 백기와 눈이 마주친다. 굳은 얼굴로 서로를 쳐다보는 두 사람. 백기, 그러고 있다가 그냥 간다.

그래	…

S#23 ── 자원팀 앞 통로 + 자원팀, 낮

서류 들고 자원팀 앞 통로를 걸어오는 하 대리, 죽은 얼굴색으로 멍하니 앉아 있는 영이를 보며 걸음이 느려진다. 찡그려지는데.

정 과장	안영이, 나 프린트 줬어? (서류 뒤적이며) 나 받았나?
영이	(일어나 돌아보며) 네? 무슨 프린트 말씀이십니까?
정 과장	노르웨이 건.
영이	(당황) 아… 네… 요청하겠습니다.
정 과장/유 대리	(어이없게 바라본다)
유 대리	요청해서 어제 왔다면서?
영이	(넋 빠진) 네? 언제요?
하 대리	야! 뭐에 정신 빠져 있는 거야?!

상식, 자원팀 앞을 지나가다 본다.

영이	(!) 아! 노르웨이 건. 죄송합니다.

하고는 얼른 책상 위에 쌓아둔 서류를 뒤지면서 찾는다. 그러다가 우르르 쓰러지는 서류들에 자원 2팀 일동, 황당하게 바라본다. 상식도 의아하게 본다. 영이, 당황해서 떨어진 서류들 챙겨 드는데

하 대리	(못 참고) 야! 빨리 과장님 프린트 먼저 해드려.
영이	네? 아, 네. (책상 위 서류 들고 휙 나간다)

그 앞에 서서 막 인사 받으려고 포즈 취하는 상식을 휙 지나서 탕비실로 들어간다. 상식, 포즈 그

정 과장	쟤 프린트 해달랬더니 어디 가냐?
유 대리	복사하러 가나 본데요?
정 과장	아니, 쟤 왜 갑자기 장그래 됐어?

그때 영이, 황망한 얼굴로 탕비실 쪽에서 황급하게 후다닥 뛰어 나와서 다시 손을 드는 상식을
획 지나간다. 상식, 포즈 그대로 "어…"

영이	(허둥지둥 정 과장에게) 프린트 해달라고 하셨죠?
하 대리	안영이 너 무슨 일 있어?
영이	아니요?
하 대리	무슨 일 있는 거 같은데?
영이	(얼른 책상에 가서 프린트를 걸며) 아뇨. 아무 일도 없습니다.

하 대리, 정 과장, 유 대리, 프린트를 챙기는 영이를 본다. 상식도 의아하게 본다.

S#24 — 영업3팀, 낮

들어오는 상식, 뒤이어 들어오는 천 과장.

천 과장	장그래 씨, 정말 잘하고 싶었나 봐요. 너무 힘이 들어갔죠?
상식	…
천 과장	그냥 저대로 끝내요? 왜 안 되는지 뭘 좀 자세히 얘기해줘야 하는 거 아닐까요?
상식	(자리로 가 앉으며) 뭘 얘기해줘.
천 과장	차장님, 새해 들어 장그래 씨한테 대하는 게 좀 다르시네요.
상식	뭐가 달라? 그런 거 없어. (다시 일을 하는데)
천 과장	(자리에 앉으며 일 준비하며) 아까운 친구예요. 안타깝기도 하고.
상식	(멈추고 본다)
천 과장	안 되겠죠? (상식 보며) 정직원 전환이요.
상식	안 될 거야…
천 과장	(한숨 푹 쉬고) 그럼 지금부터라도 뭔가 대비를 해야겠네요.
상식	…
천 과장	여기서 배운 걸로도 어디 마땅한 자리가 있겠죠?
상식	… (일어나서 나간다)

맥이 빠져서 PPT 들고 걸어오는 그래, 맞은편에서 걸어오는 백기를 본다.

| 백기 | (E) 장그래 씨는 남의 일 신경 쓸 시간 있으면 본인 부족한 부분이나 메꾸시죠. |
| 그래 | … |

백기도 그래를 봤다. 서로 굳은 얼굴로 말없이 지나가는 두 사람.

S#26 — 자원팀, 낮

각자 일하고 있는 자원팀. 멍하니 앉아서 엄마와의 전화 통화를 떠올리고 있는 영이.

영이 엄마	(E) …지… 집 주인이 월세로 돌려준대. (어렵게) 위… 월…세 보증금만 부탁할게. 월세는 엄마가 어떻게든,
영이 엄마	(E) 당장 짐 싸서 나앉게 생겼는데 어떡하니?
영이	(혼잣말) 절대 안 해! 이번엔 절대 안 할 거야.

흘끗 영이를 돌아보는 하 대리. 그때 투우장의 황소처럼 돌진하듯 들어와 영이 쪽으로 오는 마 부장. 일동, 놀라서 일어나는데, 영이만 넋 놓고 앉아서 있다.

마 부장	야! 이 또라이야!
영이	(놀라서 벌떡 일어나면)
마 부장	(열받아서 씩씩) 너 부킹 몇 명 했어?
영이	네?
마 부장	전무님하고 은행장하고 하는 골프라고 얘기했어 안 했어? 중요한 자리라고 이야기했어 안 했어? 열한 명 예약해야 하는데, 한 명을 예약해?
영이	네? (그제야 당황해서 메일 클릭하고 골프장 예약 메일을 확인하면 예약 인원 수 1명) ! (얼른 조아리며) 죄… 죄송합니다.

하 대리, 기가 차서 영이를 바라본다. 너무 당황스러워 어쩔 줄 모르고 멍~하니 있는 정 과장과 유 대리.

| 마 부장 | (서류 아무거나 들고 어깨를 콱콱 쑤시면서) 너 때문에 손해가, 얼만 줄, 알아? 내가 창피해서 살 수가 없어. 에이씨! (서류 던지고 확 간다) |

영이, 얼굴이 파래져서 서 있다가 털썩 앉는다. 그때 휴대전화 울린다. 화면에 '…'라고 뜬다. 영이, 자기도 모르게 울컥하는 신음을 토해낸다. 하 대리, 영이의 신음 소리에 본다. 징징 울리고 있는 전화기를 꽉 쥐고 노려보고 있던 영이, 벌떡 일어나 거칠게 나간다. 쳐다보는 하 대리와 유 대리와 정 과장.

S#27 ── 옥상, 낮

커피 들고 일각에 서서 무거운 얼굴로 멀리 보고 있는 상식.

> [Flashback] S#24
>
> 천 과장   안 되겠죠? (상식 보며) 성직원 전화요.
> 상식   안 될 거야…
> 천 과장   (한숨 푹 쉬고) 그럼 지금부터라도 뭔가 대비를 해야겠네요.
> 상식   …
> 천 과장   여기서 배운 길로도 어디 마땅한 자리가 있겠죠?
>
> [Flashback] 제11국 S#73
>
> 상식   은지 때보다 더 어려운 시대잖아. 대책 없는 희망이.
>   무책임한 위로가 무슨 소용이야?
> 선 차장   …(앞을 보며 약간 패 있게) 전 그 대책 없는 희망.
>   무책임한 위로 한마디 못 건네는 세상이란 게 더 무섭네요.
> 상식   (선 차장을 본다)
> 선 차장   대책 없는 그 말 한마디라도 절실한 사람들이 많으니까요.

심란한 얼굴로 있는데 문이 쾅! 열리면서 약간 이성을 잃고 흥분해서 통화하며 들어오는 영이.

영이   (울분에 차서) 고등학교! 대학교! 그리고 전 직장까지! 내가 아버지 때문에
             어떻게 살았는데? 어떻게 다시 돈 달라는 말을 할 수가 있어요? 내가 아버지한테
             잘못한 게 뭐가 있어요?

영이 아빠   (E) 미안하다잖아. 아빠 힘들다는데 돈 좀 만들어주면 얼마나 내가 고맙냐.
             이번엔 진짜 마지막이야. 아들 없는 거 서운한 적 많았지만 내가 너한테 뭐라고
             한마디라도 했어? 딸은 자식 아니냐?

영이   아버지! (파르르)

영이 아빠   얘, 얘, 영이야, 애비 딱 한 번만 더 도와줘~

영이   다신 이런 일로 전화하지 마세요!

전화 확 끊고는 엉엉 울던 영이, 그제서야 상식을 본다. 당황한 영이, 일그러지는 얼굴.

상식	(당황해서) 어… 안영이 씨, 난…
영이	(붉어진 얼굴로 인사하고 확 나간다)
상식	…

S#28 — 계단, 낮

당황해서 계단을 뛰듯이 막 내려오는 영이. 다음 계단참까지 뛰어서 내려가다가 주저앉는다. 얼굴을 묻고 흐느끼는 영이.

S#29 — 자원팀, 낮

유 대리	(빈 영이 책상을 보며) 얘 오늘 왜 이럴까요? 이상해. 나쁜 일 있나?
하 대리	뭘 신경 써?
유 대리	나도 안 쓸라고 하는데.
정 과장	그래도 신경이 쓰이지. 만날 같이 있는데…

영이, 붉어진 눈시울로 들어온다.

하 대리	(보고) 안영이, 무슨 일이야?
영이	(자기도 모르게 딱 끊어내듯) 아무것도 아닙니다. (앉는다)
유 대리	(분위기 보며) 저기 안영이 씨, 집에 무슨 일 있어? 왜 오늘 하루 종일,
영이	(OL, 역시 끊어내듯) 아닙니다. 신경 쓰지 마십시오
하 대리	(울컥!) 야! 개인적인 일은 개인적으로 해결하고 출근해! 신경 안 쓸 테니 일 엉망으로 하지 말고! (확 일어나 나간다)
유 대리	(얼른 따라 나간다)
영이	…

S#30 — 자원팀 앞 통로, 낮

상식 들어온다. 화난 얼굴로 성큼성큼 걸어오는 하 대리. 그 뒤로 유 대리가 따라온다. 상식 보고 하 대리, 유 대리 대강 인사하고

유 대리	좀 심하게 한 거 아니에요?
하 대리	(그냥 화난 얼굴로) …
유 대리	하긴… 우리가 마음을 주고 싶어도 줄 수가 없어. 지 혼자 바리케이드 이중 삼중으로 치고.
하 대리	(꼴 보기 싫단 듯) 가! 말도 하기 싫다. (열린 엘리베이터에 탄다)

들어가던 상식, 차갑게 굳은 얼굴로 가만히 앉아 있는 영이를 본다.

S#31 ─ 영업3팀 + 통로, 낮

제출했던 아이템 자료를 쳐다보며 앉아 있는 그래… 약간의 회한과 착잡함으로…

그래	(Na) 기초가 없으면 계단을 오를 수 없다. 기초 없이 이룬 성취는 단계를 오르는 게 아니라 성취 후 다시 바닥으로 돌아가게 된다…

고개 떨구는 그래… 통로를 걸어오는 상식, 숙이고 앉아 있는 그래가 눈에 들어온다. 계속 걸어오면서 그래를 보는 상식. 그래, 상식이 온지도 모르고 계속 자료만 멍하니 보고 있다.

상식	장그래.
그래	(깜짝 놀라 보면)
상식	…

S#32 ─ 소회의실1, 낮

고개를 떨어뜨리고 있는 그래 앞에 흰 봉투를 내미는 상식.

상식	10만 원이야. 뭐든 사서 팔아봐.
그래	(깜짝 놀라 본다)
상식	멋들어지는 사업 하고 싶지? 사업? 거창한 말 필요 없어. 사업은 장사야.
그래	(본다)
상식	싸게 사서 이익을 남기는 거. 좋은 물건을 싸게 사서 필요한 사람에게 파는 거. 그게 장사지. 이거 들고 나가서 장사의 기본을 알아와. (나가면서) 가족은 제외다! 7시까지.
그래	(상식을 보다가 봉투를 바라본다)

S#33 ― 탕비실, 낮

동식, 복사하면서 그래가 제출한 아이템 PPT 서류를 본다. 표지에 "해외의 유명 관광지 환경 보호를 위한 전기 자동차 렌트 및 판매 사업"이라고 적혀 있다.

동식　　뭔 제목이 길어. 뭘 어떻게 했길래 까인 거야. (넘겨 보며) 어휴~ 까여야 되겠네…

쯔쯔 혀를 차고 있는데, 복사기 종이 부족 알림음 소리 난다. 그래의 PPT 서류를 커피 선반 위에 올려두고, 종이 찾아서 넣고, 복사되어 나오는 걸 보며 추리는 부산함 속에서 복사지만 들고 나가는 동식. 그래의 PPT 파일, 그대로 남아 있다. 잠시 후 복사하러 들어오는 백기, 그래의 PPT를 본다. "제목"과 "영업3팀 사원 장그래"라고 쓰인 게 보인다. 넘겨 보는 백기.

S#34 ― 탕비실 통로, 낮

"정신머리 봐라" 중얼중얼하며 급히 걸어오는 동식, 커피 마시러 오는 강 대리와 만난다. 서로 "어" 하고 인사하면서 들어간다.

S#35 ― 탕비실 안, 낮

동식과 강 대리, 들어오는데 백기가 PPT를 계속 읽고 있다.

동식　　어? 그거 보면 안 되는데.

백기　　(깜짝 놀라 당황하고)

강 대리　　(흘깃 보고 커피 탄다)

동식　　(백기에게 다가가 건네받는다)

백기　　죄송합니다, 그냥 우연히.

동식　　아냐, 뭐 기밀문서도 아니고, (그래에게 좀 미안한 듯) 장그래 씨가 까인 기획안이라 남 보여주기 좀 그래서.

백기　　아… 네. 근데, 나쁘지 않은데 왜…

강 대리　　(커피 타면서) 장백기 씨가 한번 말해봐요, 이왕 읽어버렸으니.

백기　　아… (동식의 눈치 본다)

동식　　그래, 한번 의견 말해봐.

백기　　음… 제 생각엔 (다소 자신 있게) 렌트 사업의 경우 구체적인 부지 선정 방법이 명시되어 있어야 한다고 봅니다. 출구 전략으로 자동차에 대한 재고 처리 방법,

감가상각 방안도 제시되지 않았기 때문에 다시 써야 하는 기획안입니다.
또 수익적인 부분이 추상적으로 잡혀 있는 듯해서 현재 가치로
다시 시뮬레이션해야 하기 때문에 다시 써야 하는 기획안입니다.

강 대리	(그저 듣고만 있다)
동식	흠…
백기	(동식을 봤다가 강 대리를 본다)
강 대리	(동식을 보며) 장그래 씨 10만원?
동식	(피식) 아마도?
강 대리	(백기 가리키며) 장백기 씨도 데리고 가라고 해줘.
백기/동식	?!/응? (백기를 보면)
백기	(영문을 모르겠지만 당황한 얼굴로 동식을 본다)

S#36 ── 지하철역 앞, 낮

어이없는 얼굴로 서 있는 백기. 옆에 어색하면서도 조급한 얼굴로 서 있는 그래.

백기	(기가 막혀서) 내가 왜…
그래	(시계 보면서 조급해서) 어디로 갈까요?
백기	(계속 기가 믹히기민 한)
그래	장백기 씨.
백기	(쏘아붙이는) 뭘 살지를 정하는 게 우선 아닌가?
그래	그럼, 뭘 사는 게 좋을까요?
백기	그걸 내가 어떻게 알아요!
그래	어디든 물건 살 만한 데로 가죠.
백기	(삐딱하게) 어디요?
그래	그걸 지금 정하자는 거잖아요.
백기	(화난) 장그래 씨가 뭐든 사 와요. 이건 장그래 씨 숙제지 내 숙제가 아니잖아요.
	내가 뭐든 다 팔아줄 테니까. 요 앞 카페로 와요. (홱 돌아서 간다)
그래	(울컥해서 걸어가는 백기의 뒤를 바라본다)

#백기 쪽, 낮. 화난 얼굴로 걸어가는 백기, 전화 꺼내 건다.

백기	아, 선배님! 잘 지내시죠?
선배	(E, 환대하며) 어, 그래 백기야. 오랜만이다. 회사 생활은 재밌고?
백기	네. 선배님은 요즘 사업 잘되세요?

선배　　　(E) 아휴~ 무슨 임대업이 사업이냐? 잘되고 말고 하게. 그냥 어른들 하던 거
　　　　　　물려받아서 하는 건데… 우리 언제 또 술 한잔해야지?

백기　　　오늘 찾아 봬도 될까요?

선배　　　(E) 뭘 물어 묻긴. 언제든 와.

백기　　　네 선배님. 이따 뵙겠습니다.

전화 끊고 씩 웃는 백기, 돌아보면 저만치~ 멍하니 서 있는 그래.

천 과장　　(E) 장그래 잘하고 있을까요?

S#37 — 영업3팀, 낮

상식과 동식, 일하고 있고, 천 과장, 출력물 가지러 프린터로 오면서.

동식　　　뭐든 배우는 게 있어야 할 텐데요.

상식　　　나가서 깨지다 보면 보고서가 왜 까였는지 정도는 알아 오겠지.

천 과장　　근데 뭘 사서 팔려는 건지…

동식　　　저도 처음 이 미션 받고 나가보니까 도대체 뭘 팔아야 할지 모르겠더라구요.
　　　　　　결국 우왕좌왕 이 가게 기웃, 저 가게 기웃하게 되더라니까요.

S#38 — 시장 거리 일각, 낮

여기저기 바쁘게 기웃거리며 시장 거리를 걷는 그래.

동식　　　(E) 그래서 그때 생각한 게 불특정 다수 누구나 쓸 수 있는 싼 걸 사서
　　　　　　팔아야겠다! 생각했죠. 무조건 싼 물건을 사서 많이 파는 거죠.

양말 판매상　싸다싸다 팬티 다섯 장에 만 원! 양말은 여덟 켤레에 만 원~!

리어카 앞에서 딱 멈춰 서는 그래.

상식　　　(E) 그래, 그게 함정이지.

"양말 8켤레 만 원, 팬티 5장에 만 원"이라고 적혀 있는 패널을 보는 그래.

그래	(E) 싸다!
상식	(E) 무조건 싼 물건을 사서 팔면 될 거 같은 거, 그게 이 미션의 함정이거든.
그래	(주인에게) 아저씨, 이 양말 많이 팔려요?
양말 판매상	많이 팔리고말고. 마트에서 사는 거에 반값도 안 되잖아. (양말과 팬티 번갈아 들고
	짝짝 늘리며) 얼마나 짱짱하고 튼튼한데~
그래	(고민한다. "8컬레 만 원" 글자가 다시 박혀오자) 10만 원어치 주세요.
주인	(깜짝) 10만 원? 허허… (양말, 팬티 번갈아 들며) 양말만? 팬티만?
그래	반반씩요.

S#39 — 거리 일각1(그래) + 영업3팀(동식), 낮(분할 화면)

그래, 양손에 검은 비닐봉지 들고 걸어오고 있다. 전화가 온다.

동식	(전화하며) 잘 팔고 있어?
그래	지금 시작했습니다.
동식	최고 수익률 한번 기록해보라고! 싸게 사서 좋은 마진 남기면 되는 거지.
그래	네.
동식	그럼 오늘 그래 씨 이익 낸 걸로 회식하는 건가?
그래	(좀 불안하지만 허세스런) 네.

S#40 — 영업3팀, 낮

상식, 일하고 있고. 동식과 천 과장이 서서 이야기하고 있다.

동식	서슴없이 네네 하는데요?
천 과장	설마 리어카 양말 같은 거 싸다고 덥석 사진 않았겠지?
동식	팬티까지 풀 패키지로 말이야.
천 과장	그럴 수도 있어. 무조건 이익 내라고 하셨으니까.
상식	…

S#41 — 섬유팀 + 통로, 낮

석율, 힘없이 들어오는데, 지나가던 대리급 직원들이 한마디씩 한다.

직원1	한석율 씨 앞에서는 물도 못 마시겠어.
석율	(움찔) …
직원2	반성 좀 많이 했어? 한석율 씨?

통로에서 그 모습을 보며 들어오던 성 대리.

성 대리	(사람 좋게 웃으며) 아~ 그만하세요. 저맘때 선배한테 들이박아보지 않은 신입이 있겠어요? 내가 잘 가르칠게요.
직원1	잘 좀 가르쳐. (간다)

성 대리, 웃으며 서 있던 얼굴 점점 굳어지고, 들어와 자리에 거만하게 앉으며

성 대리	(석율 쪽으로 손 내밀고) 가져와.
석율	(기운 없이 일어나 서류 하나 내밀고) 직영 공장 재고 파악 서류입니다.
성 대리	(한 장 넘겨 보더니 인상 싸하게 쓰다가 서류를 팍팍 찢어 쓰레기통에 콱! 넣어버린다)
석율	!
성 대리	다시 해.
석율	(굳어서 보다가) 어떤 부분이 잘못됐는지 말씀을 해주셔야죠.
성 대리	(매섭게 째리며) 공부하든지 게시판에 물어보든지?

석율, 확 굳은 얼굴로 있는데 지나가던 직원3.

직원3	(웃으며) 교육 좀 잘 시켜.

성 대리, 직원3 보고 웃는데 성 대리 책상 위에 전화기 울린다. 두 번 정도 울린다.

성 대리	안 받아?
석율	(전화 받고) 네… 섬유팀… 네 바꿔드리겠습니다. (주며) 청솔섬유랍니다.
성 대리	(약간 당황해 얼른 받으며) 아~ 이 부장님~ (자기도 모르게 수화기 막으며) 아… 제 폰이 꺼져 있었네요. (목소리 좀 작게) 아… 어디요? (석율 눈치 보며) 제가 바로 전화드릴게요. (휴대전화 켜면서 나간다)
석율	(씁쓸하게 서 있다가 찢긴 보고서가 든 휴지통을 본다)

Episode 15

어두운 표정으로 창구에 앉아 있는 영이.

영이   (E) 자원팀 안영이 사원인데 사내 대출 좀 알아보려고 왔는데요?

회사 직원 (E) 신입이시네요. 입사 1년이 지나야 사내 대출이 가능해져요.

      아직 신입이라 대상이 아니네요.

은행 직원 (통장 내밀며) 여기 있습니다, 고객님. 1000만 원까지 마이너스 출금 가능하십니다.

영이   (힘없이 받아둔다. 어두운 얼굴)

하 대리 (급히 컴퓨터 일하며) 얘 하루 종일 어딨는 거야? 이거 마저 해야 하는데.

유 대리 (같이 보고) 노르웨이 건 예산요? 주세요, 제가 하고 있을게요.

영이   (마이너스 통장 들고 힘없이 들어온다)

하 대리 (약간 화난) 뭐 하고 다니는 거야?

영이   죄송합니다.

유 대리 니가 할 걸 유 대리가 대신하잖아.

영이   죄송합니다. (앉는다)

하 대리, 영이에게 한마디 하려다가 감정 누르고 일하려는데, 영이 책상 위에 업무 전화기가 울린다. 생각에 잠긴 영이, 듣지 못하는 눈치다.

하 대리 (욱해서) 안영이, 전화 온 거 안 들려?

영이   (그제야 정신 들어서) 네? 아, (전화기를 든다) 네, 자원2팀 안영… (끊겼다)

유 대리, 책상 위 업무 전화기가 울리자 바로 받는다.

유 대리 예, 자원2팀 유형깁니다. 아, 노르웨이 총사업비 예산이요.

      네, 오늘 중으로 됩니다. 예~ (끊는다. 눈치 보는)

하 대리 아무것도 아니라며 (영이 보며) 이게 아무것도 아닌 거야? 종일 정신 놓고 다니면서,

      업무도 엉망진창. 왜? 또 신경 쓰지 마?

영이   …

유 대리 (두 사람 눈치만 보다가) 안영이 가서 커…피나 한잔해.

하 대리 (버럭) 야! 못 들었어? 신경 쓰지 말라잖아!

유 대리	(접. 입이 콱 닫힌다)
영이	(아차 싶지만 늦었다) …

S#44 — 카페 앞 거리 일각, 낮

황당한 백기의 얼굴, 그 앞에 검은 봉지 두 개 들고 있는 그래.

백기	이게 뭡니까?
그래	양말이랑 팬티입니다. 뭘 사든 다 팔 거라면서요?
백기	(어이없이 보다가 휙 일어난다) 갑시다.
그래	어디로 가는 겁니까?
백기	(짜증나는 얼굴로 휙 나간다)

S#45 — 백기의 선배 사무실, 낮

백기의 선배와 악수하는 그래.

그래	(악수하고) 장그래입니다.
선배	반갑습니다. 백기 좀 잘 부탁해요. 앉아요.
백기	(앉으며) 지난번 입사 턱 쏴주신 거요. 지금도 죄송해요. 100만 원도 넘게 나와서.
선배	니들 입에 들어가는 거 하나도 안 아까워. 그래, 부탁 있다면서?
백기	회사에서 뭘 좀 팔아오라고 해서요. (웃으며) 실습이요.
선배	(웃으며 보지만) 뭔데?
백기	(쑥스럽게 꺼내놓으며) 뭐, 이런 거. 비싸게 사주시면 더 좋구요.
선배	흠… (양말을 보다가 들고 꼼꼼히 보면서) 너희 회사 제품이야?
백기	아뇨~ 아까 오다가 산 거예요. 하하.
선배	(정색) 어디 제품이지? 중국 OEM인가? 얼마에 팔 건데?
백기	(살짝 당황) 아, 중국일… 겁니다. 선배님께는 좋은 가격에…
선배	(OL) 왜 좋은 가격에? 나라서? 아니면 품질이 딱 그 정도인가?
백기	(당황) 아, 그건… (자기도 모르게 그래를 본다)
그래	(역시 당황한)
선배	(물건 내려놓으며) 안 산다.
백기	(더 당황) !
그래	(백기를 본다)

선배	내가 너한테 술 사고 더한 것도 살 수 있지만 이건, 안 산다. 왠 줄 알아?
	나한텐 필요가 없는 물건이야. 나한테 팔려고 산 물건이 맞아? 그럼 실망인데?
백기	(당혹스러운…!)

S#46 ─ 백기의 선배 건물 밖, 낮

완전히 화난 얼굴로 비닐봉투 한 개를 들고 백기, 역시 한 개를 들고 뒤따르는 그래.

백기	(몇 걸음 못 가고 선다. 화가 나 확 보며) 어디서 사 와도 이런 걸 사 옵니까?
그래	뭐든 사 오라고 한 사람은 장백기 씹니다.
백기	후…
그래	(보다가) 어디든 일단 사람 많은 델 좀 가보면 팔 수 있을 겁니다. (간다)
백기	(그대로 서 있다)
그래	(안 따라오자 돌아보며) 장백기 씨.
백기	….
그래	정 못 하겠으면 돌아가십시오. 장백기 씨 말대로 어차피 이건 제 숙제이고…
백기	(본다)
그래	…장백기 씨 말대로 저는 부족한 게 많은 사람입니다. 그래서 장백기 씨보다
	훨씬 더 많은 순간순간들이 절박합니다.
백기	(본다)
그래	전 오늘 오 차장님이 주신 시간 안에 이걸 꼭 팔아야 해요. (꾸벅하고 간다)

백기, 쳐다보다가 돌아서는데 강 대리 문자 온다. "잘 팔고 있습니까?" 백기, "하…" 하고 확 돌아서서 그래에게 가서 봉투 하나 확 낚아채서 간다. 쳐다보는 그래.

S#47 ─ 지하철 열차 안, 낮

긴장한 모습으로 문 앞에 서서 객차 내 사람들을 보고 있는 그래와 백기. 드문드문 앉아 있는 열댓 명 정도의 승객이 흘긋 보는 걸 느끼는 백기. 미치겠다. 들고 있던 봉투를 내려놓고 손에 난 땀을 비벼 닦는 그래. 그걸 보는 백기.

백기	(그래에게만 들리게) 갑시다. 여긴 아닌 거 같아요.
그래	아니요. 여기서 팔고 갑시다.
백기	장그래 씨, 아까 뭐라고 했어요. 사람 많은 데 간다고 했죠. 좀 보십시오.

그래	좀 전엔, 길에서는 못 팔겠다고 했잖습니까. 여기선 꼭 팔아야 됩니다.
백기	나는 여기선 못 팔아요.
그래	왜요?!

사람들, 속삭이듯 틱틱거리며 오가는 소리에 두 사람이 신경 쓰이는 듯 바라본다. 그 시선에 얼굴 붉어지는 백기.

백기	사람들이 다 우리만 보고 있잖습니까. 꽉 닫힌 공간에서 시선 둘 데도 없는 이런 데 말고, 딴 데 가죠.
그래	(요지부동) 헤맬 시간도 없다구요. 지하철이 제일 좋습니다. 유동 인구도 많고 한 량씩 차례로 다니면서,
백기	(OL) 그렇게 자신 있으면 (하… 답답한) 알아서 파세요.

빈자리에 가서 확 앉는 백기. 그래를 본다. 그런 백기를 보다가 통로 가운데로 나가 사람들을 향해 서는 그래, 긴장한 모습. 보는 백기. 될 대로 되란 듯이 눈을 감고 뒤로 기댄다. 그래, 정면을 본다. 그런 그래에게 아무 관심도 없는 사람들…

그래	…

그대로 눈을 감은 채 앉아 있는 백기. 가볍게 한숨을 내쉬는데… 잠시 후 가느다랗게 들리는 목소리.

그래	여… 여러분… 양말이…
백기	(눈을 뜬다)
그래	(조금 큰 소리로) 양…말이

승객들, 스마트폰 들여다보다가 그래를 힐끔 보고는 다시 무관심이다.

그래	(사람들 쪽으로 발길을 옮기며) 양말 여섯 켤레에 만 원입니다… 신축성 좋고 마트보다 훨씬 싼 제품입니다. (사람들 다리 위에 물건 놓는다)
백기	(어이없이 보는데)
그래	(사람 하나하나 일일이 설명하며) 짱짱하고 튼튼합니다.
아저씨1	(앞으로 몸을 당겨서) 얼마라구?
그래	(! 얼른 가며) 만 원입니다. 정말 좋은 물건입니다.
백기	(어? 하는 기대감으로 바라보는데,)
아저씨1	(그냥 모른 척 다시 등을 기대고 눈을 감는다)

백기, 그럼 그렇지 싶고 그래를 본다. 알림음과 함께 "이번에 정차할 역은 ○○○역입니다"라는 안내방송이 들린다. 그래, 마음이 다급해지는데 아니나 다를까 사람들, 물건 아무렇게나 옆에 던져놓거나 바닥에 흘리며 일어난다. 그래, 얼른 달려가서 물건들 회수하면서도

그래　　　양말이 쌉니다! (회수하던 중 물건 두고 일어나려는 남자1에게)
　　　　　　선생님, 싸고 튼튼한 양말입니다.

남자1, 손 저으며 내린다. 그래, 얼른 앉아 있는 중년 여인한테 가서 양말을 내밀며 설명한다. 짜증스러운 듯 고개를 흔드는 중년 여인. 다시 옆에 앉은 사람에게 팔려고 애쓰는 그래. 그런 그래를 바라보고 있는 백기… 열심히 팔려고 하는 그래… 그래의 모습에서 과거가 겹쳐지는 백기.

　　　　　　[Flashback] 제1국 S#103
　　　　　　땀을 흘리며 혼자 오징어 통을 뒤지며 확인하는 그래, 둘 몫을 혼자 하고 있다.

백기　　　…

남자2, "아저씨!" 하며 물건 들고 다가온다. 그래, 얼른 다가가는데, 문이 열리자 그래에게 얼른 던지듯 주며 내린다. "아! 저기!" 하다 실망하는 그래… 떨어진 물건을 쳐다본다… 그런 그래를 보고 있는 백기. 열린 문으로 사람들 두세 명이 내리고 서너 명이 들어온다. 물건을 주우려고 몸을 굽히는 그래를 미처 못 보고 들어오던 남자3이 자리에 앉기 위해 빨리 오다가 그래를 민다. 넘어지는 그래! 깜짝 놀라서 자기도 모르게 몸을 앞으로 곧추세우는 백기. 남자3도 깜짝 놀라 미안하다고 하면서 그래를 부축하고 물건을 집어준다.

그래　　　(일어나며) 괜찮습니다. 네, 괜찮습니다. (다시 물건을 파는 그래) 양말이 쌉니다.
　　　　　　중국 제품이지만 퀄리티 좋은 제품입니다. 하나 사주십시오! 물건 좋습니다.
　　　　　　짱짱하고 튼튼한 제품입니다.
백기　　　(보는) …

　　　　　　[Flashback] 제1국
　　　　　　다 젖어서 혼자서 꼴뚜기 찾는 작업을 하고 있는 그래.

그래　　　(앉아 있는 새로 들어 온 중년 남성에게) 사장님, 양말이 여섯 켤레에 만 원입니다.
　　　　　　튼튼하고 물이 빠지지 않는 양말입니다.
아주머니　얼마?
그래　　　여섯 켤레 만 원입니다.
아주머니　에유, 비싸네 총각~ 이거 열 켤레에 만 원에 살 수 있는 건데~

그래	아···열 켤레는 안 되구요. 그럼 (두 켤레 더 얹어서 주며) 여덟 켤레에···
아주머니	아유, 됐어. (하며 밀어내다가 그만 물건이 바닥에 우르르 쏟아진다) (조금 당황해서 보며)
	아유, 됐다니까 자꾸 그래···
그래	(쏟아진 양말을 보다가 다시 줍는데)
아주머니	(Off) 누가 지하철 물건에 배춧잎 꺼내애···
그래	(그대로 멈칫한다) ···

누군가 다가와 줍는다. 백기다. 그런 백기를 보는 그래···

S#48 ─ 지하철 입구 밖, 낮

오징어처럼 절은 모습으로 걸어 나가는 그래··· 한 손에 든 검은 봉지의 사이즈는 전혀 줄어들지 않았다. 따라 나오는 백기의 검은 봉지 역시 마찬가지다. 그래를 쳐다보고 따라가는 백기···

> [Flashback] 제1국 S#109
> 짙은 오징어 같은 몰골로 술집 앞으로 온 그래.

> [Flashback] 제1국 S#111
> 이상현   (비식 웃으며) 그러기에 왜 그렇게 열심히 했어요. 좀 요령껏 하시···
> 이상현   하기야 열심히라도 해야죠. 게-속 그렇게 열심히만 하세요.
>   (히죽거린다)

그래, 멈춰 선다. 시계를 본다. 이미 5시에 가까운 시간. 얼굴이 굳는다. 그런 그래를 보는 백기. 아무 말도 안 하고 서 있는 두 사람··· 잠시 후··· 백기의 얼굴 위로 그래의 조용하지만 뭔가 차가운 목소리.

그래	(Off) 여기서··· 잠깐만 기다리세요.
백기	(멈칫, 그래를 본다)

그래, 뭔가 조금 달라진, 무언가를 억누르는 듯하면서도 차가운 표정으로 앞을 쳐다보고 있다.

백기	어디 가는데요?
그래	··· (백기의 손에 든 비닐봉지를 든다) 제가 팔아 오겠습니다.
백기	아, 글쎄 어디,
그래	(OL) 여기 계세요. (간다)

백기, 부르려다가 멈추고 멀어지는 그래를 본다…

S#49 — 거리 일각2, 낮

검은 비닐봉지를 양 손에 들고 감정을 누른 얼굴로 걸어가는 그래.

그래　　　(Na) 기억력이 있다는 것은 훌륭한 것이다.

S#50 — 한국기원 정문 앞, 과거 + 현재

한국기원 정문 앞으로 걸어와서 서는 그래, 기원 건물을 올려다본다.

그래　　　(Na) 그러나 진정 위대함은 잊는 데 있다고 했다.

　　　[Flashback] 제1국 S#58 한국기원 대국장, 낮(과거)
　　　아홉 살 그래가 지고
　　　열네 살 그래가 지고
　　　열일곱 살의 그래가 진다. 고개를 떨구는 열일곱 살의 그래…

　　　[Flashback] 제1국 S#56 편의점, 밤(과거)
　　　창고에서 박스 들고 나와 물건을 진열대에 채워 넣는 그래… 일하면서도
　　　자신이 정리한 기보를 꺼내 보는 그래. 얼마나 봤는지 너덜너덜하다.

　　　[Flashback] 제1국 S#57 장례식장, 낮(과거)
　　　붉어진 눈으로 상복에 상주 띠 두른 그래. 조금 열린 방문 앞 툇마루에
　　　앉아 있다. 안에서는 엄마의 울음소리가 쏟아진다. 붉어진 눈으로 방 안을 본다.
　　　웃고 있는 아버지 영정 사진.

　　　[Flashback] 제1국 S#60 기숙사 안, 낮(과거)
　　　양손에 기보집 묶음을 들고 나오는 그래. 후드에 깊이 가려진 그래의
　　　참담한 눈빛이 비로소 드러난다.

현재의 그래. 그 자리에 그렇게 서 있는…

그래   (Na) 잊을 수 있는 건… 이미 상처가 아니다.

쉽게 발을 옮기지 못하고 기원을 바라보며 돌처럼 서 있는 그래… 길 저쪽에서 그런 그래를 보고 있는 백기. 기원 간판을 올려다본다.

S#51 ── 한국기원 안 로비 + 기원 홍보실 앞 통로, 낮

로비 계단 앞에 선 그래.

그래   (Na) 들어와버렸다… (심호흡하고 천천히 계단을 오르며) 모든 게임이 그렇지만
               (멈췄다가 다시 걷는다) 플레이가 선언되는 순간, (2층 계단 오르는 그래 Dis.)
               준비가 안 돼 있다는 걸 깨닫게 된다. 그 전의 결연한 각오나 기합 따위는
               불안의 직감적 반응이다. (3층 계단 오르는 Dis.) 또한, 도망치고 싶거나 돌아가고
               싶은 마음이 들 때는, 때가 늦었거나…

4층 계단 끝으로 올라서서 4층으로 들어선다. 그때 가장 가까운 곳에 있는 홍보실 문이 열리고 홍보팀장이 나온다.

그래   (Na) 이미 플레이가 시작된 이후이다.
그래   (복도 쪽으로 가는 팀장에게) 팀장님.
홍보팀장   (돌아보고 깜짝 놀란) 어? 그래야?
그래   안녕하세요…

복도에서 지나가거나 다른 사무실에서 나오던 몇몇이 호기심으로 돌아본다.

S#52 ── 한국기원 4층 계단 + 4층 일각, 낮

두리번거리면서 계단을 올라오는 백기.

백기   어디로 간 거야?

계단마다 걸려 있는 바둑 관련 인사들의 사진과 기사를 보면서 올라온다.

백기   바둑? (찡그리며) 아니, 이런 델 왜 온 거야?

4층 안으로 들어간다. 복도 일각 사무실 옆에 남자1, 2가 서서 커피 마시면서 얘기하고 있다. 백기, 홍보실 앞을 지나가면서

백기　　　아는 사람이라도 있는 거야?

지나가며 열린 사무실1 문 안에서 바둑 두고 있는 남녀 두 사람을 본다. 멈춰 서서 그들을 본다…

백기　　　바둑…

그때 맞은편에서 남자1, 2를 보며 오던 남자3.(장그래보다 2년 정도 선배 연배)

남자3　　봤어? 장그래 왔던데?
백기　　　(멈칫 본다)
남자1/2　정말?/정말?
남자3　　(백기를 지나 남자 1, 2에게 간다) 응, 어디 취직했나 봐. 양복 입고 왔어.
백기　　　(돌아선다. 그들을 보는)
남자1　　아… 장그래, (못 믿겠는) 여긴 다신 안 올 것 같더니… 어떻게… 왔네…?
남자2　　그러게…?

의아하고 약간 놀란 얼굴로 그들을 보는 백기.

S#53 ── 한국기원 홍보실, 해 질 녘

홍보팀장, 양손에 머그잔 들고 와 좀 긴장한 듯 보이는 그래 앞에 하나 놓아준다.

홍보팀장　(미소) 종합상사 들어갔다면서?
그래　　　아… 네… 성원실업 사장님이 소개해주셔서요…
홍보팀장　(끄덕이며) 그래, 그분이 너 많이 아까워했지. 회사는 다닐 만하고?
그래　　　(미소) 네…
홍보팀장　(미소) 잘됐다. 여기는 어쩐 일이야?
그래　　　아… 그…게… (머뭇거리다가 비닐봉지를 테이블에 올린다) 실은…
　　　　　　저희 차장님께서 미션을 주신 건데…
홍보팀장　(의아한) 미션…?
그래　　　그게… (조금 머뭇거리다) 물건을 팔아 오라는 겁니다. 그래서…
　　　　　　(홍보팀장의 눈길을 살짝 피하며) 여기서 좀 팔 수 있을까 해서요…

홍보팀장	(말없이 그래를 본다)
그래	(홍보팀장을 본다) …
그래	(Na) 게임의 법칙상,
그래	(마른침을 삼키고 봉투를 잡는다) 양말과 팬티입니다.
그래	(Na) 모든 것은 앞을 향해 나아간다. 그 끝에 지옥이 있더라도.

그래, 약간 후들거리는 손으로 봉투를 여는데… 그때 그래의 손을 지긋이 잡는 팀장. 그래, 멈추고 보면, 일어나는 팀장… 창문 쪽으로 가서 뒷짐을 지고 밖을 보고 선다. 아무 말도 못하고 그런 팀장의 뒷모습을 보는 그래… 한참 그러고 있다가 돌아서는 팀장. 그래를 물끄러미 보다가

홍보팀장	그래야…
그래	…네.
홍보팀장	넌 여길 오는 게 아니었던 것 같다.
그래	(알고는 있지만) !
홍보팀장	왜냐하면, 여기 사람들은 다 사줄 테니까. 동정이든 격려든 응원이든.
그래	(고개를 떨군다) …
홍보팀장	그래서야 네 일을 했다고 할 수 있겠니?
그래	…
상식	(E) 가족은 제외다!
팀장	너를 보낸 그 차장님도, 니가 이렇게 해결하길 바란 건 아니었을 거다.
그래	(참담해진다… 고개를 떨군 채 떨려오는 몸) 네…

S#54 — 영업3팀, 해 질 녘

창밖을 보고 착잡하게 서 있는 상식…

S#55 — 한국기원 밖, 밤

굳은 얼굴로 나오는 백기… 뒤를 돌아 한국기원을 본다.

[Flashback] S#52와 동일 장소. 낮
좀 떨어진 곳에서 남자1, 2, 3이 하는 얘기를 듣고 있는 백기

남자1   진짜 아깝긴 장그래는… 쟤네 동기 중에 장그래가

Episode 15

제일 먼저 입단한 줄 알았지. 사실 김 프로보다 장그래가
훨씬 나았잖아.

백기	!
남자3	(끄덕이며) 아깝지.
남자2	일곱 살에 시작했다며? 프로 바둑 기사가 되려면 일곱 살이면 좀 늦은 거지. 그래도 1년 만에 한국기원 연구생 됐지. 초등학교 때 이세창 9단과 3점 지도기에서도 이기고, 대회에서 4강 이하로 떨어져본 적도 없대.
백기	…
남자1	공부도 잘했잖아. 저놈 고등학교 자퇴서 내고 왔을 때 담임이 도장까지 따라와서 사범님 설득하면서 말리는 거 봤어.
남자3	집안 형편만 됐어도 입단했을 텐데…
남자2	새벽엔 알바 뛰었다며? 우리 사범님은 아무리 힘들어도 알바는 절대 뛰지 말라고 했었어. 프로가 되려면 바둑판 밖은 보지도 듣지도 말랬거든.
남자3	그렇지…

한국 기원을 쳐다보고 있는 백기.

남자1	(E) 근데, 뭐 부탁하러 온 거 같지? 에휴… 정말 오기 싫었겠다. 바둑 포기하고 한국기원 오는 게 어디 쉽겠어? 아프지…
남자2	(E) 아프지…

S#56 — 한국기원 4층 복도, 밤

비닐봉지를 들고 나오는 그래, 홍보팀장도 따라 나온다. 복도 끝에 있는 남자1, 2, 3도 쳐다본다.

그래	(공손히 인사하며) 팀장님, 그럼 가보겠습니다.
홍보팀장	(끄덕이며) 응.
그래	(돌아서려는데)
홍보팀장	그래야,
그래	네.
홍보팀장	(빙긋 웃으며 보다가 끄덕끄덕 해준다)
그래	(다시 숙여서 인사하고 간다)

S#57 ── 한국기원 밖, 밤

검은 봉지를 양쪽에 들고 패잔병의 모습으로 나오는 그래… 멈춰 섰다가 천천히 한국기원을 돌아본다… 일각 떨어져서 그런 그래의 모습을 보는 백기…

S#58 ── 지하철 입구 밖(S#48과 동일), 밤

어깨 처져서 오는 그래… 백기 없다. 조금 두리번거리면

백기　　　(Off) 뭡니까? 하나도 못 판 겁니까?

보면, 일각에서 다가오고 있는 백기.

그래　　　미안합니다.
백기　　　(시계 보며) 지금 회사 들어가도 7시가 넘겠네요.
그래　　　네… 들어가죠…
백기　　　…

그래, 앞서서 걸어간다. 쳐다보던 백기도 따라간다.

S#59 ── 거리 일각3, 밤

앞서서 걸어가는 그래. 뒤를 따라가는 백기, 각각 검은 봉지 하나씩 들고 있다.

S#60 ── 자원팀, 밤

정 과장, 유 대리, 영이 일하고 있는 자원팀 분위기, 와중에 영이는 얼핏얼핏 눈치를 본다. 그때 정 과장이 하품을 한다.

영이　　　(일어나서) 커피 한 잔 드릴까요?

하는데 하 대리가 커피를 들고 와서 정 과장에게 주고 자신도 마신다. 영이… 자리에 앉는다. 그런 영이를 약간 찜찜하게 쳐다보는 정 과장.

풀 죽어서 나오는 석율. 샌드위치와 우유 사 들고 오는 영이를 만난다.

영이	한석율 씨.
석율	(그제야 영이를 본다) 아. (샌드위치 보며) 야근?
영이	네.
석율	(끄덕이며) 그래… 수고. (간다)
영이	(약간 걱정스럽게 보다가) 차 한잔할래요?
석율	(손 흔들며 간다)
영이	힘 좀 내요. (멀어지는 석율을 보는)

S#62 — 중간 정원, 밤

정원 일각에서 착잡한 얼굴로 담배를 꺼내 무는 상식 위로,

[Flashback] 17층 인사팀 앞 복도. 밤
무겁게 걸어가던 상식, 멈추고 고개 든다. 인사팀 부서 명패가 보인다.
일하고 있는 인사팀 대리도 보인다. 다가가던 인지하는 대리.

상식   아, 이 대리. 저… 음… 고졸 사원 채용 케이스 좀 알 수 있을까?
인사팀 대리   네. 아… 아직 그런 케이스는 없습니다.

상식, 굳은 얼굴로 마른 담배를 빤다. 공허한 하늘을 쳐다보다 한숨 쉰다. 그때 영이, 복잡한 얼굴로 샌드위치와 우유를 들고 들어오다가 상식 보고 인사.

상식	그 팀 다 야근하는 거 같던데 왜 같이 저녁 안 먹고?
영이	아…
상식	요즘 그냥저냥 지내는 거 같더니 다시 따야? 누구 다리 걸어줘?
영이	(당황해서) 아… 아니에요. 제가 잘못한 게 있어서요.
상식	(앉으며) 잘못? 아니, 우리 안영이 씨가 잘못할 게 뭐가 있나? 다 그놈들이 잘못이지. 무조건 그놈들이 잘못이야.
영이	(피식 웃다가) 아… 아깐… 아깐 제가 당황해서…
상식	아까? (모르는 척) 아까 뭐?
영이	… (고개 숙이며 혼잣말처럼) 아버지만 엮이면 엉망진창이 되는 것 같아요…

상식	…
영이	(고개 들고) 차장님은 퇴근 안 하세요?
상식	이놈이 들어와야 퇴근을 하지. (시계 보며) 7시 다 돼가는데…
영이	아, 장백기 씨하고 장사하러 나갔다면서요?
상식	뭐 하나라도 건져서 올는지.
영이	뭔지 모르지만 그렇게 할걸요? 장그래 씨는 그렇잖아요.
상식	그렇지…

S#63 ― 사우나 일각 + 앞, 저녁

검은 비닐봉지 각각 들고 앞뒤로 걸어가는 그래와 백기.

백기	(보다가) 그냥 이렇게 들어가도 돼요?
그래	(말없이 걸어가기만)
백기	장그래 씨.

그래, 멈춰 서서 돌아본다. 저만치 뒤에서 자전거가 빠른 속도로 온다. 백기, "어?" 한다. 그래, 백기의 표정 보고 뒤를 본다. 자전거가 다가오고 있다. 백기, "어!" 하는 동시에 놀란 그래가 뒤로 확 물러나고 그 앞을 아슬아슬하게 휙 지나가는 자전거.

백기	(화가 나서 자전거를 돌아보며 버럭) 거참 이봐요!

냅다 달려가는 자전거.

백기	(그래에게 통!) 괜찮아요?

전방 보며 "후우…" 길게 한숨 내쉬며 사우나 앞(혹은 상층 간판) 앞을 지나간다. 그러다가 문득 멈춰 선다. 백기도 멈춰 선다. 그래를 보면 사우나 간판을 빤히 보고 있다. 그 위로

[Flashback] 인물들의 각각 사무실

동식	(피곤한 듯 나가며 그래에게) 요 앞 사우나에서 좀 쉬다 올게.
상식	(전화 듣고 나가며) 바이어 전화 오면 나 연결해줘. 사우나에 있을게.
황 대리	(기지개 켜며 동식에게) 집에 인제 갔다 오나. 사우나에서 잘게.

백기	장그래 씨!

그래, 계속 간판을 빤히 보며 서 있는데 옆을 지나 사우나로 들어가는 남자1, 2.

남자1   아… 속옷 또 입어야 해?

남자2   사우나 갈 줄 알았으면 집에서 갖고 나올걸.

그래   (그들을 쳐다보는데)

백기   (그래에게 다가서서) 장그래 씨.

그래   (OL. 봉지 주며) 갖고 있어요. (어딘가로 막 뛰어간다)

백기   (얼결에 받아 들며) 어디 가요!

(시간 경과) 헐레벌떡 뛰어오는 그래. 소주를 한 병 사 들고 와서 내민다. 황당한 백기, 보면

그래   마셔요.

백기   (찌푸리며) 네?

그래   여기서 팝시다.

백기   네?

그래   여기예요. (물건 들며) 이걸 사줄 만한 사람들이 다 여기 있습니다.

백기   무슨 말도 안 되는 소릴 (하며 고개를 들다가 사우나 간판을 본다. 조금 의아하게
         보다가 그래 보며) 장그래 씨, 혹시… 저거… 말하는 겁니까?

그래   (다시 소주를 탁! 안겨주며) 아까 지하철에서 보니까 장백기 씨는
         이게 필요할 것 같아요.

백기   (어이없이 본다)

그래   없어도 돼요? 그럼 주세요. (다시 뺏으려고 병을 잡는데)

백기, 그래를 쳐다보다가 손을 탁! 쳐내고 뚜껑을 돌려 따서 꿀꺽꿀꺽 마신다. 하늘을 보는 백기의 시선 따라 시야 올라간다. 사우나 간판에 머문다. 잠시 후.

그래   (E) 선배 상사맨… 여러분! 저희는 원인터내셔널 신입사원입니다.

사우나 간판에 머물던 시야가 다시 천천히 내려오면 조금 취해서 붉어진 그래와 백기, 양말, 팬티 행상 판이 벌여져 있다. "양말 5켤레 만 원!" "팬티 1장+양말 3켤레 만 원!"이라고 써 넣은 찢어낸 박스 종이도.

그래   (양손에 팬티와 양말 들고) 팬티 한 장, 양말 세 켤레, 두 개 섞어서 만 원!

백기   (팬티와 양말 들고) 편하게 입고 신고 버려도 죄의식 없는 그 가격!

그래   빨아서 계속 쓰면 더 좋은 그 가격!

백기   양말만 무려 다섯 켤레에 만 원! 죄의식 없는 그 가격! 단돈 만 원!

백기	(소리를 높여서) 야근 때 갈아입을 팬티와 양말!
행인1	이 친구 테스트 나왔구만.
행인2	(웃으며) 왕년에 우리도 많이 했다.
그래	선배님들, 이 제품은 그냥 막 늘어나니까 너무 막 당기지는 마시고…! (딸꾹!)
행인1	허허~ 아~ 이 친구들 술 냄새!
행인2	우리도 술 먹고 했잖아.
백기	만 원어치 사시면 양말 하나가 써비스! 3만 원어치 사시면 팬티가 하나 더 써비스!
행인1	허허, 장사 제대로 하려나 보네?
그래	사무실 서랍 속에 상비해두셔 보십시오! 밤에 구두 벗는 회식 자리 갈 때!
	야근 후 사우나 가실 때! 아, 그 청년들 참 기특하구나~ 하실 겁니다!
	(지나가는 행인에게 적극적으로 들이대며) 만 원, 싸다! (또 들이대며) 만 원입니다.
	(또 들이대며) 만 원! 절대 빵구 안 나는 튼튼한 양말 만 원!

같이 팔다가 문득 멈추고 그런 그래를 쳐다보며 기막힌 듯 웃는 백기다…

S#64 — 영업3팀, 밤

'허!' 하는 얼굴의 상식, 취해서 발그레한 얼굴로 돈이 든 까만 비닐봉지를 내밀고 있는 그래를 어이없이 보고 있다.

그래	(취해서) 다~ 팔았습니다. (봉지를 짝 벌려서 보여준다. 돈이 들어 있다)
상식	(어이없는 웃음 치며 보다가) 지금 시간이 몇 신데.
그래	시간! 그 따위가 뭐가 중요합니까? 다~ 팔았습니다. 차장님!
상식	(또 어이없는 웃음) 좋다. 판 게 중요한 게 아니고.
그래	왜 중요한 게 아닙니까? 제가 그거 팔려고 얼~마나 고생했는데요.
상식	(어이없지만) 뭘 배워 왔어?
그래	팬티랑 양말은 사우나 앞에서 팔아야 한다!
상식	(찡그리며) 왜?
그래	그러니까 장사란 누구한테 뭘 팔아야 되는지,
상식	(OL) 보고서로 제출해.
그래	네?
상식	술 깨고 밤새서라도 내일 아침에 볼 수 있게. (가방 들고 휙 들고 나간다)
그래	(보는)

S#65 ── 원인터 외경, 밤

S#66 ── 영업3팀 + 15층 통로, 깊은 밤

영업3팀 쪽 불을 끄고 나오는 그래, 술은 깼다. 어두운 통로를 뚜벅뚜벅 걸어 나간다. 그 뒤로 그래 책상 위에 보고서와 그 옆에 정리돼서 놓여 있는 돈들. 그래, 철강팀 쪽에서 비쳐 나오는 불빛을 보며 걸어가는데, 이내 꺼진다. 철강팀에서 나오는 백기와 마주친 그래. 둘 다 걸음을 멈춘다.

그래	안 갔어요?
백기	보고서 쓰느라구요.
그래	네…

두 사람 다시 말없이 보다가

백기	장그래 씨.
그래	네.
백기	나는 아직도 장그래 씨의 시간과 나의 시간이 같다고 생각하지 않습니다.
그래	(왜 저런 말을 하나 싶어 본다) …
백기	그래도,
그래	…
백기	내일 봅시다.
그래	(보다가) 네.

백기, 그래에게 인사하고 간다. 그런 백기를 보고 서 있는 그래. 엔딩.

Episode 15

Episode 16

제16국

S#1 ── 그래의 집, 아침(10월 중순)

흰 와이셔츠를 입고 단추를 착착 잠그고 손목의 단추를 잠그는 그래. 와이셔츠 깃을 세우고 능숙하게 넥타이를 둘러매는 그래. 양복 윗옷을 입고 가방을 들고 나간다.

S#2 ── 거리 일각, 아침

10월의 가을 옷차림으로 거리를 걸어가는 그래. 조금 더 여유 있는 어른(성장)이 된 느낌.

S#3 ── 원인터 로비, 아침

들어오는 그래, 앞서가는 석율을 본다.

그래　　　(잰걸음으로) 한석율 씨.

멈춰 서는 석율, 돌아보면 헤어스타일 노멀하게 바뀌고 와이셔츠에 검은 슈트. 웃음 잃은 차갑고 서늘한 표정이다.

그래　　　(Na) 극과 극은 통한다.
석율　　　장그래.
그래　　　(다가와) 일찍 왔네요.
석율　　　(걸으며) 응. (더 이상 말이 없다)
그래　　　(Na, 따라가며 쳐다보면서, E) 무기력을 견디는 방식, 부당과 허위의 가혹한 시간들을
　　　　　　견디는 방식으로 한석율은 입을 닫았다. 오로지 무감해지는 법만 연마하는
　　　　　　사람처럼 시간을 지우고 있었다. 그는 웃음을 잃었고 우리는 그를 잃었다.

S#4 ── 엘리베이터 안, 아침

여전히 서늘한 표정으로 앞만 보고 있는 석율. 그런 석율을 보는 그래.

그래　　　(Na) 성가시기만 했던 그의 수다가 그리워지기 시작한 건 오래전이다. 하지만
　　　　　　우리 중 누구도 감히, 그에게 섣부른 충고를 건넬 수 없었다. 회사에 들어오고
　　　　　　1년 5개월, 우리는 충분히 알게 됐다. 시련은, 셀프라는 걸.

엘리베이터가 멈춘다. 문이 열린다. 그래가 내린다.

그래   (Na) 그래도 나는 그에게 말하고 싶었다.

돌아보는 그래. 잘 가라고 까딱하며 서늘한 무표정으로 그래를 보고 있는 석율.

그래   (Na) 돌을 잃어도 게임은 계속됩니다, 한석율 씨.

문이 닫힌다.

S#5 ── 영업3팀, 아침

빈 사무실 안. 자리에 앉은 그래, 다이어리 편다. 몇 장 넘겨 10월의 장까지 넘긴다. 앞선 달의 날짜 칸 중간중간에 "YES?" "YES!"라고 쓴 글씨가 있다. 10월 25일 칸에 경건하고 진지한 자세로 의식을 치르듯 뭔가를 적는다. 보면 또 "YES?" "YES!". 그때 문자 온다. 하 선생. "벌써 10월이 다 갔네요. 월동 준비해야겠네요^^" 그래, 답장한다. "네. 감기를 조심하십시오." 수다 떨면서 들어오는 동식과 천 과장. 그래, 인사하면 놀리는 동식.

동식   칠전팔기 날이네? 첫 번째 아이템이 그 뭐였더라? 해외 관광지? 환경 보호?
그래   대리님.
천 과장   (웃으며 양복 벗는다)
동식   밑도 끝도 없다고 까서 양말 팬티까지 팔아 와놓고 그다음에 쌀이었나?
            그것도 밑도 끝도 없었지? 뭘 하겠다는 건지, 쌀을 팔자는 건지, 쌀 가공품을
            팔자는 건지, 현미를 팔자는 건지, 건강 보조식품을 팔자는 건지,
천 과장   오늘은 될 거다. 차장님도 군말씀 없이 넘기셨잖아.

상식 온다. 세 사람, 인사하고.

동식   오늘 장그래 사업계획서 운명의 날이잖아요.
상식   그래? (자리로 가서 옷을 벗는다)

그때 그래 컴퓨터로 메시지가 온다. "결재 안내 메일입니다."

그래   어…
일동   (그래 소리에 돌아본다)

동식	왔어? (다가간다)

그래, "네" 하며 메시지 클릭해서 '카자흐스탄 물탱크 수출 건'을 연다. 상식, 그냥 모르는 척하지만 관심이 가는. 그래가 연 메일 오른쪽 상단 "승인"이라고 탁! 찍혀 있다.

동식	어?! 아! 됐다! 됐어!
그래	(입가에 웃음이)
천 과장	(와서 웃으며 보며) 재무팀 예산 승인 떨어졌네요.
상식	(시큰둥하는 척하면서 안약을 케이스에서 꺼내며) 그런 건 왜 예산을 통과시켜주고 그래.
천 과장	장그래 씨, 축하해.
그래	고맙습니다. (상식을 본다)
상식	(뚜껑을 열고 눈에 안약을 넣으며) 어~ 시원해! (퉁명스럽게) 어쨌든 회사에서 하라니깐. 책임지고 잘해봐. (다시 휙 보며) 잘해!
그래	네.
동식	장그래, 첫 아이템 사업계획서 담당자 된 기념으로 커피 한 잔씩 쏘지?
그래	네! (다이어리 "YES!"에 동그라미 표시하고 웃은 뒤 출력한 PPT 제안서에 적힌 "담당자 영업3팀 장그래"를 가만히 본다)
상식	(그래를 본다)

S#6 ── 철강팀, 낮

결재 시스템을 열어 보고 있는 백기. 아무것도 없다. 들어오다가 보는 강 대리. 백기를 지나 자리로 가며

강 대리	아직 결재 안 났어요?
백기	(깜짝 놀라 결재창 닫으며)
강 대리	(흘깃 보며 자기 일 하며) 걱정 마요. 통과 될 거예요.
백기	(머쓱하게) 오늘 내일 결재가 날 줄 알았는데 늦네요.
강 대리	아마 예산에서 좀 걸렸을 거예요. 재무팀이 깐깐하게 볼 수밖에 없는 항목들이 몇 개 있으니까.
백기	(약간 걱정) 아… 네…
강 대리	중국 철골 건 주문서 왔는지 확인 좀 해줘요.
백기	아, 네… (대답은 해놓고 자기가 제출했던 사업계획서 'H-Beam 마감용 커버 수출 건' PPT 파일을 꺼내 예산 부분을 본다)
강 대리	(본다) 장백기 씨.

백기	(멈칫하면)
강 대리	철골 건 주문서요.
백기	아, 네. (그제야 메일 열고 확인한다)

S#7 — 화장실, 낮

영이, 들어와 세면대로 가서 손을 씻는데 선 차장, 사우나를 마친 얼굴로 파우치를 들고 "허~" 힘든 한숨 내쉬며 들어온다.

영이	(인사하고) 사우나 다녀오셨나 봐요. 야근이셨어요?
선 차장	어… 입찰 건 때문에 밤새 작업했어요. 화장품 파우치를 안 가져갔지 뭐야.
	(거울 보고 얼굴 확인하며) 땡겨서 혼났네. (웃으며) 이제 안 바르면 안 돼.
영이	(웃으며) 그래도 피부 좋으신데요.
선 차장	(웃으며) 그래? 이걸로 꾸준히 관리한 덕인가?
	(웃으며 얼굴에 바른다) 많이 좋아진 것 같아. 안영이 씨도 젊었을 때 관리해.

영이, 웃는데 문자 온다. 확인하면 "안영이 고객님의 대출이자납입일(2013.10.22)이 지났습니다. 5영업일 이상 연체 때에 신용정보회사 등에 정보 제공되어 신용카드 사용정지 등 금융거래에 불이익이 될 수 있사오니 확인 비랍니다. 10/25기준[조원은행]" 영이, 머리가 아파져온다 깊은 한숨… 휴대전화를 거두면

선 차장	(영이 보고 의아한) 아침부터 웬 한숨?
영이	아… 아니에요.
선 차장	(화장품 착착 챙기며) 커피 한잔할까?

S#8 — 중간 정원, 낮

상식, 담배 피러 나오는데 선 차장과 영이, 커피를 들고 온다. 서로 인사.

상식	(영이에게) 이번 자원본부 아이템은 그룹 본사에서 검토한다면서?
영이	아 (인사하고) 네,
선 차장	내년부턴 그룹 차원에서 자원 쪽 사업을 확장할 계획이라더니.
상식	(영이 보며) 아이템 제출했어?
영이	아, 네. 말단 신입까지 다 내라고 해서요

상식	안영이 안이 턱! 되면 어떡하지?
영이	네? (웃으며) 설마요.
상식	(커피 마시며 씁쓸하게 혼잣말처럼) 되도 걱정거리야…
영이	네?
상식	요즘도 혼자 샌드위치로 때워?
영이	(의아하게 보는) 네?

[Flashback] 제15국 S#62

영이, 복잡한 얼굴로 샌드위치와 우유를 들고 들어오다가 상식 보고 인사.

상식   그 팀 다 야근하는 거 같던데 왜 같이 저녁 안 먹고?

영이	아… 아뇨. 같이 먹기도 해요.
상식	(보다가) 요즘 보면 그래. 딱히 예전처럼 표 나게 구박덩이도 아니라 발 걸어줄 명분도 없고, 그렇다고 또 팀에 착 비벼 든 것도 아닌 것 같고…
선 차장	(웃으며) 차장님은 하루 종일 안영이 씨만 보시나 봐요.
상식	당연하지. 나는 아직 안영이 씨 포기하지 않았다고. 다음 부서 이동 땐 꼭 우리 팀 올 수 있게 내가 손 좀 쓸게.
영이	(웃다가 힘없이) 제 한계죠. 일적으로 말고는 사적인 교감을 거의 나누지 못하니까… 선배님들도 제가 편한 후배는 아닐 거고요.
상식	빈틈이 없어서 그래. (선 차장에게) 그치?
선 차장	(웃는)
상식	남자라면 술 한잔하고 니가 잘했니 내가 잘했니 멱살 잡고 구르고, 사우나 한 번 같이 가면 끝나는 건데. 여자는 어떻게 해야 하나? 선 차장은 처음부터 그런 고민 없었지?
선 차장	전 O형이에요.
영이	(웃으며) 저도 O형인데.
상식	(커피 한 모금 마시고) 마 부장은 견딜 만해?
영이	… (웃으며) 네.

S#9 —— 자원팀, 낮

별로 안 좋은 얼굴로 들어오는 정 과장, 하 대리, 유 대리, 머리 벅벅 긁는 정 과장.
그때 영이 들어오며

Episode 16

영이	회의 끝나셨어요?
정 과장	(찌푸린 얼굴로 영이를 본다)
영이	무…슨 일 있으셨어요?
정 과장	(한숨 쉬면서) 큰일 났다. 그룹 본사에서 니 아이템이 제일 좋댄다.
영이	네?
하 대리	골치 아프게 생겼어.
정 과장	난 부장님이 그런 생각 갖고 계실 줄은 꿈에도 몰랐지.
유 대리	어떡해요오~
영이	(영문 모르겠는데)
정 과장	(휴대전화 진동. 보더니 당황한 채 받는다) 예, 부장님. 네… 네… (영이를 본다)

S#10 — 옥상, 낮

열받아 있는 마 부장 앞에 고개 숙인 영이와 주눅 든 정 과장.

마 부장	그룹 본사 애들이 뭘 알아? 뭣도 모르는 놈들, 짬밥 무시하고 페이퍼 몇 장으로 평가를 해? 공정하게 해야지! 어? (영이에게) 니 아이디어 말이지. 그거 나도 다 생각했던 건데 안 한 거라고.
영이	…
정 과장	(안절부절)
마 부장	막 지르면 다 아이디어고 다 아이템이고 다 사업이야? 사업이나 해봤어?
영이	(고개 들지 못한 채)
동식	(E) 마 부장은 자원3팀을 밀고 있잖아.

S#11 — 영업3팀, 낮

동식과 천 과장, 그래에게 얘기해주고 있다.

동식	원래 3팀으로 쭉쭉 올라왔던 사람이야. 내심 자기 식구 챙기고 싶었겠지.
천 과장	게다가 마 부장이 이번 인사에서 미세한 차이로 물먹었단 소문이 있거든. 근데 본사 부장이 자원2팀 손을 들어주면 어떻게 되겠어?
동식	진짜 밀렸다고 생각할 거야.
마 부장	(E) 하지 마.

마 부장	(영이 보고) 니가 안 한다고 해.
영이	! …
정 과장	(눈치 보면서) 아… 아… 안영이 씨가 한 달 동안 날밤 새면서 진행한,
마 부장	(OL, 확 노려보면)
정 과장	(고개 숙이며) 네.
마 부장	3팀 걸로 밀어.
정 과장	(눈치 보며) 그… 그럼 본사에는 뭐라고…
마 부장	야! 전문가는 우리야! 3팀 안이 훨씬 될 사업이라고 설득하라고!
정 과장	네…
마 부장	(영이에게) 담당자한테 메일 보내. 못 하겠다고. 보내고 나한테 직접 보고해.
영이	…
마 부장	왜 대답이 없어?
영이	(그대로 숙이고만…)
마 부장	아주 시건방져. (거칠게 확 간다)

정 과장, 한숨 쉬고 영이에게 뭐라 말할 수 없어서 보다가 간다. 창백한 얼굴로 그대로 서 있는 영이.

S#13 — 영업3팀, 낮

그래	그래도 둘 다 마 부장님이 관리하는 팀에서 나온 아이디어들인데요? 담당 부장 사인도 어차피 다 마 부장님이 하시는 거고.
동식	지난번 우리 팀 이란 건 잊었어?
그래	네?
동식	비슷한 거야. 생각해봐. 자기 뒤를 든든하게 백업하고 있던 팀은 깨지고 새파란 신입 여사원이 낸 아이디어가 채택된다면,
그래	…
천 과장	마 부장 입장에선 장기 레이스 좀 후달리지. 그런 사람들 백업 만드느라 얼마나 공을 들이는데.
동식	(그래 툭 치며) 골치 아프지? 사내정치 같은 건.
그래	(웃는)
천 과장	(자리로 가며) 피하기만 한다고 능사는 아냐. 정치가 회사에만 있나? 인생 자체가 정치야. 익숙해져야지. 그래야 조금은 쉽지.
그래	(천 과장을 보는)

Episode 16

동식	어쨌든 지금은 딴 나라 얘기니까 신경 끊고 첫 사업이나 잘 진행해.
	수익 많이 내서 회식이나 거하게 쏴.
그래	(웃으며) 네. (하다가도 걱정스러운 얼굴로 자원2팀 쪽 돌아본다)

S#14 — 섬유팀, 낮

석율, 표정 없는 얼굴로 중국어로 업무 관련 통화하고 있다.

석율	(중국어) 네… 일반 스판덱스는 직조 시 염색이 되지 않지만 저희 원인터
	직영 공장에서 생산되는 스판덱스는 산성 염료에 염색이 되는 제품입니다.
	세탁에도 강한 내성이 있고 원단의 색감이 더 깊은 장점도 있습니다. (듣고) 네네.
	그럼 제가 샘플 보내드리도록 하겠습니다. 네, 그럼 나머지 내용은 모두 정리해서
	메일로 보내겠습니다. 그쪽 담당자 연락처도 메일로 보내주십시오.
	네, 감사합니다. (끊는다)

외근에서 들어오는 성 대리, 윗옷 벗으며 석율은 쳐다보지도 않고

성 대리	한석율, 커피.
석율	(로봇처럼 일어나 나가려는데)
문 과장	(결재판 들고 기분 좋게 들어오며) 내가 성 대리 덕분에 기가 살아. 미국 뚫기가 쉽냐?
	소파 천을 1000만 야드나. 상무님도 칭찬이 이만저만이 아니야.

성 대리, 쑥스러워하듯 웃고 석율, 그런 두 사람을 본다.

문 과장	(성 대리 어깨 툭툭 쳐주며) 공장은 잘 돌아가고 있지?
성 대리	그럼요~ 기한 내에 다 맞출 수 있답니다.
문 과장	(자리로 가며) 그래도, 난 좀 걱정인데… 직영 공장만으로는 벅찰 텐데.
성 대리	걱정 붙들어 매십시오! 하청 돌리면 수익 줄 거 뻔한데, 우리가 할 수 없으면
	또 몰라도요.
문 과장	(기분 좋게 웃으며) 좋아! 우리 성 대리 없으면 어쩔 뻔했어~

성 대리, 웃다가 석율을 흘깃 본다. 석율, 눈길 피하며 나간다.

석율, 어두운 얼굴로 들어와서 커피를 탄다. 문 과장, 싱글벙글한 얼굴로 들어온다. 석율을 본다.

문 과장	한석율 씨 요즘 사춘기 같아. 말도 없어지고 차분해지고.
석율	아… 네.
문 과장	벌써 직장인 사춘기야? 빠른데? 한 2년 있어야 오는 건데. (물 마시고 나가려는데)
석율	저… 과장님.
문 과장	어.
석율	하청업체 없이 직영으로만 돌리면 무리가 많을 텐데요. 직영 공장이 풀 캐파로 돌린다고 해도 다른 팀 건도 있는데… 이번 주문 감당하기 쉽지 않을 거 같아서요.
문 과장	(잠깐 신경 쓰이는 듯하다) 성 대리가 직영 공장이랑 말 잘 풀었다잖아? 공장도 처리 가능하다고. 걱정 말라고. 성 대리가 알아서 했겠지. (나간다)
석율	네… (기운 없이 커피를 휘휘 젓는)

S#16 ── 영업3팀, 낮

그래, 『중앙아시아 진출 기업 애로 해소 가이드북』에서 카자흐스탄 편을 열심히 보고 있다. 동식, 일하다가 뭐 하나 싶어서 슥 본다.

동식	뭐 해? (슥 보고) 코트라 자료네?
그래	아, 네. 카자흐스탄에선 모르는 사람이라도 공식적인 사람처럼 명확하게 인사하고 자기 이름을 밝힌다네요?
동식	(부러 끄덕이며) 아~ 카자흐스탄이 그래? 그리고 또?
그래	악수는 그냥 가볍게 손을 잡는 정도가 아니라 강하게 손을 잡아야 하고요.
동식	아아~ 그리고 또?
그래	친한 사이는 포옹을 하기도 한대요.
동식	아아~ 그렇구나 또?

뒤에 앉아서 일하고 있던 상식, 서류 보며 바쁘게 일을 하는데 전화 온다.

상식	네, 영업3팀, 네 부장님.

돌아보는 동식과 그래.

확 굳어진 얼굴로 이 부장 앞에 서 있는 상식.

상식	담당자를 바꾸라구요?
이 부장	(불편한) 그래, 장그래 그 친구로는 안 된대. 천 과장이나 김동식으로 바꿔서 다시 올려.
상식	이, 이유가 뭡니까?
이 부장	계약직 사원이잖아. 1년도 채 안 남았고.
상식	(당황해서 보다가) 이거 그렇게 장기 사업 아닙니다. 두 달이면 끝낼 수 있고 장그래가 책임지고 잘할 수 있는 사업입니다. 워낙에 철저히 준비했거든요. 그 친구보다 잘할 사람은,
이 부장	(OL, 역정 난다) 오 차장, 정말 그렇게 생각한 거야?!
상식	(멈칫 본다)

근처 있던 선 차장이 돌아본다.

이 부장	장그래 그 친구가 정말 사업의 책임자가 될 수 있을 거라고 생각했어? 이 회사 안에서 누구도 그렇게 생각하지 않아. 회사 규정도 그렇잖아.
상식	(굳은 얼굴로) 제가 기획실장님을 만나보겠습니다.
이 부장	(답답한) 기획실장을, (화난) 뭘 이렇게 일을 키워. 계약직 사원 하나 갖고.
상식	(앙다문 듯)
선 차장	(보는) …

S#18 — 기획실, 낮

기획실장, 별 감흥 없는 표정으로 인사 서류 넘기며 앉아 있다. 그 앞에 상식, 어둡게 굳은 얼굴이고,

기획실장	지금까지 원인터에 영업직 계약직 사원은 한 명도 없었어요. 그래서 지금 사안에 따른 규정 내규는 없습니다.
상식	어… 없어요?
기획실장	네, 모두 실무직이죠.
상식	(얼른) 규정 내규가 없다면… 반대로 선례를 만들 수도 있다는 것 아닙니까.
기획실장	선례요? 아뇨, 오히려 이번 일을 계기로 안 된다는 걸 확실히 하는 내규를 만들 계획에 있습니다. 그래야 이런 잡음이 없겠지요.

상식	! 잡음… 실장님, 이건 부당합니다. 장그래는,
기획실장	(OL) 오 차장, 새로운 사업에는 업체부터 바이어까지 사내외 인프라가 구축됩니다. 그걸 계약직인 장그래 씨한테 맡길 수 없다는 것이 회사의 최종 입장입니다. 사업이 끝나도 관련 연계 사업이 생기는 게 상사의 생리인데, 중간에 담당자가 바뀌는 것은 회사 측으로 명확한 실 아닙니까?
상식	그러니까 말입니다. 그 새로운 사업을 만들어 인프라를 구축할 수 있게 만든 장본인을 배제한다는 게 말이 되느냐는,
기획실장	(OL) 말이 안 통하는 분이시네요. (냉정하게) 간단하게 말씀드리죠. 나갈 사람을 회사가 왜 키워주겠습니까?
상식	! (순간 얼굴에 열이 확 오르는) 지금까지… 장그래 사원이 한 일이 있는데… 일을 안 볼 거면 뭐 하러 여기 붙여놨습니까?
기획실장	오 차장, 이렇게 감정적으로 대할 문제가 아닙니다.
상식	(일그러진 얼굴로 벌떡 일어나 나온다)

S#19 — 엘리베이터 앞, 낮

거칠게 걸어오는 상식, 엘리베이터 버튼을 누르는데, 버튼이 안 눌러진다. 울컥! 거칠게 버튼을 다시 누르고 또 누르고 또 누르다가 후… 뒤를 확 돌아본다.

기획실장	(E) 나갈 사람을 회사가 왜 키워주겠습니까?
상식	(후…)

S#20 — 영업3팀, 낮

상식, 무거운 얼굴로 들어오면. 천 과장 옆에서 열심히 업체 리스트 서류 보는 그래가 보인다. 밑줄 긋기도 하고… 하다가 천 과장에게 페이지 하나 보여주며

그래	이 업체 어떠세요?
천 과장	조건이나 다른 건 나쁘지 않은데…

굳은 얼굴의 상식, 들어온다. 일동이 하는 인사를 받으면서 자리로 가는 상식, 그러면서도 계속 그래를 보고 있다.

그래	(천 과장에게) 이 업체가 좋은데 관련 업무를 해본 노하우가 너무 적고 이해도가

낮아서요.

상식	(그래를 계속 본다)
그래	(천 과장에게) 근데 여기만 한 조건으로 해주는 데도 별로 없고요.
상식	(본다)
그래	그럼 어떻게 할까요?
상식	(열심히 천 과장과 얘기하고 있는 그래를 보는)

S#21 —— 옥상 정원, 낮

동식	(어이없는) 차장님.

돌아서서 밖을 보는 상식. 그 뒤에서 말도 안 된다는 표정으로 바라보는 동식과 천 과장.

동식	아니 차장님. 이런 법이 어딨습니까?!
상식	(무겁게) 그렇게 됐어.
동식	(화가 나서 확 돌아서며) 아 진짜! 너무들 하시네!
천 과장	…

애꿎은 마른 담배 물고 답답해하는 상식. 상기된 얼굴의 동식.

동식	장그래, 저거 하려고 두 달 동안 잠도 제대로 안 잔 거 아시잖아요. 근데 그걸 뺏으라구요? 제 이름을 올려요? 절대 안 돼요. 아니 못 해요 저.
천 과장	…정말 방법이 없겠습니까?
동식	(답답) 차장님도 장그래 좋아하는 거 보셨잖아요. 쟤 지금 카자흐스탄 골목길까지 다 외울 판인데… 카자흐스탄에 장가도 갈 기세라구요!
상식	…
동식	(열받는다) 아니 회사가 어떻게 장그래한테 이렇게까지 할 수가 있어요?
천 과장	회사니까.
동식	(천 과장을 보면)
천 과장	회사니까 그럴 수 있는 거야…
동식	장그래도 여태 한 게 있잖아요!
상식	걔가 무슨 나라라도 구한 것처럼 굴지 마. 월급 받는 사람으로서 할 일을 한 것뿐이야.
동식	(답답하다)
천 과장	…

동식	그래서 정말 그렇게 하실 거예요?
상식	…

S#22 — 중앙 정원, 낮

영이, 생각에 잠겨 앉아 있다.

[Flashback] S#12

마 부장	니가 안 한다고 해.
마 부장	3팀 길로 밀어.
마 부장	담당자한테 메일 보내. 못 하겠다고.

한숨을 내쉬는 영이. 서류 들고 지나가던 하 대리, 유리문 밖의 영이를 발견하고 옅은 한숨. 가려다가 안 되겠는지 몸을 획 돌려 문을 열고 나간다.

하 대리	그냥, 마 부장님 말씀 따라.
영이	(올려다보고 일어나려고 하면)
하 대리	(거리 좀 두고 옆에 앉는다) 그게 니가 제일 덜 까이는 방법이야. 너 혼자 싸우려고 악물어도 이 싸움은 안 돼. 승산 없다.
영이	(하 대리를 본다) …
하 대리	무조건 물러서라는 게 아냐, 싸울 때랑 물러설 때를 구분하란 뜻이야.
영이	…
하 대리	(일어나며) 니 걱정돼서 이런 말 하는 거 아니야. 이 건으로 분란 일고 부장님이 난리 치는 거 보고 싶지 않아서 그래. (영이 보다가 일어나 간다)

석율, 들어오면서 나가는 하 대리에게 인사한다. 하 대리, 석율을 흘깃 보고 가고, 영이에게 가는 석율.

석율	또 무슨 협박이야?
영이	(보고) 아녜요.
석율	(앉으며) 상사란 것들이.
영이	…
석율	(담배 꺼내 물며) 다 아는 것 같지? 쥐뿔도 모르는 것들이,
영이	(본다)
석율	그 기간 안에 물량 못 뽑거든. 두고 봐. 현장에서들 가만있지 않을걸?
영이	(의아하게 본다)

컴퓨터 모니터 보며 재무팀과 통화하고 있는 백기. 책상 위엔 여러 서류 있다. 장백기 이름과 함
께 "H-Beam 마감용 커버 수출 건"이라고 쓰인 서류.

백기	철강1팀 장백기입니다. 저희 팀 인도네시아 건 관련해서 재무팀 내부 안건
	상정된 거 언제 결과 나오죠? (듣고) 네. 파이프 건이요. 네 알겠습니다.
	아 그리고. (잠시 뜸들이다가) 저희 팀에서 추가로 올린 H-Beam 건은, (듣고)
	아, 아뇨. 급한 건 아니구요. 아, 아직 검토 중이요…
강 대리	장백기 씨?
백기	(보고 급히) 아, 알겠습니다. (전화 얼른 끊으며 강 대리에게 간다) 네.
강 대리	지난주에 영진하이텍 미팅 갔던 보고서 아직 덜 됐습니까?
백기	아, 프린트만 하면 됩니다.
강 대리	그거 하고, 음. 그리고 코트라 자료실 들어가서 최근 2주 내 동유럽 국가들의
	동향 보고서도 출력 부탁해요.
백기	(조금 상기된 목소리) 네, 알겠습니다.

자리로 돌아가며 키보드 두드리는 백기. 그 모습을 힐끗 보는 강 대리.

천 과장과 동식, 무거운 얼굴로 그래를 보고 있지만 그래는 모른다. 열심히 서류를 보면서 고민
에 빠져 있다. 상식, 그런 그래를 물끄러미 보고 있다.

그래	(뒤적이다가) 그런데 이 SMC 물탱크는 일본보다는 20프로 싸게 공급할 수 있는
	장점이 있지만, 말레이시아 거보다는 또 이 업체 게 20프로 비싼데…
	(동식에게 묻는다) 이럴 경우 바이어 설득은 어떻게 하죠?
동식	어… (머뭇거리며 천 과장을 봤다가) 가격은 저렴해도 고온에 견디기 어렵고
	파손이나 균열이 발생한 제품들은 컴플레인이 많았다면서? 상온 80도 이상
	견디는 제품 흔치 않아서 선택한 업체 아니야?
그래	네. 그렇긴 한데, 거의 신생업체나 다를 바 없어서요.
상식	(갑자기 벌떡 일어나 나간다)

동식과 천 과장, 나가는 상식을 본다. 그래도 본다. 고 과장도 본다.

천 과장	조건 좋으면 하는 게 맞아. 이해도가 낮다거나 업무 노하우 떨어지는 건 차차 쌓여갈 거야.
그래	(끄덕끄덕하는데 전화 온다. 받으며) 예, 영업3팀 장그래입니다.
	아, 네? 제가 지금 내려가겠습니다. 네. (끊고 일어나며) 이 업체에서 서류 보완해 왔다는데요. 받아오겠습니다. (나간다)
동식	(가는 그래 보며) 겨우 좀 뛰겠다는 놈 발목 부러뜨리라는 거야 뭐야.
천 과장	(표정) …

[Flashback] 생활물자팀, 낮(천 과장 과거)

이 차장	(답답한 얼굴로) 천 대리, 이쪽 아이템은 건드리면 곤란해.
천 대리	(당황해서) 아… 물론 기존에 비슷한 사업이 진행됐다는 건 알고 있습니다. 하지만 그때보다 더 좋은 조건과 수익률로 재조정을 해서,
김 사원	(OL. 답답해서) 천 대리님, (보다가 알려주듯) 이쪽 아이템은 천 대리님이 할 수 있는 아이템이 아니에요. 아니, 하시면 안 되는 아이템이라구요.
천 대리	그게 무슨 말이야?
김 사원	(외면하면)
이 차장	(답답하지만 내친김에) 이쪽 아이템들은 공채사원 중에서도 엘리트 라인들만 해왔어. 무슨 말인지 알지? (다시 보고) 천 대리는 공채도 아니잖아.
천 대리	(흙빛으로…)
이 차장	영업3팀 근무할 때 경력직 출신 물 좀 빼고 온 줄 알았더니, 왜 이렇게 분위기 파악을 못해. 당분간 회사 분위기 좀 다시 익히고 있어. 이번 분기 사업은 (김 사원 보고) 자네 거 일단 진행시키자고.
천 대리	(비참하게 굳는)

그래의 자리 보며 착잡한 천 과장.

S#25 —— 휴게실 + 탕비실, 낮

착잡한 얼굴로 탕비실 쪽에서 커피를 들고 와 앉는 상식. 잠시 후 고 과장이 들어와본다.

| 고 과장 | (앉으며) 어쩌냐… |

상식	(본다)
고 과장	장그래가 실망 많이 할 텐데.
상식	실망은 무슨, 그깟 담당자 좀 빠졌다고 하늘이 무너져? 땅이 꺼져?
고 과장	근데 오 차장 넌 왜 땅이 꺼진 얼굴인데?
상식	내가? 내가 언제?
고 과장	(나도) 알지이. 이번엔 너도 어쩔 수 없을 거다. 이건 동식이 때랑은 다르니까… 내가 그때처럼 전무라도 찾아가봐, 그런 소린 못 한다.
상식	(미간에 힘이 들어간다)
고 과장	애나 잘 달래줘.
상식	…

탕비실에서 커피 타며 듣고 있는 백기…

S#26 ─ 로비, 낮

엘리베이터에서 내려 두리번거리는 그래. 신성실업 한 상무를 발견하고 빠른 걸음으로 다가간다. 후줄근한 정장에 땀까지 흘리는 모습.

그래	저… 신성실업…
한 상무	(그래 보고 꾸벅 인사하며) 아, 영업3팀이십니까? 신성실업 한성진 상무입니다.
	(허리 굽혀 인사하고 명함을 그래에게 준다)
그래	(받는) 전 지금 명함이…
한 상무	(손사래) 아, 아닙니다. (서류봉투 내밀며) 저희가 커리어는 많이 떨어지지만 정말 열심히 하려고 합니다. 진짜 전 직원이 이 일만 보고 있습니다.
그래	(어색한) 예… 예…
한 상무	(땀 삐질삐질 흘리며) 맡겨만 주시면 정말 만족하시도록 해내겠습니다.
그래	(서류봉투 보고) 잘 보도록 하겠습니다. 고생하셨습니다.
한 상무	(굽실거리며 인사) 예. 잘 부탁드립니다. 감사합니다. 먼저 들어가십시오.
그래	아, 먼저.
한 상무	아닙니다. 먼저 들어가십시오.
그래	(난감해서) 네, 그럼. (인사하고 간다. 가다가 돌아보면)

또 꾸벅 인사하는 한 상무. 그래가 인사하고 돌아가면 그제야 돌아서는 한 상무. 엘리베이터로 가던 그래, 한 상무를 쳐다본다.

올라가는 층 누르는 그래. 서류봉투를 열어 서류를 꺼내서 보는데 잠시 후 엘리베이터가 서고 문이 열린다. 최 전무가 서 있다. 깜짝 놀라는 그래, 얼른 인사한다.

최 전무   (미소로) 음… 타게.

그래   (쭈뼛쭈뼛 탄다)

S#28 ─ 엘리베이터 안 + 밖, 낮

문이 닫히고 올라간다. 숨 막힐 듯한 공기. 그래, 쫄아드는 기분이다. 잠시 후…

최 전무   장그래라고 했나? 영업3팀.

그래   (깜짝) 네? 네. 안녕하십니까.

최 전무   응. (그래가 들고 있는 서류를 흘깃 본다)

그래   (어색하게 앞만 보고 있다)

최 전무   박 과장 건도 그렇고 요르단 사업도 자네가 제안한 거라지?

그래   (깜짝…)

최 전무   (웃으며) 신입이 당돌하다 했어. 누군가… 했더니 성원실업 김 사장한테
                    부탁받았던 그 친구더군.

그래   …네. 감사합니다, 전무님…

최 전무   아, 근데… (생각하는 척) 전에 뭘… 했다고 했지? 아, 바둑을 뒀다고 했나?

그래   (멈칫… 경직… 작은 소리로) 네…

최 전무, 웃으며 끄덕이는데… 엘리베이터가 선다. 그래, 꿀꺽… 문이 열리고… 그래, 꾸벅하고 내리는데

최 전무   (Off) 언제 한번,

그래   (돌아보면)

최 전무   (싱긋 웃으며) 바둑 두러 올리쇠.

그래   (당황해서) …

엘리베이터 문이 닫힌다. 그대로 보고 있던 그래, 사무실로 들어간다.

생각에 잠겨 들어서는 그래, 서류 들고 지나가던 백기와 마주친다. 웃으며 인사하는 그래. 웃지
못하고 인사 받는 백기. 그래, 가는데 복잡한 얼굴로 돌아보는 백기…

S#30 — 영업3팀, 낮

생각에 잠겨 걸어와 자리에 앉는 그래. 잠시 후 상식도 와서 그래를 본다.

그래	차장님, 업체 서류 보완해 와서 받아왔습니다. 상무님이 직접 왔더라고요.
상식	(자리로 가며) 응.
그래	이 일 꼭 성사됐으면 하시던데요?
상식	(서류를 넘기며) 응.
그래	온 회사가 이 건에 매달려 있대요.
상식	(말없이 서류만 본다)
그래	이런 날씨에도 땀을 뻘뻘 흘리면서요. 좀 안돼 보이더라고요.
상식	(그제야 고개 들고) 장그래.
그래	네.
상식	어디서 동정질이야?
그래	(당황) 네…?
상식	한 가정의 가장한테. 누가 누굴 동정하고 있어?
그래	죄… 죄송합니다.
상식	(서류 보며) 페이퍼만 봐. 그리고 아까도 그래. 담당자가 알아서 해야지,
	그만큼이나 준비해놓고 묻고 또 묻고 그러면 되겠어?!
그래	(당황) 죄송합니다.
천 과장/동식	…

S#31 — 철강팀, 낮

들어오는 백기, 자연스럽게 모니터로 눈이 간다. 자리에 앉아 다시 결재창을 여는 백기. 여전히
오른쪽 상단 결재 라인에 빈자리 한 곳. 재무팀 사인이 비어 있다. 강 대리, 한창 일하고 있다.

강 대리	(급하게) 백기 씨! 가서 팩스 자료 좀 들고 와요. 지금 터키 보낼 거니까 스캔도
	하나 해 오고. (아무 대답 없고, 일하다가 급하게 돌아보며) 이거 급한 건인데…

백기, 비어 있는 재무팀 사인란을 뚫어지게 보다가 얼른 자신이 제출했던 사업계획서 'H-Beam 마감용 커버 수출 건' PPT 자료를 꺼내서 본다. 자료 안 "제시"를 "재시"로 쓴 부분 보고는 인상을 찌그리는 백기.

백기	(안타까운 탄식과 함께 중얼) 아… 오타… 이거 때문에 승인이 안 떨어지나?
강 대리	(어이없이 보다가) 장백기 씨!
백기	(놀라서 벌떡 일어나고) 네! 아… 팩스. 어디로 보낼까요?
강 대리	(화나서 차갑게) 장백기 씨 사업 하나 하라고 회사에서 장백기 씨한테 월급 주는 거 아닙니다.
백기	네? (하고는 자기 책상 돌아보면 모니터에는 결재 파일, 책상 위에는 PPT 파일과 H-Beam 관련 자료들만 널려 있다) 아… (당황해서 벌게진 얼굴로 얼른 자료를 정리한다)
강 대리	아까 말한 미팅 보고서 완료했습니까?
백기	(당황하고) 아… 아직…
강 대리	그런 마음으로 어떤 프로젝트가 제대로 되겠습니까?
백기	…
강 대리	첫 사업이라 애정이 남다른 건 알겠는데 기존 일을 등한시하면서 그 일 진행하는 건 용납 못 합니다. 왠 줄 압니까?
백기	…
강 대리	꼭, 그런 순간에 안 하던 실수가 나옵니다. 아까 말한 코트라 자료도 아직 안 준 거 알고 있습니까?
백기	! … (고개가 떨어지고) 죄송합니다.
강 대리	가서 터키 보낼 팩스 챙기고 스캔하고 창고에 가서 중국 건 샘플로 왔던 베어링 좀 찾아봐요. 아무리 찾아도 없네요.
백기	네…

S#32 ─ 자원팀 앞 통로 + 자원팀, 낮

인트라넷 메일 화면을 멍하니 보고 있는 영이. 백기, 스캔할 서류 들고 지나다가 영이를 보고 다가온다.

백기	자요?
영이	(흠칫해서 일어나며 모니터를 가리고 백기 쪽을 향해 선다) 네?
백기	아… 난 또 눈 뜨고 자는 줄 알았지.
영이	네? 아, 아녜요. 새 아이템 올렸다면서요? 승인 났어요?
백기	(한숨 쉬며) 아직이요… 영이 씨 새 아이템은 본사에서도 마음에 들어 했다던데요?

영이	…
백기	무슨 일 있어요?
영이	아뇨.
백기	(보다가) 그래요. 그럼. (가려다가 멈추고) 저기… 장그래 씨가
영이	(네? 하듯 본다)
백기	…아, 아닙니다. (간다)

영이, 다시 털썩 앉는다. 괴로운 얼굴이다. 의자에 기댄다. 멍하니 앞을 보는 영이. 다시 모니터를 본다. 모니터에 쓰인 내용.

"자원2팀 안영이입니다. 볼리비아 광산 건은 개인적인 업무 과중으로 인하여 진행하기 어렵게 됐습니다. 관심 가져주셔서 감사드리고, 저희 자원본부의 다른 사업으로 대체해주시면 감사하겠습니다."

마우스를 움직여 '메일 보내기'로 가서 멈춘다. 전송 누르지 못하고 그대로 있다가 그냥 엎드린다. 정 과장, 들어오다가 그런 영이를 보며 착잡한 얼굴로 자리로 가서 앉는다.

S#33 — 영업3팀, 낮

상식, 역시 생각이 복잡하고 무거운 얼굴로 창밖을 보고 있다. 휴대전화가 울린다. 수신자 보고 "어?" 하고 전화 받는.

상식	(반갑게) 김 선배님, 웬일이세요? (듣고) 회사 앞이요?

S#34 — 식당 안, 낮

상식과 김 선배 사이에 놓인 수육과 소주. 각자 잔 들이킨다.

김 선배	(미소) 요즘 사업계획 올리는 시즌이지? 정신없겠네?
상식	결재 기다리고들 있어요. 피자집은 잘되세요?
김 선배	(술잔 들며) 음… 뭐… 잘…
상식	프랜차이즈 아니라서 좀 힘들지 않으세요?
김 선배	으응… (웃으며 안주 먹고)
상식	(개운찮음을 느껴 본다) 왜요? 무슨 일 있으세요?

김 선배	잘됐었어. 내가 피자는 자신 있었거든. (웃으며) 주재원 있을 때도 그렇고
	그 많은 출장길에 수없이 먹어봤으니까. 브랜드는 없어도 입소문 제법 나고
	맛집으로 인터넷에 소개되기도 했어.
상식	(웃으며) 왜요? 지금은 좀 시들해요?
김 선배	(말없이 소주잔을 꺾어 쭉 마신다. 탁 내려놓고) 마트 들어오고 문 닫았다.
상식	(젓가락질을 딱 멈추고 본다)
김 선배	(빈 잔에 소주를 말없이 따른다. 웃으며) 퇴직하면서 받은 돈에 대출까지 다
	쏟아부어서 만들었는데… 그땐 제2의 인생을 시작할 줄 알았지.

상식, 술을 털어 넣는 김 선배를 약간의 충격으로 본다.

S#35 ─ 영업3팀 + 통로, 낮

이 부장이 영업3팀으로 걸어 들어온다. 동식 보며

| 이 부장 | 김 대리, 오 차장이 아직 처리 안 했어? 왜 안 올려? |
| 동식 | (의아) 네? |

서류 들고 걸어오는 그래, 영업3팀의 상황을 본다.

이 부장	장그래가 올린 카자흐스탄 건 말이야. 담당자 바꿔서 다시 보내라고 했잖아.
	오 차장이 얘기 안 해?
그래	(! 멈칫 선다)

동식과 천 과장, 표정 굳어져 이 부장을 쳐다본다. 창고 쪽에서 베어링 들고 나오던 백기, 굳어 서 있는 그래를 보고 의아하게 선다.

이 부장	(화난) 아니, 오 차장 이 사람은 왜 말을 안 들어?! 그렇게 알아듣도록 말을 했는데!
백기	(영업3팀 쪽을 본다)
이 부장	기획실장까지 만나서 확인까지 받아놓고 대체 뭘 하고 있는 거야?!
동식	부장님.
이 부장	둘 중 하나가 맡아. 아니, 왜 이렇게 사람들이 답답하게 굴어. 챙겨줄려는 건
	알겠는데, 계약직… 현실적으로 맡길 수가 없어요. 담당자가 왜 담당잔데!
그래	! …

백기, 그래를 보고… 그래도 백기를 보다가 다시 영업3팀을 본다. 동식, 굳은 얼굴로 고개를 들다가 통로에서 듣고 있는 그래와 눈이 마주친다. 놀란 동식! 그래, 뭐라 표현할 수 없는 얼굴로 동식을 보고 있다.

이 부장　　　오 차장 들어오면 빨리 처리해서 올리라고 해!

나간다. 그래, 얼른 돌아선다. 그런 그래를 보는 백기. 그래 앞을 확 지나가는 이 부장. 동식, 어쩔 줄 모르겠는 마음으로 그래를 보다가 가려는데 그래, 그대로 나간다.

동식　　　　(보면서) 아… 미치겠네.
천 과장　　(동식의 말에 통로를 보다가 가고 있는 그래를 본다) …
백기　　　　(그래를 본다) …

S#36 ― 엘리베이터 앞, 낮

약간 떨리는 손으로 엘리베이터 버튼을 누르는 그래… 기다리는 그래. 엘리베이터 열린다. 쳐다보는 그래.

　　　　　[Flashback] 제1국 S#41
　　　　　엘리베이터를 타려는 그래. 꽉 찬 내부. 사람들. 그래의 포기를 기다리듯 보고 있다.

　　　　　이상현　　　어쩌죠? 자리가 없네요.
　　　　　그래　　　　아. 네. 먼저.

　　　　　그래, 물러서면 닫힘을 누르는 이상현. 그래의 눈앞에서 닫히는 문.

열린 엘리베이터 앞에서 고개를 떨구는 그래… 나와서 보는 백기… 그래, 조심스럽게 엘리베이터로 발을 디딘다… 타는 그래.

S#37 ― 식당 안, 낮

테이블 위에 놓인 소주잔.

김 선배　　　그때 버텼어야 했나… 좀더 정치적으로 살았어야 했나…

눈에 뵈지도 않지만, 실재하는 그 줄이란 것도 잡아보는 시늉까진 했어야 했나… (눈을 감는다) 잠을 못 자겠어. 후회가 밀려와서.

상식　(묵묵히 앉아만 있다)

김 선배　한 달에 세 번 네 번 외국 출장 다녀오고, 애들은 관광이라도 갔다 오는 줄 알고 선물 바라고… 그래도 내가 상사맨으로 큰일 한다 생각했는데, 이젠 그게 다 뭐라고… 와이프 희생시키고 아이들 자라는 거 보지도 못하고… 뭐냐, 이게.

상식　…

김 선배　그거 생각나? 내가 북유럽 쪽 하나 뚫을 때, 그 나라 대사관 출근하다시피 해서 온갖 정보 다 요청하고…

상식　더구나 신입 때 그러셨잖아요. 아직도 술자리 메인 안주죠.

김 선배　맞아. 어디서 그런 패기가 나왔는지… 멱살도 잡고 자료 좀 달라, 먹고 좀 살자, 살벌했지. 그 자식들 아주 흔들어놨지. 제대로 나한테 설설 기었는데… 요즘은 그런 상사맨의 패기도 없어졌어.

상식　(고개 숙인 채 잠자코 있다가) 그런 시대도 아니니까요.

김 선배　회사가 전쟁터라고? 밀어낼 때까지 그만두지 마라. 밖은 지옥이다.

상식　…

말없이 마주 앉은 두 사람. 무겁게 가라앉는 분위기.

상식　(시계 보면서) 전쟁하러… 가야 할 것 같습니다.

김 선배　(끄덕) 난… 지옥으로 돌아가야지…

S#38 — 식당 앞 거리, 낮

김 선배　괜히 낮술까지 하게 했네. 들어가봐.

상식　예, 잘 들어가세요.

김 선배　그리고 애들… 선물 하나 못 사왔네. (가슴께 속주머니에 손을 넣어 봉투를 빼서 상식의 주머니에 넣으며) 퇴근할 때 애들 과자라도 사가지고 가. 빈손으로 오기 미안해서 그래.

상식　에~ 뭐예요.

김 선배　그냥 모른 체해. 따지지 말고. (얼른 손 흔들며 간다)

상식　에헤~ (보다가) 들어가세요.

김 선배　(멀어지고)

상식　…

Episode 16

생각에 잠겨 들어오는 상식, ID 카드를 꺼내려고 재킷 주머니에 손을 넣다가 표정이 바뀐다.
ID 카드와 함께 종이에 싸인 뭉치 하나가 상식의 손에 잡혀 나온다.

김 선배   (E) 퇴근할 때 애들 과자라도 사 가지고 가.

상식, 종이 싼 걸 보고 굳는 얼굴, 주변을 보고 아주 조금 열어본다. 역시 돈 뭉치다. 메모지도 있
다. 메모지만 꺼내고 얼른 닫아 주머니에 넣는다. 굳은 얼굴로 메모지를 펴서 본다

김 선배   (E) 나 다시 일해야겠다. 회사 그만둘 때 두고 나왔던 내 라인 다시 찾고 싶다.
                현지 업체도 아직 날 기억할 거야. 그땐 화도 나고 해서 다 넘기고 나왔는데
                다시 해야겠다. 이 길밖에 없다. 도와줘라.
상식   (더욱 굳어지는)

휴대전화 진동이 울리지만 안 받고 일각에 쭈그리고 앉아 있는 그래.

상식, 무거운 얼굴로 걸어 들어온다.

동식   (상식을 보고 일어나면서, 걱정스럽게) 차장님.
상식   (자기 자리로 가면서 동식을 본다) 응.
동식   (걱정스럽게 보기만)
상식   (재킷 벗어 걸면서) 뭔데? (앉으려는데)
동식   장그래가 알았어요. 아까 부장님이 와서 말씀하셔서.
상식   ! …그래서? (빈자리 본다)
동식   전활 해도 안 받네요. 업체에서 전화들도 오는데…
상식   …됐어. 나라가 망한 것도 아니고, 들어오겠지. 일해. (일만 한다)
동식   (뭐라 말하려다가, 입 꾹 닫고 앉아서 일한다)

그래 자리에 전화 울린다. 동식, 상식의 눈치 보다가 당겨 받는다.

동식	네, 원인터 영업3팀 김동식입니다. 아, 장그래 씨요. 지금 자리에 없습니다. 네,
상식	(서류를 착착 넘기며 보다가 화난 듯 벌떡 일어난다)

S#42 — 옥상, 낮

쭈그리고 앉아 있는 그래. 들어오는 상식. 저쪽에 쭈그리고 앉아 있는 그래를 본다. 보다가 다가간다.

상식	뭐 하는 거야 여기서?!
그래	(깜짝 놀라 일어나며) 차장님…
상식	담당자라는 놈이 업체에선 줄창 전화 오는데 하나 안 받고. 선임들이 니 백업이야? 콜센터야?!
그래	…
상식	내려와! (간다)
그래	…

S#43 — 영업3팀, 낮

상식, 들어와 자리에 앉는다. 뒤따라오는 그래, 착 가라앉은 모습으로 자리에 앉는다. 동식과 천 과장, 한 번 볼 뿐 먼저 말을 건네진 않는다. 서류 착착 정리하고 일하는 그래.

천 과장	(자료 가방에 넣고 일어나며) 무역보험공사 좀 다녀오겠습니다.
상식	그래.

천 과장, 그래를 한번 돌아보며 나간다. 다시 조용하게 가라앉은 영업3팀. 모두가 열심히 일만 한다.

S#44 — 원인터 로비, 낮

착잡한 얼굴로 나오는 천 과장. 그때 로비에서 들어오는 최 전무. 천 과장, 바짝 얼어 멈춰 선다. 깊이 허리를 숙이는 천 과장. "응" 하고 웃으며 지나가는 최 전무. 천 과장, 고개 들고 다시 가려는데. 지나가던 최 전무.

최 전무	아, 천 과장.
천 과장	(멈추고 돌아보며) 네. 전무님.

최 전무	어… 요즘 영업3팀은… 어때? 별일 없나?
천 과장	네…?
최 전무	(천 과장을 본다) …
천 과장	(흔들리는 눈빛으로 전무를 본다)

S#45 ― 전무실, 낮

경직돼서 소파에 앉아 있는 천 과장.

최 전무	(재밌다는 표정으로) 거참, 오 차장도… 그 정도면 병이구만. 마음의 병이야.
천 과장	(본다)
최 전무	끝을 알면서 대책 없이 밍기적거려. 나이가 들어서도 바뀌질 않아. 헛 먹었어.
천 과장	…
최 전무	근데 난 또 오 차장의 그런 면이 마음에 들 때가 가끔 있고 말이야. 허허.
천 과장	! … (고개를 든다)
최 전무	…
천 과장	저… 전무님.
최 전무	(보면)
천 과장	전무님께서… 혹… 장그래 사원에게 힘을 좀 보태주실 수는 없으십니까?
최 전무	(웃음을 머금고 천 과장을 본다)
천 과장	(멈칫, 금방 후회한다)
최 전무	자네, 회사를 뭘로 아는 거야?
천 과장	(숙이는) 죄송합니다.

S#46 ― 마 부장실, 낮

마 부장 앞에 서 있는 정 과장. 기가 팍 죽어서 있다.

마 부장	왜 반나절이나 시간을 끌어?!
정 과장	(눈치 보며) 좀… 마음 정리하는 시간이… 필요하지 않을까요? 그래도 오랫동안 공들인 건인데…
마 부장	(정 과장의 머릴 팍팍 찌르며) 너 이 새끼 언제부터 그렇게 감성적으로 굴었어? 여자 하나 들어왔다고 이렇게 말랑하게 굴 거야?
정 과장	…

마 부장	야, 정 과장.
정 과장	네.
마 부장	너 이번에 진급 안 할 거야?
정 과장	(본다)

S#47 ── 옥상 정원, 낮

말없이 앞선 정 과장을 따라가는 영이, 적당한 곳에 서는 정 과장.

정 과장	안영이.
영이	네…
정 과장	포기, 못 하겠니?
영이	…
정 과장	후… (괴롭고…) 그럼, 내가 부탁하는 걸로 하자.
영이	(당황해서 본다) 네?
정 과장	(OL) 나 이번 진급 심사다. 마 부장… 밀어주자.
영이	(당황해서 본다)

S#48 ── 구름다리 일각, 낮

허탈하고 무거운 얼굴로 걸어가며 깊은 생각에 잠기는 영이. 난간을 잡고 "하~" 길게 내쉬며 머리를 묻고… 그러고 있다가 하늘을 올려다본다. 하염없이 흘러가는 구름… 영이, 그러다가 문득 일각을 본다. 하늘을 올려다보고 서 있는 그래가 보인다. 쳐다보는 영이, 그래 역시 문득 고개를 돌리다가 그런 영이를 보게 된다… 그대로 두 사람…

그래	(Na) 하지만 우리 중 누구도 감히, 그에게 섣부른 충고를 건넬 수 없었다. 회사에 들어오고 1년 5개월, 우리는 충분히 알게 됐다. 시련은 셀프라는 걸.

S#49 ── 마 부장실, 저녁

고깝게 쳐다보고 있는 마 부장 앞에 서 있는 영이.

영이	부장님 말씀이… 맞았습니다. 저… (주먹 꽉 쥐고) 제 아이템은…

마 부장	(어서 말해보란 듯이 본다)
영이	제 아이템은… (억지웃음 지으며) 생각해보니… 무리가 많더라고요.
마 부장	진짜 그렇게 생각해?
영이	네… 제… 생각이… 짧았던 것 같습니다. (눈을 피하며)
	본사에 메일은 이미 보냈습니다.
마 부장	(흥! 하듯 쳐다본다)

자원2팀 쪽에서 그런 영이와 마 부장을 보는 정 과장… 심란하게 고개를 돌린다.

문 과장	(E) 네? 공장에서 보이콧이요?

S#50 — 섬유팀, 낮

성 대리와 석율이 통화하고 있는 문 과장을 돌아보고 있다.

문 과장	(놀란) 오, 올라와요?
공장 직원1	(Off) 보이소. 문 과장님!

석율, 성 대리, 문 과장, 놀라 돌아보면 벌써 문 안에 들어오고 있는 공장 직원1, 2, 3.(직원3은 장갑을 끼고 있다)

석율	(공장 직원1에게) 아, 아…저씨…
공장 직원1	(석율은 본 채도 않고 문 과장에게) 우리는 이래 일 몬 한다 안 합니까?!

놀라 보고 있는 섬유팀 일동.

S#51 — 회의실, 낮

대여섯 명의 공장 직원들과 대치하듯 앉아 있는 문 과장, 석율, 성 대리. 석율, 걱정스러운 얼굴로 공장 직원들을 바라보고 있고, 문 과장은 당혹스러운 표정으로 어쩔 줄 모르고, 성 대리, 열받은 표정이다.

공장 직원1	애초에 우리가 안 된다꼬 딱 못을 박았다 아입니까?
	풀캐파로도 감당 안 되는 일이었습니다.
문 과장	(그 말에 원망스럽게 성 대리를 바라본다)

공장 직원2	(버럭 고함치며) 딴 팀은 주문 없었나? 우리도 2교대로 세 시간씩 네 시간씩 자믄서 닷새 꼬박 했다꼬. 근데 노후한 기계까지 꺼내가 작업을 하라이?
성 대리	분명히 공장장이 나한테 약속을 했다구. 제대로 기한 안에 맞춘다고!
공장 직원3	성 대리가 막무가내로 우긴 거 우리가 모르나?! 무조건 해야 된다믄서!
성 대리	결국 한다고 한건 공장장이니까 따지려면 가서 공장장한테 따지라고요!
공장 직원1	이보라카이!
성 대리	(지지 않고) 낡은 기계는 기계가 아니고 장식입니까? 돌아가니까 돌리겠다는 거 아닙니까! 아 진짜 무식해서 말이 통해야 말이지.
석율	(성 대리를 확 본다)
공장 직원들	(성 대리를 확 본다)
공장 직원1	뭐라? 무시~익?!
문 과장	(당황해서 보고)
성 대리	오늘 중에 현장에 복귀 안 하면! 다 공장 직원들 책임으로 묻겠습니다! 영업팀이 오더를 했으면 그대로 물건 준비하는 게 공장이 할 일 아닙니까?! 다 약속이 된 건데, 여기 와서 땡깡 칠 기력, 시간 있으면 물량 하나라도 더 뽑아야 하는 것 아닙니까?!
석율	(성 대리를 본다)
공장 직원3	(기가 막혀 직원들에게 핵핵 손 저으며) 마~ 다 일어나입시다. 말이 좀 통할 줄 알고 올라온 우리가 미친놈인 기라.
공장 직원2	(탁자를 퍽 치고 일어나며) 그래~ 느그 마음대로 해라! 우리는 내일부터 파업인 기라!

우르르 나가는 공장 직원들.

문 과장	(당황해서 따라 나가며) 저… 제 말을 좀 들어보세요. (하고 가는데)
성 대리	(뒤에서 버럭버럭) 계약이 누구 집 개 이름이야? 하청업체 선정하고 손실 발생하면 다 당신들 책임이야! 알아?!
문 과장	성 대리! (당황해서 우왕좌왕하다 석율 확 보고) 한석율 씨, 어떻게 좀 해봐!
석율	(순간 딩횡) 네?
성 대리	(문 과장과 석율을 확 본다)
문 과장	인턴, 울산 공장에서 했지? 저대로 가면 우리 일 해결 못 한다. 어떻게든 파업까지 안 가게 설득 좀 해봐.
석율	네?! 제가 어떻게…
문 과장	저 사람들하고 말 좀 통할 거 아냐? 현장 사람들, 잘 안다고 했잖아.
석율	(당황)
성 대리	얘가 어떻게 합니까? 과장님. 그냥 두십시오. 문제 생기면 책임 묻겠다고 정식으로 전달하겠습니다.

석율	(성 대리를 보다가 문 과장을 보며) 알겠습니다. 제가 해결하고 오겠습니다.
성 대리	야! 한석율!
문 과장	그래, 빨리 가서 구워삶든 볶아치든 기계 서는 것만 막아!
석율	네. (얼른 따라 나간다)

S#52 ── 엘리베이터 앞 + 로비, 낮

엘리베이터에서 다급히 나오는 석율. 로비 문 쪽으로 막 가고 있는 공장 직원들을 본다.

석율	아저씨요! 아저씨들요!
공장 직원들	(돌아보면)
석율	(다급히 가서 잡으며) 이래 가시면 어얍니꺼? 식사라도 하시면서 저랑 편안하이 말씀 좀 나누다 가십시오.
공장 직원1	(뿌리치며) 뭐라카노, 식사야? 니는 밥이 넘어가겠나?
석율	이대로 파업 들어가시면 아저씨들도 손해 아입니꺼?
공장 직원1	(멈칫!) 뭐? 손해라고?

직원들, 살벌하게 석율을 바라본다. 석율, 당황하는데

공장 직원1	(무섭게) 현장~ 현장~ 하드만! 니도 여 올라오이 마찬가지다. 사무실에 앉아서 현장이 어째 되든 상관없이 오다만 내리믄 다드나?
석율	(당황해서 무슨 말이든 하려고 하는데)
공장 직원2	(버럭 끼어들어 소리 지르며) 막 몰아붙이믄 일이 다 되는 기가? 니는 애비도 없고 가족도 없나?
석율	(당황해서) 와 이라십니꺼?

석율, 당황해서 보는데, 갑자기 석율의 멱살을 잡는 공장 직원3. 이때, 로비로 들어오는 영이.

공장 직원3	니 같으믄 노후 기계 가꼬 일할 수 있나?
석율	(힘을 감당하지 못하고 이리저리 흔들리는데) 저… 저… 아…저씨. 아… 아니 반장님. 무슨 오해가 있으신 거 같은데…
공장 직원3	오해?! (석율 멱살을 잡으며) 가족들이 내 하나만 본다. 그기 무신 뜻인지 사무실에 앉아가 편히 일하는 느그 같은 것들이 알겠나?! 으잉?!
석율	(멱살이 잡혀 목이 메고) 저… 제가 저…번에 갔던. 그 석율입니다. 한석율이… 현장을 위해서 태어난 싸나이!

공장 직원3　　그래! 그라믄 니가 가라 현장! (하면서 석율을 바닥에 내동댕이친다)

바닥을 굴러 로비 문에 콱! 박히는 석율. 놀라는 영이. 내동댕이쳐진 석율을 지나쳐 저벅저벅 걸어 나가는 직원들.

영이　　(급히 가며) 한석율 씨, (일으키며) 괜찮아요?
석율　　(충격에 멍~)

S#53 ── 중앙 정원, 낮

이마에 파스를 붙이고 충격에 멍하니 앉아 있는 석율. 영이, 차가운 음료수를 내민다. 석율, 음료수를 얼굴에 대고 식힌다.

영이　　공장 직원들한테 맞는 사무직도 있네요.
석율　　(충격으로 멍~)
영이　　애초에 성 대리님 잘못이니까 너무 걱정 말아요.
석율　　(멍~ 중얼) 현장한테 내팽개쳐진 기분이야…
영이　　(본다)

[Flashback] S#52
공장 직원1　　(무섭게) 현장~ 현장~ 하드만! 니도 여 올라오이 마찬가지다.
　　　　　　　　사무실에 앉아서 현장이 어째 되든 상관없이 오다만 내리믄 다드나?

석율, 찡그리며 이마를 잡고 숙인다. 옆에서 같이 한숨을 쉬어주는 영이.

S#54 ── 영업3팀, 낮

상식과 그래, 단둘이 각자 자리에서 일하고 있다. 그래의 타이핑 소리와, 상식이 문서 넘기는 사그락 삭삭 하는 소리만 들린다. 신성실업 한 상무 관련 미팅 보고서 마지막 문장에 마침표를 찍고, 출력을 누른다. 프린트 되는 동안 옆에 쌓인 카자흐스탄 물탱크 수출 관련 파일들을 담담한 눈으로 한동안 보는 그래, 프린트가 끝나 고요해지면 자리에서 일어난다. 출력물을 가지러 가면서 상식을 본다. 일만 하는 상식. 출력물을 챙겨 스테이플러를 찍고 파일철 안에 넣는 그래. 고개를 들어 그런 그래를 보는 상식, 잠시 응시하다가 다시 일한다. 그래, 서류를 들고 상식에게로 가서 선다.

Episode 16

그래	차장님.
상식	(그래를 본다) 어.
그래	(파일 주며) 카자흐스탄 물탱크 수출 관련 파일입니다.
상식	응, 수고했어.
그래	차장님.
상식	(보며) 그래.
그래	카자흐스탄 건 담당자를
상식	(본다)
그래	바꿔주십시오.
상식	(본다)
그래	…
상식	…

한참을 서로 쳐다보는 두 사람.

상식	그래. 그렇게 하자.
그래	(꾸벅 인사하고 간다)

가는 그래를 보는 상식. 조용히 자리에 앉는 그래. 상식, 다시 일한다. 그래도 일한다… 조용히 일하는 두 사람.

S#55 ─ 철강팀, 낮

모니터 안에 터키 건 결재창 안 예산서를 확인하고 있는 강 대리. 옆에 서 있는 백기, 예산서를 들고 뭐가 잘못됐는지 찾으며 쩔쩔 매고 있다.

강 대리	(모니터 보면서) 찾았습니까.
백기	… (난처해서) 대리님,
강 대리	됐습니다. 화폐 단위 확실한 겁니까.
백기	! 아… 죄송합니다.
강 대리	유로화로 작성하라고 분명히 말한 기억이 있는데요, 장백기 씨.
백기	네, 바로 다시 해서 올리겠습니다. (돌아서며 눈을 질끈 감는 백기. 후회)

강 대리, 터키 건 창 닫으면 결재 리스트 창이 뜬다. 자리에 앉는 백기.

강 대리	(Off) 장백기 씨.
백기	(얼른 돌아보며) 네.
강 대리	(모니터 보던 시선 들어 백기 본다) 축하해요.
백기	(멍) 네?

강 대리, 다시 모니터를 본다. 백기, 와서 강 대리의 모니터를 보면, 결재 승인창에 "H-Beam 마감용 커버 수출 건/담당자 장백기"에 "승인" 떨어져 있다. 백기, 벅차기도 하고 얼떨떨하기도 한 표정.

강 대리	(옅게 미소) 수고 많았어요.
백기	감사합니다. 아… (손에 든 예산서 보고 강 대리 보며) 죄송합니다. (꾸벅 인사하며) 감사합니다!
강 대리	장그래 씨는 결국 담당이 바뀐 모양이에요.
백기	(웃음이 싹 거둬진다. 영업3팀 쪽을 바라본다)

S#56 — 영업3팀 + 통로, 낮

아무 일도 없다는 듯 일어나서 프린트 앞으로 가서 출력을 하고 있는 그래. 통로 저쪽에서 그래를 보며 천천히 걸어오는 백기. 일하고 있는 그래를 보는 백기…

S#57 — 원인터 외경, 밤

S#58 — 원인터 로비, 밤

퇴근 차림으로 걸어 나오는 영이, 맞은편에서 들어오는 정 과장, 하 대리, 유 대리.

영이	(인사하며) 가보겠습니다.
정 과장	(머쓱) 어… 그…래…
하 대리	…
유 대리	잘 가, 영이 씨.

영이, 인사하고 간다. 자원팀 일원도 엘리베이터 쪽으로 간다. 가다가 돌아보는 정 과장, 복잡한 얼굴이다.

어둠 속에 앉아 있는 석율.

> [Flashback] 제4국 S#64
>
> 석율   저희 집안은 대대로! 아니 대대로는 아니고, 친인척 대부분이
>   블루칼라 근로자로, 노동의 신성함과 땀의 정직함 그리고 현장의
>   가치에 대해 대단한 자긍심을 갖고 있습니다!
>
> 석율   …

그때 휴대전화로 전화 온다. 받는 석율.

석율   여보세요? (놀란) 아저씨…?

S#60 — 원인터 입구 밖, 밤

석율, 문밖으로 나와서 두리번거린다. 공장 직원1, 씁쓸하게 입구에 서 있다.

석율   아저씨.
공장 직원1   (돌아본다)
석율   안… 내려가셨어요?
공장 직원1   (석율의 머리 보고 착잡하게) 머리를 다쳤네.
석율   아… 뭐… 괜찮습니다.
공장 직원1   한잔했다. 내리갈라다가… 니한테 꼭 해줄 말이 있어가.
석율   해줄 말이요…?

S#61 — 중앙 정원, 밤

공장 직원1, 착잡하게 밖을 보고 서 있고, 석율, 걱정스럽게 본다.

공장 직원1   (담배를 꺼내 물며) 아까 장갑 끼고 있던 이 있재?
석율   네?
공장 직원1   이 씨다. 2년 전만 해도 우리랑 같이 기계도 돌리고 했는데
                손가락 두 개를 잃은 기라. 그 노후한 라인에…

그 라인은 1년에 한 건씩 꼭 사고가 나. 사고 있고 이씨는 불량 검수 쪽으로 빠진다.

석율　　(당황해서 눈빛 흔들리고)

[Flashback] S#52

공장 직원3　　니 같으믄 노후 기계 가꼬 일할 수 있나?

석율　　(힘을 감당하지 못하고 이리저리 흔들리는데) 저… 지… 아…저씨.
　　　　아… 아니 반장님. 무슨 오해가 있으신 거 같은데…

공장 직원3　　오해?! (석율 멱살을 잡으며) 가족들이 내 하나만 본다. 그기 무신 뜻인지
　　　　사무실에 앉아가 편히 일하는 느그 같은 것들이 알겠나?! 으잉?!

공장 직원1　　우리가 일 안 할라고 이래 버팅기는 기 아니고 내 손모가지 지킬라고 하는 기다.
　　　　내 손모가지에 내 가족 밥그릇도 달렸고 학비도 달렸고 내를 잃으면 내 가족도
　　　　잃는 기라. 블루카라 블루카라 노래를 부르고 다니더만 그런 집안 아들이라
　　　　카믄서… 이만한 거는 짐작했어야지.

석율　　(고개가 숙여지고) …

석율, 꾸벅 고개를 숙인 채 들지 못한다. 코끝이 시큰해지는 듯하더니 자기도 모르게 떨어지는 눈물… 석율의 뺨을 타고 흐른다.

S#62 —— 영업3팀, 밤

늦게까지 일하고 있는 그래, 정리하고 불을 끈다. 가방을 챙겨 나오는데 철강팀에서 나오는 백기. 본다.

S#63 —— 술집, 밤

술을 마시고 있는 그래와 백기, 오히려 백기가 좀 취해 있다.

백기　　장그래 씨.

그래　　네, 장백기 씨.

백기　　나는요, 오늘만큼 내 스펙이 부끄러울 때가 없습니다.

그래　　… (웃으며) 스펙이 뭐가 잘못이라구요.

백기　　그러게 말이에요. 나는 오늘 알았어요. 장그래 씨 잘못도, 내 잘못도,
　　　　내 스펙 잘못도, 장그래 씨 과거, (하다가 멈추고) 하여튼 우리 잘못은

Episode 16

	확실히 아니란 걸 알았어요.
그래	…
백기	그러니까… (건배 권하며) 건배,
그래	(본다)
백기	나 합시다.
그래	(보다가 술잔을 든다)

조용히 건배하고 마시는 그래와 백기.

S#64 — 김 선배 동네 일각, 밤

과자 봉투를 든 상식, 어두운 주택가 골목을 저벅저벅 걸어가고 있다.

S#65 — 김 선배 집 앞, 밤

나와서 집을 돌아보는 상식.

상식	(E) 형수님 오랜만이네요. 형님 집에 없어요?
김 선배 아내	(E) 요 앞에서 술 마시고 있을 거예요.
상식	(E) 고생 많으시죠?
김 선배 아내	(E) 고생보다 애들 아빠가 마음을 못 잡아서…
상식	(표정)

S#66 — 식당 앞, 밤

셔츠에 점퍼 차림 김 선배가 술에 취한 모습으로 상식 앞으로 다가온다.

김 선배	왔냐.
상식	(본다)
김 선배	뭐, 집에까지 오고 그래? 전화 두고…
상식	(안주머니에서 돈뭉치 꺼내 건네며) 이런 거 하지 마요.
김 선배	(표정)
상식	애들 얼굴 어떻게 보려고… 정신 맑게 하고 있어요.

김 선배	(고개 약간 숙인 채) …
상식	취기가 있어선 기회가 와도 아무것도 못 해요. 일이 잘될 때도 취해 있는 게 위험하지만, 일이 잘 안 풀릴 때도 취해 있는 건 위험해요. 우리 팀 신입이 있는데… 딱 형님 예전 같더라고요. 성실하고 일 미루지 않고… 근데 형님하고 다른 게 있어요.
김 선배	(부끄러운 표정)
상식	애는 쓰는데 자연스럽고…
김 선배	(표정 위로)
상식	열정적인데 무리가 없어요. 어린 친구가 취해 있지 않더라구요.
김 선배	…

S#67 — 김 선배 동네 골목, 밤

저벅저벅 걸어가는 상식과 김 선배.

상식	그만 가볼게요. 그리고 이거… (명함을 내민다)
김 선배	뭐냐? (명함 받고)

명함 보면, "유성글로벌 대표이사 김경만"이라고 찍혀 있다.

김 선배	김 전무님…?
상식	퇴사하시고 회사 만드셨어요.
김 선배	(표정 굳었다가 쓸쓸하게 웃으며) 나 쫓겨날 때 그냥 두고 본 분.
상식	…세 명 데리고 시작했는데, 전문가가 없어 고생하나 봐요. 찾아가보세요.
김 선배	이 양반도 정리된 거냐…
상식	우리 일이 그렇죠. 자르고 잘리고… 미워하지 말구요.
김 선배	미워하긴… (걷는다) 아까 그 친구… 취해 있지 않다던,
상식	(같이 걸으며) 네.
김 선배	내 꼴 안 나게 해줘라.
상식	그게 어디 우리가 할 수 있는 일인가요.
김 선배	잘됐으면 좋겠다. 그 녀석.

S#68 — 거리 일각1, 밤

착잡한 마음으로 걸어오는 상식, 전화를 꺼낸다. 그래를 찾는다.

걷는 그래, 전화 온다. 보면 상식. 받는다.

상식	집에 들어갔니.
그래	네…
상식	(끄덕이며) 그래…
그래	…
상식	장그래.
그래	네, 차장님.
상식	취해 있지 마라.
그래	…네.
상식	그래… (전화 뚝 끊는다)
그래	(그대로 들고 있다…) 네… 취해 있지 않아요.

Ins.
S#49 마 부장 앞에서 포기하는 영이.
S#35 이 부장 얘기 듣는 그래.
S#52 멱살 잡혀 내팽겨쳐지는 석율, 그 위로.

그래   (E) 취해 있을 수가 없습니다. 돌을 잃어도 게임은 계속되니까요…

전화기 넣으며 계속 걸어가는 그래.

S#70 — 원인터 외경, 낮

S#71 — 섬유팀, 낮

석율, 단단한 얼굴로 문 과장 앞에 서 있다.

석율	못 했습니다.
문 과장	(어둡게 바라본다)
석율	하청업체 섭외하겠습니다.
성 대리	(버럭) 야! 한석율이! 잘난 척하더니 결국 니가 한 게 뭐야?

　　　　　　공장 직원들 하나 현장으로 못 돌려보내서,

석율	(성 대리를 홱 돌아본다)
성 대리	(멈칫한다)
석율	후… (하고 고개 숙였다가 제4국 PT 때처럼 천천히 얼굴을 들면서 강하게 보며) 현장을 무시하면 안 되지 말입니다.
성 대리	(멈칫)
석율	(그런 성 대리를 봤다가 다시 문 과장을 보며) 노후한 라인에 다 밀어 넣고 생산하라 해라 쪼는 게 사무직이 할 일은 아닙니다! 할 수 있는 일을 줘야죠. 처음부터 무리한 건이란 건 성 대리님도 아셨을 겁니다.
성 대리	뭐야?! 너 이 새끼 하청업체 선정 제대로 해야 할 거야. (비아냥) 오늘 중에 못 찾으면, 직영 공장에서 아무리 밤을 새서 공장 돌려도 오더 못 맞춰.
문 과장	(버럭!) 성 대리!
성 대리	(문 과장 보며)
문 과장	(무겁게, 석율 보며) 어떻게든 하청업체 찾아. 못 찾으면 우리 이번 실적 못 채우고 오히려 빚만 떠안는 거야. 페널티 뒤집어쓰는 거라고.
석율	(다짐하듯) 꼭 찾아놓겠습니다.
성 대리	(매섭게 보며) 노후 라인이라도 돌리라고 할 때 돌리는 게 나았을 거다. (비아냥거리며 나간다)

석율, 담담하게 자리로 가서 앉고, 공장에 전화를 한다.

석율	공장장님, 섬유1팀 한석율입니다. 저희 꺼 노후 라인 빼고 최대한 생산 박차 가해주십시오. 하청업체 찾아서 모자란 생산량은 저희 쪽에서 커버하겠습니다.
공장장	(E) 그래… 고맙네. 갑자기 하청업체 찾기가 쉽지 않을 텐데 어쩌나.
석율	최대한, 할 수 있는 데까지 찾아봐야죠. 네. 고생하십시오 (전화 끊고) 후… (내쉬고는 갑자기 앞머리를 흩트려서 5 대 5로 잡고 양쪽으로 쫙 넘기며) 빨리 머리를 길러야 하지 말입니다. 흥!

S#72 —— 자원팀, 낮

영이, 다급히 들어오면 정 과장, 자리에 서서 다급한 목소리로 통화하고 있다.

정 과장	아니, 한두 번 거래한 업체도 아닌데 갑자기 무슨 도산 위험? 보험은?
마 부장	(다가오며) 무슨 소리야?
정 과장	(놀라고 당황) 아! 저… 그게…

마 부장　(수화기 빼앗아 받고) 야, 뭐야? (버럭) 그걸 말이라고 해?
신용도만 믿고 일하는 새끼가 어딨어! (듣다가) 지금까지 그렇게 해왔으면 계속
그렇게 해온 니가 책임질래? 정신을 어디다 두고 일을 하는 거야? 너 미쳤어?

영이, 얼른 자리로 가서 뭔가를 탁탁 검색한다.(보험 가입 여부 확인 작업)

마 부장　(고함치며) 도산 위험인데 말도 안 해주는 놈들하고 뭔 신용거래!

정 과장, 하 대리, 영이, 뒤로 다가와 검색한 걸 같이 확인한다.

정 과장　(화면 보며) 보험은,
마 부장　(수화기 든 채 일동 보고) 너네 다 이리 와!
일동　(다급히 간다)
정 과장　저, 부… 부장님, 일단 우리 회사는…
마 부장　(수화기로 정 과장 머리를 꾹꾹 누르며) 뭐, 뭐, 뭐! 할 말이 뭐야?

마 부장이 밀 때마다, 정 과장의 고개가 뒤로 획획 밀린다. 하 대리와 유 대리, 당황해서 본다. 영이도 하얗게 된 얼굴로 본다. 마 부장, 정 과장을 밀어내고 옆에 서 있는 하 대리를 세워놓고 이마를 꾹꾹 누르며

마 부장　넌 뭐 하고 있었어?! 응? 여기 사람이 몇인데 일을 그 따위로 해?

하 대리 역시 밀려서 고개가 뒤로 획획 젖혀진다. 마 부장, 하 대리를 밀어내고 옆에 있는 유 대리를 세워놓고 똑같이 한다.

마 부장　너는 뭐 했어? 응? 정신들 안 차려? 일을 이 따위로 하면서 봉급을 받아 가?

유 대리, 역시 밀려서 고개가 뒤로 획획 젖혀진다. 영이, 얼굴이 새하얗게 된다. 하 대리와 정 과장, 영이를 본다. 정 과장, 침을 꼴깍 넘긴다. 마 부장, 유 대리를 밀어내고 옆에 있는 영이에게 와서 서라고 손짓한다. 마 부장의 손에 든 수화기를 보며 질려 있는 영이. 그런 영이를 보며 긴장해 있는 하 대리, 정 과장.

마 부장　안 와?!

한 발 움직여 와서 서는 영이. 정 과장, 그런 영이와 마 부장을 번갈아 보며 침을 꼴깍 삼킨다. 마 부장, 영이를 향해 수화기를 올리자 눈을 꼭 감는 영이. 영이를 보는 정 과장과 하 대리.

마 부장	(영이의 이마로 수화기 가져가면서) 너는 또,
정 과장	(Off) 부장님!

깜짝 놀라 멈추고 돌아보는 마 부장과 영이, 정 과장이 한 대 맞을 각오로 몸에 힘을 꽉 주고 한 발 나서 있다.

정 과장	일단 우리 회사는 보험공사에 가입돼 있습니다. 방금 재확인했습니다. 국내 협력업체가 가입을 차일피일 미뤘으니 피해갈 수 있을 겁니다.
마 부장	(정 과장 머리를 더 거칠게 쿡쿡 밀며) 일정 박살 난 건 안 보이냐? 안 보여? 보험금 받았으니 된 거냐고?
정 과장	(마 부장 손에 들린 수화기 턱! 잡으며) 부장님. (단호하게 마 부장을 본다)
마 부장	(멈칫)
정 과장	(마 부장 손에 들린 수화기 탁, 가져오며) 통화는 마저 끝내겠습니다. (통화) 응… 나야… 도산 위험이야? 확실한 거야?
영이	(정 과장을 본다)
정 과장	(차분하게) 그래. 계속 연락해.

전화를 딸각 끊는다. 마 부장을 돌아보는 정 과장. 마 부장 앞으로 다가가 선다.

정 과장	부장님 제 몸에… 저희 몸에 손찌검하지 말아주십시오.
마 부장	!

영이와 하 대리, 유 대리, 놀란 얼굴로 정 과장을 본다. 정 과장, 꾸벅 마 부장에게 인사한다. 한동 안 처다보던 마 부장, 저벅저벅 돌아서 나간다.

하 대리   잘하셨어요. 그만 떠세요.

덜덜덜 떨고 있는 정 과장 앞에 서 있는 하 대리와 유 대리와 영이.

영이   … (숙이며) 감사합니다, 과장님…
정 과장   (머쓱) 아… 아냐… 다 같이 당한 건데 뭐. (하다가) 가… 같은 거다?
영이   (보다가 작게 웃고)
하 대리   아~! 우린 이제 다 같이 죽었어. (영이를 본다)
유 대리   (울상으로) 죽었어요.
영이   (고개 숙이고 작은 미소)

S#74 ― 이 부장실, 낮

이 부장 앞에 놓여 있는 서류철들. 그 앞에 의아한 얼굴로 서류를 보고 서 있는 상식.

이 부장   가져가서 검토 끝내 와.
상식   이게 뭡니까?
이 부장   내가 관리하던 아이템들이야. 검토 끝난 것부터 들어가자고.
상식   (당황해서 보면)
이 부장   확실한 거니까 이거 해. 위쪽과 어느 정도 얘기된 거야.
상식   무슨… 말씀이신지.
이 부장   말귀를 못 알아듣는 거야, 못 알아듣는 척하는 거야?

S#75 ― 전무실, 낮

웃음인지 뭔지 모를 비릿한 얼굴로 그래의 인사 카드를 보고 있는 전무.

S#76 ― 이 부장실, 낮

이 부장   내가 선별한 아이템이니까 가져가서 하란 소리가 어떤 의미인지 모르겠어?
상식   그러니까 그 일을 왜 저한테…

이 부장	요르단 건 잘했잖아. 이것도 맡아서 실적 내라고. 이 자리 자네한테 토스하고
	올라갈 거야. 확실한 아이템들이니까 광만 더 내봐.
상식	(굳은 얼굴로) 혹시… 전무님이 주신 아이템입니까?
이 부장	…그래.
상식	! … (굳어진 얼굴로 이 부장을 본다)

S#77 — 전무실, 낮

전무, 그래의 인사 카드를 책상 위에 픽 던지듯 놓는다. 그 옆에 S#76의 파일과 동일한 서류의 파일들이 놓여 있다. 짐작할 수 없는 표정으로 쳐다보는 전무.

S#78 — 이 부장실 밖, 낮

굳은 얼굴로 서류를 들고 나오는 상식. 저만치 통로를 지나가는 그래를 본다. 상식의 시선을 느낀 그래, 멈춰 서서 상식을 본다. 두 사람. 엔딩.

Episode 17

제17국

　　S#1 ── 원인터 외경, 낮

S#2 ── 15층 사무실 안, 낮

화분에 불 주는 사람, 서류 들고 통로를 지나는 사람들, 통화하는 사람들 등 사무실 풍경.

S#3 ── 영업3팀, 낮

열심히 일하고 있는 영업3팀.

그래	(통화 중) SMC 물탱크 네고 회의요. 시간 약속은… 죄송하지만 사내 사정상 담당자가 바뀌었습니다. 네. 이제 김동식 대리님이 담당하십니다.
동식	(그래를 돌아본다)
그래	앞 번호는 같구요. 사내 번호는 1216입니다. 네, 앞으로도 잘 부탁드립니다.
동식	…
그래	(인사하고 끊고 캐비닛에서 자료 꺼내서 보고 있는데)
동식	장그래.
그래	네? (하고 바라본다)
동식	(미안한) 어… 저… 그… 카자흐스탄 물탱크 건 말야, (업체 리스트 들어 보이며) 이 업체 리스트 말고, 가능성 있는 업체 몇 군데 뽑아놨다고 했지.
그래	(얼른 동식 자리로 가 추려진 파일들 사이에서 간추리려 업체 리스트 찾아서 내밀며) 여기요.
동식	어… 그리고 현지 연락처 구성된 것도…

자신의 자리에서 명함첩과 챙겨놓은 연락처를 들고 와 내미는 그래. 동식, 미안하게 받아 들지만 아무렇지 않게 자리로 가는 그래, 신경 쓰이는 듯 돌아보는 천 과장.

S#4 ── 철강팀, 낮

백기, 자리에 앉아서 일하고 있고, 강 대리, 업무 통화를 하고 있다.

강 대리	(영어) 아… 터키 쪽 시황이 그렇게 바뀌었습니까? 그래도 원인터 쪽에 산정된 금액을 그런 식으로 후려치기는 어렵습니다. 예… 아… 그 부분까지요? 네, 그럼 사내에서 다시 협의해보지요. 아… 잠시만요. (전화 막고 우리말로)

장백기 씨, 터키 쪽 예산서 뽑았던 것 좀 가져오고 원연구소에서 넘어온…

(하다가 백기 본다)

백기	(H-Beam 관련 업체 자료들 집중해서 넘겨 보고 있다)
강 대리	(우리말로) 장백기 씨, 터키 쪽 예산서 뽑은 것 좀 가져오세요.
백기	(멈칫) 네?
강 대리	장백기 씨, 제가 몇 번 말했습니까? 장백기 씨 것만 하고 있을 순 없다고요.
백기	아… 죄송합니다. (뻔뻔하게) 제가 멀티태스킹이 안 돼서요. (씩 웃으며 파일을 찾아 펴서 준다)
강 대리	(어이없는)

S#5 ── 자원팀, 낮

일하고 있는 자원팀. 영이, 프린터 앞에 서서 출력물을 기다리고 있다. 자료를 스테이플러로 철해 파일에 넣어 정 과장에게 갖다준다. 정 과장, 받아서 넘겨 보며,

정 과장	역시! 우리 안영이 씨는 프린트 하나도 프로페셔널하고 완벽하게 해.
영이	네, 그렇습니까?
하 대리/유 대리	(병~ 어이없이 본다)
성 과상	아주 쌀끔하고 스마트하고 효율석이야.
영이	하하~ 그걸 이제 아셨습니까?
하 대리/유 대리	(기가 차서 두 사람을 어이없게 보는데)
정 과장	(기분 좋게) 우리 영이 씨는 농담도 잘하네.
영이	네, 위트 사전을 보면서 열심히 공부하고 있습니다.
정 과장	그래? (좋아한다)
유 대리	(당황스런 하 대리를 보며) 아니, 우리 이렇게 중간 없이 훅 뜨거워져도 되는 거예요?
하 대리	몰라. (관심 없단 듯 홱 돌아 자기 일을 한다)
영이	(작게 웃으며 자리로 가서 앉아 다시 일한다)

S#6 ── 섬유팀, 낮

다시 살아난 석율, 당당한 눈빛으로 문 과장 앞에 서서 보고하고 있다. 뒤에 앉은 성 대리는 똥씹은 표정이다.

석율	하청업체 선정은 잘 마쳤고, 그쪽 업체에서 2주 내로 울산 공장 생산 불가능분을

생산하기로 했습니다. (계약서 착 내밀며) 계약도 마쳤습니다. 현재 사흘째
생산 중입니다.

문 과장　(계약서 보며 마음이 놓인 듯) 어… 좋아. 이제야 맘이 놓이네.

석율　울산 공장 쪽도 최대한 생산해서 우리 쪽 손실 줄여주시겠다 하셨습니다.

문 과장　어~ 좋아! 앞으로 현장 소통은 자네가 맡아. 고생했어.

석율, 뿌듯한 얼굴로 돌아서며 흘끗 성 대리 본다. 성 대리와 찌릿! 눈이 마주친다. 콧방귀도 안
뀌고 자신만만하게 자리로 돌아가는 석율, 휴대전화를 꺼내 문자 보내고.

석율　커피 한잔하고 오겠습니다.

문 과장　그래그래.

성 대리　(나가는 석율을 노려보는…)

S#7 ── 탕비실, 낮

커피 선반 앞에서 삼각으로 모여서 숙덕거리고 있는 포즈의 그래, 백기, 석율. 그래는 약간 휘둥
그레한 표정으로 있고, 백기는 담담한 얼굴로 석율을 보고 있다.

석율　어때, 칭구들! 토요일!

그래　(당황해서) 아… 난 별로 생각이 없습니다.

석율　(찡그리고 보면서) 왜? 스튜어디스과라니까!

그래　(뭔 의미인지 모름, 멍~하게 보면)

석율　(답답해서) 지덕체를 다 갖췄다고!

그래　(여전히 뭔 의미인지 모름, 멍~하게 보면)

석율　(답답해서 설명하듯) 아니 그러니까. 회사 생활 하면서 미팅 좀 해보고,

그래　(멍~해서) 아니 그러니까. 회사 생활을 하면서 미팅을 왜…?

석율　(답답한) 미팅이 뭐? 미팅은 인연을 만드는 유일한 창구이자,
동기들의 동기애를 다시 한 번 확인하는 자리이고, 숨구멍이야.

그래　(끔벅끔벅)

석율　(답답) 아니~ 우리도 월동 준비해야 한다고. 솔직히 우리 주위에 여자가 어딨어?
여장 남자 혹은 잘생긴 안영이밖에 더 있어?!

백기, 풉 웃는데 안영이 들어온다. 그래와 백기, 도둑질하다 멈춘 사람처럼 멈칫한다.

영이　(애매한 분위기에 의아해하며) 왜요? 제가 뭐요?

석율/백기/그래 아냐/아닙니다.

영이　　　　(의아하게 보는데)

영업1팀 차 대리와 엄 과장, 들어온다

엄 과장　　　선 차장님 내일 오시지? 몇 시 도착이지?
차 대리　　　4시요.
엄 과장　　　(한숨 쉬며) 보고서 써야겠네. 회사에서 어렵다고 하면 좀 접으시지.
차 대리　　　(한숨) 저도 베트남 건 마무리 지어야 하는데… 선 차장님 좀 너무하셔요.

신입 일동, 서로 의아하게 보면 석율, 눈짓하고 휴게실로 간다.

S#8 ── 휴게실, 낮

석율　　　　(목소리 낮춰서) 모포 수출 건으로 파키스탄 출장 가셨거든. 우리 팀에도
　　　　　　　업무 협조 왔어.
영이　　　　(의아한) 영업1팀은 별로 내켜 하지 않나 봐요.
석율　　　　그렇기도 하고, 회사에서도 환영하는 듯 환영하지 않는 환영하는 건이라서.
일동　　　　?
석율　　　　지난달에 파키스탄 지진 났잖아. 난민용 모포를 파키스탄 정부에서
　　　　　　　요청했어. 공급가 좀 낮춰서 줄 수 없는지. 게다가 대금도 바로 못 받고.
　　　　　　　그걸 선 차장님이 받은 거지. 인도적인 차원에서.
그래　　　　아…
백기　　　　일은 많고 실적은 안 되고, 팀원들도 그닥이고 선 차장님 혼자 힘드시겠네.
영이　　　　(걱정스러운 혼잣말) 요즘 많이 피곤해하시던데… (생각하다가 전환) 근데,
　　　　　　　아까 내 얘기 왜 했어요?

모두… 모른 척 잽싸게 휙 흩어진다. 영이, 영문 모르는 얼굴로 보는.

S#9 ── 옥상, 낮

고민이 깊은 얼굴로 서류 파일 두 개를 보고 있는 상식.

[Flashback] 제16국 S#76

이 부장	내가 선별한 아이템이니까 가져가서 하란 소리가 어떤 의미인지 모르겠어?
상식	그러니까 그 일을 왜 저한테…
이 부장	요르단 건 잘했잖아. 이것도 맡아서 실적 내라고. 이 자리 자네한테 토스하고 올라갈 거야. 확실한 아이템들이니까 광만 더 내봐.
상식	(굳은 얼굴로) 혹시… 전무님이 주신 아이템입니까?
이 부장	…그래.
상식	(굳어진 얼굴로 이 부장을 본다)

상식, 무거운 얼굴로 서류를 펼쳐본다.

[Flashback] 제16국 S#75, S#76 상황 보충

이 부장	(태양열 발전 사업 서류를 내민다) 중국 포신유한공사에서 딸 태양열 발전 사업이야. 전무님이 1년 전부터 공들여온 아이템이라고. 수주만 되면, 5억 불짜리야.
상식	(금액에 놀랐지만 여전히 굳은 얼굴로 본다)
이 부장	생각만큼 어렵지 않을 거야. (태양열 집열판 수출 건 서류 내밀며) 이게 깔아줄 테니까.
상식	(태양열 집열판 수출 건 서류를 본다) 이게 뭡니까.
이 부장	포신유한공사 태양열 집열판 수출 건. 세팅 다 끝난 일이니까 계약서 도장만 받으면 돼.
상식	이게 깔아준다는 의미는 뭡니까?
이 부장	중국하고 사업 처음 해봐?
상식	(표정) …꽌시 말씀이십니까. 그렇지만 (태양열 발전 사업 서류 턱 가리키며) 이 태양열 발전 사업은 중국 국책사업 아닙니까? 포신유한공사로 결정된 바는 아직 없는 걸로 알고 있습니다만.
이 부장	이 사람이…, 걔들은 그 사업 따. 최 전무님이 그 정도 판단도 없이 되는 일이라고 하실 리 없잖아.

상식, 생각에 잠긴 채 굳은 표정으로 내려다보고 서 있다.

| 이 부장 | (E) 이번 주까지 잘 생각하고 결정해서 월요일에 말해줘. |
| 상식 | … (결심한 듯 전화 꺼내 건다. 신호 가고) 어, 천 과장. |

동식   (놀란) 전무님이요?

'중국 포신유한공사 태양열 발전소 사업'과 '중국 포신유한공사 태양열 집열판 수출 건' 서류 두 개를 책상 위에 두고 있다. 말없이 있는 상식.

천 과장   (긴장한 얼굴로) …

동식   (의아하게) 왜…요? 전무님이 이렇게 큰 건을 왜 우리한테 주는 거예요?

천 과장   (상식을 본다)

상식   …

천 과장   (말없는 상식을 보고 약간의 조급함이 묻어서) 받으세요. 되기만 하면 영업3팀 2~3년 치
             실적은 되고도 남는 사업이잖아요.

상식   …

동식   그런데요, 그 전에 (태양열 집열판 수출 건을 들며) 이걸로 먼저 포신에 인사부터
             하라는 건가요?

상식   (동식을 본다) …그래.

동식   아… 전 좀 찜찜한데요. 꽌시 챙기는 거 우리 팀 해오던 스타일도 아니고…

천 과장   뭐든 하는 게 우리 팀 스타일 아니었어? 이거 차면 진짜 줘도 못 먹는
             노자란 팀이라고 할 거예요. 그리고 꽌시야 중국 사업에서 관행인데,
             찜찜할 게 뭐가 있어.

동식   그런가…?

상식   (OL) 이거 선의 아니다.

동식   예?

천 과장   (상식 보면)

상식   꽌시가 관행이라지만 정당하지 못한 방법인 건 맞잖아. 잘못 먹으면 체할 수
             있는 거라고. 그리고 더 문제는… (집열판 사업 서류 들어 보며) 이 건에 대한
             꽌시 사이즈가 꽤 커.

동식/천 과장 (보면)

상식   꽌시를 이렇게 크게 했는데도 이 태양열 발전소 사업 수주에 실패하면 진행한
             우리 팀이 덤터기 쓸 위험도 커. 게다가 포신이 태양열 발전소 사업을 따느냐
             못 따느냐는 우리 힘으로 될 일도 아니고. 모든 건 포신이 그 사업을 따야
             가능한 거고.

동식, 찡그린다. 다시 말이 없어지는 세 사람. 그리고 천 과장의 복잡하고 무거운 얼굴…

속타는 걸음으로 나오며 담배를 뽑아 무는 천 과장. 불안하고 복잡한 얼굴.

> [Flashback] 제12국 S#5 전무실
> 최 전무   자네 생각엔 풍치를… 뽑는 게 낫겠어? 두는 게 낫겠어?

천 과장, 심란한 얼굴로 담뱃불을 붙이려는데 라이터가 말을 안 듣는다.

> [Flashback] 제16국 S#45
> 최 전무   (E) 근데 난 또 오 차장의 그런 면이 마음에 들 때가
>   가끔 있고 말이야.

더욱 복잡해지는 천 과장의 얼굴.

> [Flashback] S#10
> 상식   (OL) 이거 선의 아니다. 관시가 관행이라지만 정당하지 못한
>   방법인 건 맞잖아. 잘못 먹으면 체할 수 있는 거라고. 그리고
>   더 문제는… (집열판 사업 서류 들어 보며) 이 건에 대한 관시 사이즈가
>   꽤 커. 관시를 이렇게 크게 했는데도 이 태양열 발전소 사업
>   수주에 실패하면 진행한 우리 팀이 덤터기 쓸 위험도 커. 게다가
>   포신이 태양열 발전소 사업을 따느냐 못 따느냐는 우리 힘으로
>   될 일도 아니고. 모든 건 포신이 그 사업을 따야 가능한 거고.

머리가 복잡해 뽀개질 것 같은 천 과장.

동식	(나오며) 과장님.
천 과장	(돌아보면)
동식	(다가온다)
천 과장	(담배 주는데)
동식	아뇨. (난간 쪽으로 서며) 후… (멀리 본다) 뭐가 뭔지 모르겠네요. 왜 갑자기 전무님이…
천 과장	넌 정말 어떠냐.
동식	(본다)
천 과장	정말 싫어?
동식	솔직히 말해요?
천 과장	응.

동식	…솔직히… 했으면 좋겠어요.
천 과장	…
동식	성공만 되면 팀이 확 클 테니까.
천 과장	(희미하게 웃으며) 화장실 옆 구석 자리부터 벗어날 수 있겠지.
동식	(쓸쓸하게 웃고) 포신이면 중국 내에서 태양열 발전소 사업을 죽 해오던 업체니까 이번에도 딸 가능성이 크고요. 작은 회사도 아니고… 다만 전무님이 왜,
천 과장	전무님한테도 중요한 사업이야. 성공 여부에 따라서 부사장 자리가 걸렸으니까.
동식	(놀라 본다) 부사장…이요?
천 과장	하지만 빽업도 필요하지. 1퍼센트의 실패 가능성이라도 대비해야 하니까. 영업3팀을 총알이자 총알받이로 쓰시려는 생각일 거야.
동식	그럼 차장님은 더더욱 안 하실 거예요. 할 이유가 전혀 없어요. 전무님 속내 뻔히 아는데… 지난번 요르단 건 때하곤 달라요. 아예 안 달라붙으면 되니까.
천 과장	그렇겠지. (담배 물며) 그래도 난 차장님이 했으면 좋겠다.
동식	…
천 과장	니 말대로 성공 가능성이 훨씬 크니까… (쓸쓸하게 웃다가 혼잣말처럼) 되기만 하면 우린…
동식	(천 과장을 본다) …

S#12 ── 원인너 외경, 낮

S#13 ── 영업2팀 + 영업3팀, 낮

고 과장, 영업2팀으로 들어오는데 황 대리와 장미라, 서서 업무 얘기하다가 보면서

황 대리	어? 끝나셨어요.
고 과장	뭐가?
황 대리	시연회 안 들어가셨어요? 중국 직영 전자공장에서 연구 인력들 와서 제품 시연한다잖아요.
장미라	어제 말씀 드렸는데.
고 과장	아, 그랬지. (영업3팀 보면) 오 차장은 간 거야?
장미라	네, 아까 가시던데요.
고 과장	무슨 세상 망할 것처럼 요 며칠 고민은 싸안고 죽상으로 있더니 그거 들어갈 정신은 있었나 보네.
황 대리	팔 만한 물건 있는지 빨리 가서 봐야 된다고 가시던데.

장미라   어, 오시네요.

보면 상식, 오고 있고 뒤에서 서진상이 "오 차장님, 요르단 사업 얘기 좀 해주심 안 됩까? 저번에
잠깐 갔는데 아주 난리 났습다" 등등 떠벌떠벌하며 따라오고 있다.

고 과장   (약간 어이없이 웃으며) 공장장 떠벌이도 왔네.

S#14 ─── 영업3팀, 낮

들어와 자리로 가는 상식을 따라 들어오는 진상, 일하고 있는 동식에게

진상   안녕하심까? 김 대리님.
동식   오셨어요?
상식   지난번에 그 옥방석, 그거 가져가. 엉덩이가 배겨서 못 쓰겠어.
진상   아니 그러니까 그 고비를 넘기셔야 됩다. 그게 약으로 치면 명현 현상임다.
상식   (어이없이 픽 웃으며) 하여튼 말은…
동식   공장장님, 지난번에 클레임 걸린 건 마무리되고 보고서 왜 안 보내셨어요.
          몇 번 요청드렸었잖아요.
진상   어? 어… 오늘 보내라고 하겠습다. (상식에게 가서) 뭐 필요한 건 없으심까?
상식   없어.
진상   (동식한테 가서) 김 대리님은 역시 모범생이심다. 일 너무 열심히 하시고,
          근데 승진은 언제임까?
동식   (심드렁하게) 이제 대리 3년 찬데 무슨 벌써 승진이요.
진상   4년 차 되면 과장 되지 않슴까? 1년만 채우면 과장 되겠네.
동식   …
진상   허긴, 과장님도 차장 되는데 몇 년 걸렸지? 짬 채운다고 되는 건 아니지.
동식   …
상식   (쳐다본다)

그래가 들어오다가 낯선 사람 보고 어리둥절해서 인사하면

진상   어? 누구심까? 못 보던 분이심다?
동식   우리 신입이에요. 중국 공장 공장장님이셔. 서진상 씨.
그래   아 안녕하세요. 장그래 사원입니다.
진상   (반가워하며 악수 청하면서) 반갑슴다. 서진상임다.

Episode 17

그래	(악수 받으면)
진상	야~ 영업3팀 많이 확장했습까? 신입도 받고. (갑자기 그래에게) 신입사원이 몇 분이심까?
그래	네?
진상	백두산 노루꿀이라고 들어봤습까?

S#15 — 휴게실, 낮

신입 4인방, 모여서 꿀 병을 들고 있는 진상을 보고 있다.

진상	상황버섯 알지 않습까? 얼마나 비싸고 좋은지는 알 거 아님까?
일동	(끔벅끔벅)
진상	그 상황버섯을, 다른 데도 아니고 백두산 상황버섯을 먹은 백두산 노루가 똥!을 싼단 말임다. 그러면 다음 해에 그 똥!에서 꽃이 핀단 말임다. 그럼 그 꽃의 꿀을 벌들이 열심히 날라서 만든 꿀이 바로 이 백두산 노루꿀!이란 말임다.
석율	(찌푸리며) 똥?
진상	얼마나 귀하겠습까? 노루가 똥을 싼다고 다 꽃이 피진 않습다.
일동	(의아하게 본다)
석율	에헤~ 그런 게 어딨,
진상	(OL) 이게 남자한테 좋아. 너~무 좋은데 어떻게 설명할 방법이 없다. 이게 애초에 팔라구 만든 것이 아니지 뭡니까?
석율	(호기심 있게 본다)
진상	이렇게 포장이 희미한 것도 팔라고 만든 게 아니기 때문 아니겠음까?
석율	(영이를 보고) 남자한테 좋다는데 왜 와 있어?
영이	(뭐라 말하려는데)
진상	(OL) 아아~ 여자한테는 효능 없다. 남자한테만 좋습다. 그건 확실히 합다. 단!
일동	(보면)
진상	(꿀 한 숟가락을 뜨며) 피부에는 특흡니다.
석율	에? 그게 뭐, (하는데)
진상	(OL, 꿀을 석율의 입에 쏙 넣어주고 티스푼 하나씩 주며) 자… 한 입씩 잡숴봐!

얼결에 숟가락 받은 4인방, 그래, 백기, 영이 한 숟가락씩 떠서 먹는다. 떠먹던 그래의 눈에 진상의 윗옷 주머니에 꽂힌 만년필이 보인다. 그래, '어어…?' 약간 의아하게 보는데

진상	(그런 그래 보며) 뭡니까? 지금 그 눈은? 가짜라고 생각하시는 겁까?

그래	(멈칫 보며) 아, 아닙니다.
진상	내 조~기 광화문 뒷골목에 자그마한 여관에 있슴다. 거기서 지내니까 연락처 주겠슴다. 맘이 바뀌면 연락 주십시오.
백기	여관이요? 모두 프라진 호텔에 계신 걸로 아는데요?
진상	(손사래 치며) 나는 호텔에 못 있슴다. 호텔에 그 서걱거리는 이불 덮고 잘라고 하면 영 잘 수가 없슴다. (꿀을 한 사람씩 척척 안기면서) 내가 암만 외국에 나가도 호텔에서 자본 적이 없슴다. 비싸기만 하고, 뭐. 밤잠 한 번 잠깐 자고 나오는 건데 아깝잖슴까?

받은 꿀을 이리저리 보는 신입 4인방.

진상	(그래에게) 아! 장그래 씨는 이번에 요르단 사업 했잖슴까? 요르단 가봤음까? 나는 한 세 번 갔슴다. 거기 가면 다운타운 뒷골목에 아주 싸고 좋은 작은 호텔이 있슴다. 하루에 만 원이면 됩다. 담에 가실 일 있으면 내한테 물어보십쇼.
그래	네? … 아… 네… (하며 진상의 가슴에 꽂힌 만년필을 본다)
진상	(일동 보며) 몇 개씩 필요함까?

S#16 — 자원팀, 낮

꿀을 한 병씩 든 정 과장, 하 대리, 유 대리. 그 앞에서 웃고 있는 영이를 보고 있다.

영이	아침, 점심, 저녁 한 숟가락씩 드시면 된답니다.
세 사람	(어찌해야 하나… 하는 표정으로 서로 보다가)
하 대리	(헛웃음 허~) 혼자 똑똑한 척은 다 하더니.
영이	(웃으며 어리둥절해서) 네?
유 대리	안영이 씨 그렇게 안 봤는데… 의외로 순진하네.
영이	(유 대리 보며) 네?
정 과장	아냐, 아냐. 좋~아. 이~뻐. 아침 짐심 저녁 한 숟가락씩? (자리로 가서 책상 위에 두며) 꼭 챙겨 먹을게. (웃으며) 고마워, 안영이.
영이	(웃으며) 네.
유 대리	이건 설탕물,
정 과장	(OL, 인상 확! 복화술 하듯 입 안 벌리고) 다물어라.
영이	(어리둥절)
유 대리	전 안 먹을래요.

S#17 — 철강팀, 낮

백기가 준 꿀을 들고 보고 있는 강 대리.

백기	아침, 점심, 저녁 한 숟갈씩 드시면 된답니다.
강 대리	…장백기 씨,
백기	네?
강 대리	당했습니다.
백기	네?
강 대리	어쨌든 고마워요.

강 대리, 픽 웃으며 꿀을 책상 위에 두고 나간다. 백기, 의아하게 꿀 내려다보고는 나가는 강 대리 돌아보며 멀뚱멀뚱 있다.

S#18 — 영업3팀, 낮

그래, 책상 위에 꿀을 두고 뿌듯하게 이리저리 보는데. 동식과 천 과장, 들어오다가 노루꿀 본다.

동식	어? 노루꿀!
그래	(놀라서 돌아보면)
동식	(으흐흐흐 웃는다) 남자한테 좋고 여자 피부에 좋고.
그래	(웃으며) 네, 엄마 드리려구요.
동식	아… (난감… 중얼거리듯) 고등어 꼬리로 쳐 맞을 텐데…
그래	네?
동식	아냐. (싱긋) 사정 어려운 사람이니까 도와줘. 심성이 나쁜 사람은 아냐.
그래	네?
동식	(천 과장 보며) 과장님도 서 공장장 아시죠?
천 과장	(웃으며) 알지. (웃으며 자리로 가며) 알고도 속아주고 모르고도 속아주고.
그래	?
동식	(책상 위 뒤지면서) 내 만년필 어디 갔지? 여기 뒀는데? (뒤적뒤적) 아~ 거참 이상하네.
그래	(의아하게 보다가 문득)

[Flashback] S#15
Ins. 진상의 와이셔츠에 꽂힌 만년필.

그래, 의아하게 갸웃하는데 상식, 들어오며 그래 책상 위 꿀 보고 픽 웃으며

상식	노루꿀이네.
그래	어… (보는데)
황 대리	(E, 흥분해서 자기도 모르게) 아! 됐다.

상식, 동식, 뭐야? 하는 얼굴로 영업2팀을 바라보면 모니터 보면서 싱글벙글하고 있는 황 대리.

고 과장	뭐야?
황 대리	주재원 갈 수 있게 됐어요!
동식	(급…)
고 과장	(기뻐서 다가오며) 어디? 언제?
황 대리	(기뻐서) 싱가포르요. 내년 5월.
고 과장	(황 대리 자리에서 메일 확인하고 기분 좋은) 이야~ 잘됐다. 내가 너 진짜, 이번에 주재원 보내려고 무진장 노력한 거 알지?
황 대리	알죠.
장미라	축하해요.
상식	(그들을 봤다가 동식을 본다)
동식	(그냥 말없이 황 대리를 보고)

고 과장, 메일을 다시 확인해보다 기분 상한 듯.

고 과장	이거 뭐야? 자원2팀 유 대리도 가? (다시 보며 역정) 영국? 야! 얘는 대리 단 지 1년밖에 안 됐는데 벌써 가? 야~씨. 팀 끗발 너무 티 내네!
상식/천 과장	…/(동식 보고) …
동식	(황 대리 보고) 황 대리, 축하해.
황 대리	(그제야 멈칫 보며) 어… 어…
상식	(동식을 본다)
동식	(차분하게 일하는 듯하더니 놓고 슬그머니 일어나 나간다)

어리둥절하게 쳐다보는 그래. 미안한 듯 보는 황 대리와 고 과장. 그 모습을 바라보다가 따라 나가는 상식.

상식	(지나가다 툭) 황 대리 축하해.
황 대리	(미안한) 네…

나가는 상식, 그런 상식을 보는 천 과장. 그런 풍경들을 보는 그래.

S#19 — 탕비실, 낮

착잡한 얼굴로 물을 마시는 동식, 그때 상식이 들어온다. 동식, 보면.

상식	(머뭇거리듯 물을 따라 마시며) 어… 거참… 황 대리 운이 좋네.
동식	(웃으며) 지난 분기에 가나 떨어져서 미루느라고 애먹었잖아요.
상식	아, 참. 그렇지… (끄덕이며) 그것도 고 과장이 힘 많이 썼지.
동식	(말없이 물을 마시고) 솔직히… (힘없이 웃으며) 이번에 조금 기대했거든요. 박 과장 일도 있고 요르단 건도 넘었고… 뭐, 꼭 나갈 필요는 없지만.
상식	나가야지. 주재원은 상사의 꽃이잖아.
동식	(저도 모르게 숙이는) 그때 콩고 가라고 할 때… 갈 걸 그랬나… 하는 생각도 들고요… 그때 한번 거절했더니 그 뒤론 한 건도 없네요. 유럽, 미주 쪽은 바라지도 않는데…
상식	…
동식	에효… 그때 한 번 거절한 게 뭐 이리 오래 미운털인지,
상식	(물 삼키며) 그게 미운털 때문이겠어…? (미안한…) 미안하다.
동식	네? (당황) 아, 아니에요~ 차장님도 참… (물 마저 마시고) 저 잠깐 바람 좀.
상식	응.
동식	(나간다)
상식	(보는)

S#20 — 헬기 옥상, 낮

옥상 문을 열고 나온 동식. 쓸쓸하게 마른 담배를 핀다. 동식, "하…" 하고 한숨 쉬며 고개 들면 구름 한 점 없는 먹먹한 하늘. 심란하기 짝이 없는 마음…

자리에 앉아 회의하고 있는 문 과장, 성 대리, 석율.

문 과장	(성 대리 보며) 상파울루 네오프렌 건 어떻게 진행되고 있어. 정해진 일정까지 납품 가능해?
성 대리	네, 납품 프로세스는 청솔실업 통해서 한 번 더 점검할 예정입니다.
석율	(뭔가 미진한 얼굴로 성 대리를 본다)
문 과장	청솔… (서류 뒤적이며). 오케이 (정리하고 일어나려) 근데 청솔 이 부장, 왜 그렇게 성 대릴 좋아해?
성 대리	(당황) 네?
문 과장	지난번에 말이야. 업체들 모인 자리에서 성 대리 칭찬을 그렇게 늘어놓더라고. 석율 씨도 알지? 청솔실업 이 부장. 클라이밍이 취미라던. 술도 잘 먹고.
석율	아. 네.
문 과장	이 부장한테 이번에는 납품 기일 좀 맞추라 그래. 지난번에 딜레이 됐었지?
성 대리	(자신만만하게) 아, 그랬던가요? 이번엔 단단히 말해놓겠습니다! 문제없이 진행할 테니 걱정 붙들어 매셔도 좋~습니다!
석율	… (성 대리 쳐다본다)

S#22 — 옥상 정원, 낮

성 대리	(일그러진 얼굴로 석율을 보며) 뭐?
석율	(차분히) 청솔실업에서 상습적으로 납품 지연하는 거 아시지 않습니까.
성 대리	그래서. 그래서 어쩌자고~
석율	거래할 수 있는 상황이 아니란 말입니다. 그 회사만 있는 것도 아니고.
성 대리	(OL, 비웃음) 하, 나 이 새끼.
석율	과장님 앞이라 대리님 곤란하실 거 같아서 말씀 안 드렸는데, (쳐다보며) 영민실업으로 해야 유리할 것 같습니다.
성 대리	(짜증) 뭐? 니가 뭔데 하라 마라야, 이 새끼야. 니가 선배야?
석율	(본다)
성 대리	납품 지연? 너 그 업체에 대해 얼마나 안다고 그런 개소릴 지껄이냐? 어?
석율	(노려보며) 개소리요?
성 대리	아~ 맞다. 너 인턴 때 별명이 개벽이었지? (비웃음) 어디서 말 같지도 않은 소리 지껄이고 있어 이 새끼가. 일 하나 처리했다고 눈에 뵈는 게 없지?
석율	(노려보다) 청솔실업같이 (성 대리 빗대는 식으로) 나태하고, 안일하고,

무책임한 회사랑 일하자고 하는 게 더 말이 안 되는 소리 같은데요.

성 대리   (석율 멱살 잡으며) 뭐 이 새끼야?

한참 노려보다 강하게 성 대리 손 뿌리치는 석율. 비틀거리는 성 대리.

석율   이.새.끼. 저.새.끼. 하지 마십시오. 제가 성 대리님 새낍니까?
성 대리   (노려보면)
석율   과장님 앞에서 체면 챙겨준 거 고맙게 아시라구요. 감정적으로 대응하지 마시고 팩트를 보세요, 팩트를. 이성적이고 냉철하게. 혹시 청솔실업이랑 뭐 있는 건 아니죠?
성 대리   (당황해서 더 흥분하며) 뭐 이 새끼야? 체면을 챙겨줘?

그때 울리는 성 대리 전화. 씩씩거리던 성 대리가 목소리 급 바꾸며 전화 받는다.

성 대리   아, 과장님. 아~ 아닙니다. 지금 가겠습니다. 네. (전화 끊고) 하~ 너 이 소시오패스 새끼 진짜. 그래, 해보자 이거지? 그래 해봐. 해보자. 새끼야. 니가 나가나 내가 나가나 응? 한번 해보자구!

옥상 문 쾅 닫고 나가는 성 대리. 옷 탁탁 털고 셔츠 깃 바로 하며 피식 웃는 석율.

S#23 — 영업3팀, 낮

답답한 마음으로 영업3팀으로 걸어 들어오는 상식. 천 과장이 고개 돌리면 무거운 표정의 상식 보인다. 일어나며 뭔가 말하려는 천 과장 어깨를 툭툭 치고 자리에 앉는 상식. 가만히 모니터 쳐다보다가 마른세수하고 업무 시작하는 상식. 착잡한 얼굴로 다시 일하는 천 과장. 그런 분위기를 보는 그래… 그런 상식을 보는 고 과장, 문자 보낸다. 상식, 휴대전화 보면

고 과장   (E) 담배.
상식   (고 과장 본다)
고 과장   (찡그리고 상식을 본다)

S#24 — 옥상 정원 일각1(상식 쪽) + 일각2(대리들 쪽), 낮

고 과장   동식이 괜찮아?
상식   그렇지 뭐.

고 과장	에이그~ 참, 회사도 치사하게.
상식	…

그때 일각에서 대리들 떠들며 오는 소리가 들린다.

하 대리	(E) 축하해 황 대리.
성 대리	(E) 소시오패스 땜에 가뜩이나 회사 오기 싫은데 나도 주재원이나 신청할까.

소리 나는 쪽을 돌아보는 상식과 고 과장. 하 대리, 유 대리, 황 대리, 성 대리, 커피 혹은 담배 들고 일각에 선다. 고 과장과 상식이 보이지 않는 일각이다.

상식	황 대리 오늘 술 사야겠네.
고 과장	사야지.
성 대리	(하 대리에게) 넌 진짜 결혼하고 가려고 계속 미루는 거야?
하 대리	응, 그래야 안정적이지.
성 대리	(메시지 보내며 셋 힐끗 보고) 참, 김동식은 또 물먹었더라?
상식	(멈칫한다)
성 대리	걔는 참 인생 꼬여, 응? (웃는다) 오 차장은 뭐 하나에 꽂히면 일이 되는 것만 보느라 주변 사람들 힘든 건 돌아보지 않는 것 같애. 똑같이 개고생해도 실적 눈에 팍팍 띄는 팀이 좋은 거 아냐? 상사 복도 없어요. 일만 찾아다녀.

고 과장, 굳은 얼굴로 안 되겠다 싶어 나서려는데 제지하는 상식…

유 대리	그래도 팀 분위기는 좋잖아요.
성 대리	동호회냐? 동아리야? 분위기 따지게?
하 대리	열라 갈궈도 실적 나오는 일 잘 빼오는 상사가 좋은 거야.
성 대리	그럼~ 자기도 좋고, 나도 좋고, 같이 승진하고, 인센티브 나오고. 그러니까 결국 욕해도 사람들은 그런 팀을 원한다니까? 영업3팀? 골 때리는 일만 골라 하는 거지.

굳어 있는 상식을 돌아보는 고 과장.

고 과장	(안 되겠다) 가. 가. 쓸데없는 얘긴 왜 듣고 서 있어?

돌아서는 상식과 고 과장 등 뒤에서 말하는 대리들.

성 대리	팀장이 티도 안 나는 일 계속 물고 오면 갠 승진 언제 하냐? 자기 따까리야 뭐야?

완전 민폐 캐릭터잖아. 싸고도는 김 대리 그 자식이 더 웃겨.

고 과장 (화난) 저놈이 진짜. (막 가려는데)

상식 (잡으며) 뭐 하는 거야, 유치하게. 가. (간다)

고 과장 후… (따라간다)

S#25 — 영업3팀 + 영업2팀, 낮

동식, 전화 통화하며 바쁘게 일하고 있다. 그런 동식을 쳐다보고 앉아 있는 상식… 자리에서 그런 상식을 착잡하게 보는 고 과장. 황 대리 들어온다. 슬며시 일어나는 고 과장, 황 대리 보고 손짓한다. 황 대리 가면 뭐라뭐라 하는 고 과장, 황 대리 놀라서 상식을 봤다가 동식을 보는.

S#26 — 중앙 정원, 밤

동식 (놀란 얼굴로) 뭐?!

황 대리 (울상으로) 어쩌냐… 우리가 경솔했다. 들으셨을 거라고 생각 못 했어.

동식 (왔다 갔다) 아~ 나 진짜 미치겠네! 아~ 나 진짜! 아~ 진짜 이 인간들!

멈춰 서서 황 대리를 확! 돌아보는 동식. 그 위로.

동식 (E) 야 이 나쁜 새끼들아!

S#27 — 술집, 밤

취해서 비틀거리지만 목소리만은 꼬장꼬장한 동식. 그 앞에 하 대리, 유 대리, 강 대리, 성 대리, 황 대리가 한참 들은 듯 지친 모습으로 술을 마시며 바라보고 있다.

동식 (버럭버럭) 너희가 내 상사에 대해서 뭘 알아? 너희들이 오 차장님처럼 할 수나 있고 그런 말을 해? 이 나쁜 새끼들. 하 대리, 유 대리, 이 입도 삐뚤어지고 말도 바로 못 하는 놈들.

하 대리 (그 말에 울컥, 벌떡 일어나며) 뭐? 이 자식이 보자 보자 하니까.

유 대리 (하 대리를 잡으며) 아유… 술 취해서 정신 빠진 거 안 보이세요? 이럴 때 잘못 건드리면 꼭지 돈다고, 김 대리님.

동식 (다시 고함) 야! 이 씨삐삐삐삐들아! 니들이 우리만큼 욕먹어봤어?

(의자에서 떨어질 듯 비틀비틀) 내가 요즘 너무 욕을 먹어서 배가 안 꺼져 이 새키들아.
(다시 비틀~) 이 살이 다 욕살이다! 이 새끼들~

황 대리   동식아, 일어나자. (하면서 동식을 일으킨다)

동식   (일어나면서도) 야! 이 씨삐삐삐삐! 이 씨삐삐삐삐야!

성 대리   (혀 끌끌) 김동식 이 자식도 소시오패스네~ 아… 세상이 어떻게 되려고.

다들, 듣기 괴로운지 얼굴이 일그러진다. 강 대리, 그 와중에 의연하게 소주 한 잔 마시려고 하는데, 동식이 욱! 하며 토하는 포즈 취하면 성 대리, 재빨리 쓰레기통을 툭 발로 차서 받아낸다. 강 대리, 욱~ 괴롭게 술잔 내려놓는다.

강 대리   (짜증스럽게 하 대리에게) 그 자리에 있지도 않은 나는 왜 부른…

하 대리   (강 대리 입에 안주를 확 밀어 넣어버리고) 동기 좋다는 게 뭐야? 신입 때 기억 안 나. 김동식 땡깡 부리기 시작하면 우리 넷이서도 감당 안 되는 거?

유 대리   그러니까요. 김 대리님 땡깡은 우리 팀 다 덤벼도 못 버텨.

황 대리   (어이없고) 야… 멱살은 자원팀이 먼저 잡았지. (토하는 동식 혼자서 힘겹게 잡고 버티다가) 야~ 와서 좀 도와들~

동식   (토하고 비틀비틀 서서) 내가 좋아서 일하고 있는 거 안 보여? 우리 오 차장님한테 한마디를 해도 내가 해야지 니들이 왜 지랄들이야!

하며 옆에 있는 채소들 막 집어 던지는데, 성 대리 얼굴에 막 맞는다. 성 대리, 울컥해서 다가오는데 동식, 난리를 부리고 바닥에 드러눕는다. 어어어어~ 하면서 뒤엉켜 잡는 네 사람. 강 대리, 그대로 앉아서 상황은 무시하고 소주만 홀짝거린다. 다시 또 손을 뿌리치며 버럭 하는 동식, 난리통에 어쩔 수 없이 일어나서 돕는 강 대리. 동식을 잡고 나가려고 안간힘을 쓰는 대리들.

S#28 ── 영업3팀, 밤

문제의 서류를 책상 위에 두고 멍하니 혼자 앉아 있는 상식. 문득 뭔가 열심히 하고 앉아 있는 그래의 뒷모습을 물끄러미 보다가…

상식   장그래.

그래   네.

상식   뭐 하는 거야? 일이 많아?

그래   아… 아뇨.

상식   왜 안 들어가고 그러고 있어?

그래   (머뭇거리다가) 차장님이… 안 가시니까…

상식	(피식 웃으며) 가.
그래	…저… 차장님… 무슨 일 있으세요…?
상식	(흘깃 보고) 없어. 가.
그래	네… (일어나서 가방 챙기면)
상식	살면서 누구를 만나느냐에 따라 인생이 달라질 수 있어. 파리 뒤를 쫓으면 변소 주변이나 어슬렁거릴 거고 꿀벌 뒤를 쫓으면 꽃밭을 함께 거닐게 된다잖아.
그래	? … (수줍게 웃으며 도 터진 소리로) 아~ 그래서 저는 지금 꽃밭을 걷고 있나 봅니다.
상식	(보다가 픽 웃으며 끄덕이며) 그래…

S#29 — 거리 + 상식의 집, 밤

쓸쓸하게 걸어가는 상식,

[Flashback] S#24

성 대리	팀장이 티도 안 나는 일 계속 물고 오면 걘 승진 언제 하냐? 자기 따까리야 뭐야? 완전 민폐 캐릭터잖아. 싸고도는 김 대리 그 자식이 더 웃겨.

점점 더 가라앉는 상식… 전화 온다. 보면 '무서운 마누라'. 받으며

상식	어~ 마누라.
준우	(E) 나 마누라 아닌데? 아빠 나 준우야~
상식	오~ 우리 막내~
준우	(E, 상식 아내 소리 들린다. "또 술 먹었냐고 물어봐.") 아빠 또 술 먹었어요?

이하 분할 화면.

상식	아니~
준우	(전해주는) 아니래. 근데 아빠 큰형아 태권도 1등 했대. 나도 받아쓰기 100점 맞았어. 짝은형아 꼴등 했대.
상식	(웃으면서 듣다가) 하나씩 말해야지~
준우	아빠 지금은 안 바빠? 길게 얘기해도 돼?
상식	그럼~ 되~지. 짝은형아도 꼴등 해도 돼.
준우	정말? 그럼 나도 꼴등 해도 돼?
상식	작은 형아만큼 양보 잘 할 거야? 그럼 해도 돼.

준우 "엄마가 양보 많이 하면 바보랬는데? 욕심이 좀 있어야 잘 산대." "허허허, 우리 막내 욕심이 뭔지 알아?" 주절주절 통화하면서 걸어가는 상식.

S#30 — 거리, 밤

동식　　　(바락바락) 그래! 나 힘없는 팀 와서 콩고밖에 못 간다! 근데… 그게 우리 팀 잘못이야? 오 차장님 잘못이야?

하면서 대리들을 훅~ 쳐내고 난리를 부린다. 대리늘, 그 난리 봉에 바닥을 뒹굴고 노저히 안 뇌겠다는 얼굴로 일어난다. 동식을 가운데 잡고 동식 포함 여섯이 일렬로 쭉 서서 정신없이 축 쳐진 동식을 가까스로 메고 있는 상태다.

하 대리　　　(꿍 힘겹게) 니들 김동식 집 알아?
일동　　　(고개를 가로젓는다)
유 대리　　　(얼른) 우리 집은 안 돼요. 아버지, 어머니 올라오셨어요.
황 대리　　　(재빨리) 난 와이프가 몸이 좀 안 좋아.
성 대리　　　우리 집 좁은 거 알잖아. 김동식 못 눕힌다고. 너는?
하 대리　　　(머리 헝클어트리며) 나는 지금 형네 집에 있잖아.

다들… "아~" 하고는 천천히 강 대리를 바라본다.

강 대리　　　(눈빛 느끼고, 당황) 안 돼.
일동　　　왜?
강 대리　　　더러워 (일동을 훑으며) 다. 그냥 휴대전화로 집 번호 찾아서 전화해.
황 대리　　　(힘겹게 버티며) 동식이 혼자 살잖아.

처참한 몰골의 대리들, 점점 힘이 빠지고.

하 대리　　　(어쩔 수 없는) 가자!

S#31 — 모텔 안, 밤

침대 위, 동식이 러닝셔츠에 팬티 바람으로 가운데 누워 있다. 벗겨 던져진 양복과 와이셔츠도 널브러져 있다. 적당히 입거나 벗고 기운 빠져 서 있거나 앉아 있는 대리들. 완전히 힘없이 널브러

하 대리	(기가 찬 한숨) 정말 너희들이랑 이런 데 올 줄은 몰랐다.
유 대리	와~ 이 와중에 성 대리님은 튀신 겁니까? 와~
하 대리	김동식, 저 자식 언제 저렇게 살쪘어? 신입 때보다 더 무거워.
유 대리	저는 바지 벗기다가 기절할 뻔했어요. 이건 다리가 코끼리야. 힘들어 죽겠어요.
강 대리	그러니까 그냥 휴대전화 찾아서 시골집에 전화하자고 했잖아.

그때 황 대리, 갑자기 피식 웃음 터트리고 아무렇지 않게 동식의 옆에 발랑 눕는다.

황 대리	(일동 보면서) 그래도 우리 동식이 덕분에 오랜만에 뭉치네? 그지 않냐?
하 대리	(픽~ 코웃음 치며) 하긴 처음에는 우리 많이 가까웠는데. 이제는 실적이다, 라인이다, 경쟁이다, (씁쓸하고) 그러네.
유 대리	(생각 없이 툭) 그래도 자원팀이 갑입니다.

하 대리, 유 대리도 힘 빠진 듯 눕는다. 일동, 너는 왜 안 오냐는 듯 강 대리 보는데,

강 대리	난 이런 데서 안 자.

하면서 꼿꼿하게 의자에 있는다.

Cut to.
강 대리, 앉아서 팔짱 끼고 잠들어 있고, 드르렁드르렁 코를 골며 잠든 대리들. 그 가운데 동식.

S#32 ─ 원인터 외경, 낮

S#33 ─ 영업3팀 + 통로, 낮

화장실 쪽에서 들려오는 우웩우웩 토하는 소리. 그래, 화장실 쪽을 본다. 상식은 굳은 얼굴로 동식의 빈자리를 보고 있다. 잠시 후 초췌한 얼굴로 화장실에서 나오는 동식.

그래	괜찮으세요?
동식	어… (꾸벅) 죄송합니다. (자리에 앉는다)
천 과장	약이라도 먹지.

착잡하게 동식을 바라보다가 쓱 일어나 나가는 상식. 동식, 자리로 가며 그 모습을 바라보는데, 상식, 가면서 누군가에게 문자를 보낸다. 이내 동식의 휴대전화로 오는 문자. 상식이다. "옥상에서 좀 보자."

S#34 ── 옥상, 낮

상식, 옆에 동식이 말없이 서 있다.

상식	(침묵 깨고) 동식아.
동식	네…
상식	팀… 바꿔줄까?
동식	무슨 말씀이세요.
상식	우리 팀 힘들잖아.
동식	…어제… 일 얘기 들었어요…
상식	(당황해서 본다)
동식	죄송해요. 그리고 신경 쓰지 마세요. 저 절대 걔들처럼 생각 안 해요.
상식	…자식아, 그 때문이 아니고… 난, 그래. 일 욕심만 우라지게 많아서 여기 있는 거야. 근데… 난 그리고 싶어서 그러는 건데… 너는 그게 아니잖아. 내가 일만 하다 보면 주변을 잘 못 볼 때가 많아. 그래서,
동식	(OL) 차장님.
상식	(보면)
동식	전 차장님하고 일하는 게 좋아요. 그뿐이에요. 그리고, 제 일은 제가 알아서 할게요. 팀 바꾸고 싶으면, 그땐 꼭 제대로 말씀드릴게요.
상식	(본다) …
동식	…
상식	…그래. 맞다. 일하자, 일. 영업1팀이랑 진행하던 베트남 건은 어떻게 됐어?
동식	차 대리가 자료는 검토하라고 미리 보내주긴 했는데, 선 차장님께 보고 완료된 건은 아니라네요. 선 차장님 오셔야 진행되겠어요.
상식	그래?

S#35 ── 공항 주차장, 낮

선 차장, 초췌한 모습으로 캐리어를 끌고 통화를 하면서 나온다.

선 차장　한 시간 내로 회사로 복귀하겠습니다. 네⋯ 보고서는 화요일까지 만들어
　　　　보내겠습니다. (본인의 차 앞에 선다. 설득이 안 돼서 답답한) 우선 보고서 보시고
　　　　다시 말씀하시죠. 네네. (하고는 전화 끊는다)

피곤한 한숨 푹~ 내쉬고는 차를 타는 선 차장, 얼굴이 어둡다.

S#36 — 도로, 낮

신호에 걸려 서 있는 선 차장의 차. 선 차장, 피곤한 듯 눈을 떴다가 감았다가 하면서 지끈거리는 머
리를 꾹꾹 누른다. 그래도 피로가 안 풀리는지 머리를 짚고 있다가 신호가 바뀌면 뒤늦게 출발한다.

S#37 — 차 안 + 차 밖, 낮

핸즈프리로 전화 통화하며 가고 있는 선 차장.

선 차장　(머리가 아픈 듯 인상을 찡그리며) 그래, 베트남 건은 내가 이미 비행기 안에서
　　　　검토했어. 응. 인력 비용만 좀더 높게 산정하면 될 듯해. 그래, 영업3팀에도
　　　　그렇게 전하고.

하고 전화 끊는데, 눈앞이 핑그르르 도는 선 차장. 눈이 까무룩 감기는 듯 질끈 감고는 "아~" 하
고 신음을 뱉다가 도저히 안 되겠단 듯 차를 옆으로 댄다. 창문을 열고 어지러운 머리를 짚고 있
다가 차에서 내리는 선 차장. 차 밖으로 내려서는 선 차장. "후~" 하고 공기를 들이 마신다. 그리
고 그대로 푹 쓰러진다.

(E) 구급차 사이렌 소리.

S#38 — 병원 복도, 낮

환자 운반차 위 정신을 잃은 채 밀려 들어오는 선 차장, 급히 응급실로 옮겨진다.

S#39 ―― 영업1팀, 낮

문서 넘기고 있는 엄 과장. 차 대리, 타닥타닥 엑셀 작업을 하고 있는데 울리는 전화.

차 대리   (받으며) 네, 영업1팀 차경호 대립니다. (의외라는 듯) 아, 네. (하다가 깜짝 놀라며) 네? (엄 과장을 돌아본다)

엄 과장   (뭔가 싶어 차 대리를 본다) 뭐야? 무슨 일인데?

상식   (지나가다가 엄 과장 목소리에 쳐다본다)

차 대리   예, 알겠습니다. (전화 끊고) 과장님, 차장님이 쓰러지셨대요! 공항 인근에서 구급차에 실려 가셨다는데요!

엄 과장   뭐?

상식   (급히 들어오며) 무슨 소리야?!

S#40 ―― 입원실, 낮

자고 있는 선 차장을 내려다보고 있는 남편. 노크 소리에 "네" 하면 다급히 들어오는 상식. 엄 과장, 차 대리 뒤따라 들어온다.

남편   (상식 보며) 아, 오셨어요. (인사한다)

상식   좀 어때요?

남편   종합검사 해봐야 아는데 스트레스와 과로 때문에 생긴 수면 장애가 1차 원인이랍니다. 며칠 입원해야 한다네요.

차 대리   요즘 계속 야근하신 데다 바로 해외 출장까지… 너무 무리하셨어요.

상식   (선 차장을 걱정스레 본다)

S#41 ―― 병원 로비 혹은 정원 혹은 적당한 일각, 낮

아직 좀 놀라고 걱정스러운 얼굴의 남편, 상식과 나란히 앉아 있다.

상식   넘어진 김에 쉬어 간다고, 좋게 생각해요. 선 차장 너무 무리했어.

남편   …속상하고 미안하네요. (씁쓸해서) 저 승진했거든요.

상식   어? 그래? 축하해요! 허허… 그 좋은 걸 말하는 표정이 왜 이렇지?

남편   실은 그 일로 싸웠습니다. 나 승진했으니까 이제 회사 그만두라고 푸시를 좀 했어요.

상식	(좀 놀란다)
남편	힘들어하더라구요. 내가 너무 밀어붙인 거 아닌지 모르겠습니다.
상식	그만둔다고, 선 차장?
남편	아뇨… 싫다더라구요. 15년을 버텨온 자기 자신과 마찬가지인 자기 일이라면서… 자기를 지켜야 가정도 사랑할 수 있다면서.
상식	(표정)

저쪽에서 차 대리와 엄 과장이 걸어온다.

차 대리	오 차장님 저흰 이제 들어갈까 합니다.
상식	그래 나도 가야지.
남편	(시계 보고) 저도 애 데리러 가야겠네요. 소미 데리러 가야 돼요. (상식 보며) 따로 연락드릴게요. 바쁘실 텐데 고맙습니다.
상식	어, 그래 어서 가봐요.
남편	(차 대리, 엄 과장에게) 와주셔서 감사합니다. 그럼 또.

인사하고 들어가는 남편. 착잡하게 병실 쪽을 돌아보는 상식.

차 대리	오 차장님, 우리 팀장님 좀 말려주세요.
상식	(보면)
차 대리	지금 하는 파키스탄 모포 수출 건이요. 해도 빛도 안 나고 회사에서도 껄끄러워하는데, 왜 팀장님 혼자만 밀어붙이시는지 이해가 안 돼요.
상식	(쓴웃음 지으면)
엄 과장	하긴 오 차장님이나 선 차장님이나네요. 어쨌든 우린 선 차장님 없으면 안 되니까 병원에 입원하시는 동안 푹 쉬시고 일 걱정일랑 말라고, 차장님이 동기시니까 잘 좀 말씀해주세요.
상식	(생각 많은 너털웃음 웃고) 아, 먼저들 들어가. 난 일 좀 더 보고. 수고. (하고 뒤돌아서 간다)
차 대리/엄 과장	예~

S#42 — 입원실 안, 저녁

선 차장, 눈 감고 누워 있다. 문이 살그머니 열린다. 상식, 들어오는데 깨어나는 선 차장.

상식	어? 깼어? 좀 괜찮아?

선 차장	(힘없이) 뭐 하러 오셨어요…
상식	놀랐잖아. 며칠 입원해야 한다네?
선 차장	네…
상식	엄 과장, 차 대리 왔다 갔어. 선 차장 걱정 많이 해. 이참에 푹 쉬라고. 일은 걱정하지 말라던데.
선 차장	(헛웃음) 걱정요…
상식	(뭔가 이상하지만 내색 않고) 파키스탄 건 그거 딜레이가 가능한 건가? 일단 홀딩해놓고 푹 쉬고 퇴원해서 다시 두 배로 일하면 되지.
선 차장	하지 말까 봐요.
상식	(살짝 놀라서 본다)
선 차장	이 일 할 수 없을 것 같아요.
상식	딜레이가 안 되면 엄 과장하고 차 대리가 진행하면 되지…
선 차장	…
상식	그 얘기가 아니면, 남편이 회사 그만두라고 한 것 때문이야?
선 차장	(옅은 한숨) 남편 말 때문에 정말 그만둘까 고민하고 있을 때 이 부장님께 상의를 한번 한 적이 있어요… 그런데 그 말을…

[Flashback] 탕비실 안
선 차장, 들어와서 커피 타려는데

엄 과장	(E) 선 차장님 얘기 들었어?
선 차장	(멈칫, 휴게실 쪽을 본다)
차 대리	(E) 뭐요?
엄 과장	(E) 이 부장님한테 그만둔다고 했던 말… 철회하신 모양이야.

선 차장, 조용히 휴게실 쪽으로 가서 본다. 차 대리와 엄 과장, 얘기하고 있다.

차 대리	(E) 네에? (실망하는) 아… 그래요? 그럼 과장님 차장 진급이랑 제 승진은…
엄 과장	더… 기다려야 되는 거지…

황급히 나가는 선 차장.

[Flashback] 제11국 S#29 영업1팀
차 대리   저 영업3팀 가기 싫어요. 차장님 밑에서 오래 일하고 싶어요.

선 차장	(쓰게 웃으며) 가족처럼 생각하고 개인적인 것까지 다 케어해줘도 결국
	먹이 사슬에서는 치고 올라오는 생각을 하는 거더라구요. 제가 그만둔다는데…
	기회라고 생각하고 은근히 기대를 했던 거죠. 엄 과장도, 차 대리도. 그래서…
	그냥… 몸까지 아프니까… 하고 싶지 않네요. 전부 다.
상식	(쓸쓸하게 보며) 엄 과장이나 차 대리나 다른 팀 있다가 온 지 1년도 안 됐잖아.
	그래서 그래. 주재원 간 오 대리는 신입 때부터 선 차장 밑에서 배우면서
	선 차장 존경한다는 말을 입에 달고 살았잖아. 선 차장한테 잘 배워서
	그룹 본사 간 양 대리도 있고,
선 차장	(끄덕이며 미소) 그랬죠… 보고 싶네요.
상식	오 대리 들어오면 또 달라질 거야. 기다려봐.
선 차장	(작은 미소)

S#43 — 원인터 로비, 밤

착잡한 얼굴의 상식, 로비로 들어서는데, 최 전무가 비서와 함께 나온다. 상식, 인사하면

최 전무	어. 저녁은 했나?
상식	네.
최 선무	아… 선 차상이 쓰러셨나고?
상식	네, 과로와 스트레스랍니다.
최 전무	음… 저런… 관리 잘해야지. 자네도 스트레스성 식도염이 있었지 아마?
	꽤 고생했지?
상식	(떨떠름하게) 네…
최 전무	그래, 가보게. 아, 장그래 사원 담당자 바뀐 건 내 얘기 들었어. 안됐어.
	규정이니 어쩌나. 힘을 좀 써보려도 여의치 않아.
상식	…아닙니다.
최 전무	회사가 모질긴 하지. 그래도 공이 있는 친군데 말이야. 이러니 힘을 길러야 돼.
상식	(싸하게) …
최 전무	그렇게 계속 계약직 사원들 갈아 치우면 회사로도 안 좋다구. 그때마다
	처음부터 다시 가르쳐야 되잖아. (상식의 어깨 툭툭 치며) 언제 밥 한번 하자고.
	(웃음을 남기고 간다)
상식	(의아하게 보는)

영업3팀 향해 걸어가다 영업1팀 앞에 멈춰 서는 상식. 1팀 사무실 쳐다본다. 일하고 있던 엄 과장과 차 대리. 상식이 걸어 들어가자 꾸벅 인사한다.

상식	엄 과장, 파키스탄 건 말이야. 차 대리랑 맡아서 계속 진행할 거지?
	내가 뭐 도와줄 건 없나?
차 대리	(당황하며) 네? (엄 과장 쳐다본다)
엄 과장	(답답한 듯) 아… 차장님, 아까 저희 말씀 뭘로 들으셨어요.
상식	(본다)
엄 과장	선 차장님 설득 못 하신 거예요?
차 대리	차장님. 저희 진짜 죽을 맛이에요.
선 차장	(E, S#42, 쓰게 웃으며) 가족처럼 생각하고 개인적인 것까지 다 케어해줘도
	결국 먹이 사슬에서는 치고 올라오는 생각을 하는 거더라구요.
	제가 그만둔다는데… 기회라고 생각하고 은근히 기대를 했던 거죠.

선 차장 말 떠올리며 울컥하는 상식. 엄 과장과 차 대리 노려보듯 보면, 상식 시선 피해 다시 일하는 엄 과장과 차 대리. 휙 돌아서 걸어 나오는 상식. 파쇄하려고 자리에서 일어나며 상식을 쳐다보는 그래.

S#45 ─ 영업3팀, 밤

천 과장, 컴퓨터에서 검색한 "중국 태양열 발전소 사업과 포신유한공사"의 관련 기사 자료를 보고 있다. 동식과 그래는 일하고 있다. 들어오는 상식 보며 인사하는 그래. 일하던 천 과장과 동식도 돌아보며 인사한다.

동식	선 차장님 좀 어떠세요?
상식	(자리로 가며) 응, 괜찮아.
동식	놀랐어요.
상식	(건조하게) 일 다 끝났으면 퇴근들 해.
일동	네.
천 과장	(정리하고) 그럼, 먼저 가보겠습니다.
상식	응, 월요일에 봐.

그래에게 인사하고 나가는 천 과장과 동식. 상식을 다시 돌아보고 나가는 천 과장.

그래	(파쇄할 종이 들고 일어나는 그래) 전 이것만 파쇄하고 퇴근하겠습니다.
상식	응. (생각난 듯) 아, 장그래. 한석율이 혹시 퇴근했나?
그래	아직 안 한 것 같던데요?
상식	전화 좀 연결해줘.
그래	네. (전화 걸고…) 한석율 씨, 잠시만요. (상식에게 전화 돌린다)
상식	(전화 받으면) 어, 나 오 차장인데. 너희한테 파키스탄 건 업무 협조 기획안 간 거 있지? 영업1팀에서 진행하는 거. 그거 좀 갖고 와줘.

S#46 ― 섬유팀, 밤

전화 받고 있는 석율. 책상 위엔 영수증과 A4 용지들 어지럽게 올려져 있다.

| 석율 | (얼떨떨하지만) 알겠습니다! 하던 일 정리하고 8분 이따 달려가겠습니다. |

고개 돌려 전화 끊는 석율의 눈치 슬쩍 보곤 다시 일하는 성 대리.

석율	(다시 영수증 정리하던 것들 보다 한숨 쉬며) 하… (고개 돌려) 성 대리님?
성 대리	왜?
석율	(일어나서 성 대리에게 다가가 영수증 더미 주며) 이거 뭡니까?
성 대리	뭔데.
석율	(어이없다) 뭔 파스타집에서 접댈 해요…
성 대리	뭐? 그게 어쨌다구? (다시 꼬듯 보며) 바이어가 파스타 좋아한다는데 그럼 억지로 삼겹살 먹이러 가? 걔 취향이잖아. 문제있어?
석율	(영수증들 보며) 13일 저녁 5만 7,000원, 18일 밤 12만 5,000원, 21일 낮 4만 7,000원. 파스타집 투어 다니는 것도 아니고.
성 대리	(볼펜 탁! 놓으며) 아~ 자식 말 많네.
석율	(말없이 내려다본다)

그때 울리는 성 대리 책상 위 전화.

| 성 대리 | (전화 받곤) 네, 이 부장님. 아~ 네, 알겠습니다. 아닙니다. 아, 그게 아니라. |

콧방귀 끼며 상식에게 줄 서류 찾는 석율. 서류 들고 나가려는데

| 성 대리 | 네. 아뇨. 가겠다니까요. 아, 정말 이럴래? 간다니까. (헉 하고) |

네. 네. 그럼 좀 이따 뵙겠습니다.

서류 들고 걸어가던 석율. 잘못 들었나 싶어 성 대리 한 번 힐끗 보곤 다시 가다가 급히 책상 위에 작은 홍삼 상자를 휙 들고 다시 간다.

S#47 ── 영업3팀, 밤

석율에게 받은 서류 넘겨 보고 있는 상식. 골똘히 생각하며 계속 본다.

석율	(그래에게 얼른 홍삼 주면서 속닥) 하나밖에 없어. 빨리 먹어.
그래	(엉겁결에 받아서 먹는데)
상식	(고개 든다)
그래	(홍삼 먹다가 얼음이 된다)
상식	혼자 먹어?
그래	네?
상식	(석율에게) 한석율 씨, 오늘 불금인데 업무 많나?
석율	업무요? 아뇨. 이제 퇴근하려구요.
상식	그래? 그럼 오늘 불금 잘 보내고 내일 아침에 킹스 호텔에서 좀 만나자.
석율	(깜짝) 네? (어리둥절해서 그래를 본다)
그래	(역시 어리둥절한 눈으로 석율을 본다)

S#48 ── 병실 안, 밤

선 차장 어이없게 상식을 올려다본다. 상식, 석율이 준 '파키스탄 모포 수출 건' 기획안을 아무렇지 않게 착착 넘겨 본다.

선 차장	(이해가 안 되는) 저 대신 파키스탄 건 보고서를 만들어주신다구요?
상식	어… 화요일에 보고랬지? 내 하던 일이 아니니까 한계는 있을 거야. 일요일 오후까지 80퍼센트 만들어둘게. 당신이 하루 더 손봐.
선 차장	(당황해서) 아니… 오 차장님.
상식	내가 힐링 좀 하려고 그러는 거야, 힐링. 좀 생각할 것도 있고.
선 차장	아니 무슨 힐링을 남의 일 대신해주면서 해요.
상식	그게 내 방식이야. 왜? 맘에 안 들어?
선 차장	(본다…)

상식	정말 접어?
선 차장	…네.
상식	(그럴 줄 알았다. 잽싸게) 아이! 그르지 마!
선 차장	(어이없이 본다)
상식	대금 회수 못하면 바터로 철강으로 대금 받으면 돼. EPC 건으로 풀어도 되는 거이라고.
선 차장	(본다) …
상식	최대한 하는 데까지 해보라구. 그래야 안 돼도 후회가 없어.
선 차장	(본다) …혼자 힘들어요.
상식	어… 그거라면 걱정 마. 혼자 안 해.
선 차장	네?
상식	(자료로 눈 돌리고) 선 차장 자료들 어딨어? 아! 파키스탄에서 바이어, 관련 담당자 회의 녹음했지?
선 차장	(본다)

S#49 —— 견인 차량 보관소, 낮

견인 차량 보관소 외경. 견인 차량이 줄지어 대어 있다. 그 사이에서 그래, 열쇠를 들고 차를 찾고 있다.

선 차장   (E) 견인됐을 거예요. 남편이 아직 못 찾아왔다더라구요.

그중 한 대의 차로 다가가는 그래, 얼른 열쇠로 문을 연다.

S#50 —— 차 안, 낮

운전석에서 벨트를 매고 앉는 그래. 조수석에 놓인 노트북과 서류 가방 그리고 서류봉투 등. 그래, 미러를 맞추는데 조수석에 눈에 띄는 슈퍼 비닐봉지가 옆으로 쓰러져 있다. 그래 돌아보면, 쓰러진 봉지 안에 삐죽 나온 고무장갑과 주방세제, 가루비누 등, 장을 보고 못 내린 공산품들. 그래, 다시 고개를 돌리는데 운전석 위에 놓인 한입 베어 물고 놔둔 빵. 그래, 한동안 보다가 시동을 건다.

S#51 —— 호텔 객실 앞 + 안, 낮

선 차장의 서류 가방과 자신의 가방을 메고 호텔 객실 앞에 서 있는 그래의 눈앞에서 문이 확 열

　　　　린다. 깜짝 놀라는 그래. 어리둥절하다.

영이　　　왔어요?

그래　　　영…이 씨.

들어가는 영이를 따라 어리둥절하게 들어서면 일하고 있는 백기와 상식.

백기　　　(일하며 보지도 않고) 왔어요?

그래　　　어…

상식　　　(보지도 않고 손짓하며) 빨리빨리.

그래, 얼른 선 차장 가방 갖다주고 다시 앉아 있는 영이와 백기를 본다.

영이　　　오 차장님이 전화하셨어요. 주말에 할 일도 없고…

그래　　　(백기를 보면)

백기　　　(일하면서) 전 오 차장님 협박에.

그래, 어리둥절 보는데 벨소리. 상식, 그래에게 문 열라고 손짓한다. 그래, 가서 문 열면 모포 샘플과 서류가방 들고 있는 석율, 그래 보고 투덜.

석율　　　아~놔. (그래 앞으로 바짝 와서 투덜, 속닥) 이게 말이 되냐고? 왜? 어째서? 우리가 이 시간에 여길 있어야 되냐고? 우린 오늘 예비 스튜어디스들이랑 공공칠빵이라도 하고 있어야 된다고.

그래　　　(당황)

석율　　　아~놔. 다 날라갔다고, 내가 진짜, 언제 스튜어디스랑

상식　　　(Off) 뭐 하는 거야? 빨리 갖고 와!

석율　　　(그래를 휙 밀고 들어서며) 모포 샘플 도착했습니다.

영이와 백기가 앉아 있는 테이블 위에 모포 샘플 하나만 딕 놓는다.

상식　　　(어이없게 보며) 얀마! 내가 샘플 여러 개 뽑아 오라고 했잖아.

얼른 주머니에서 계산기 척 꺼내서 타다닥 누르며 계산하는 석율.

석율　　　원단 가격 코튼 2.96불, CVC 2.53, TC 2.12. (다시 계산기 탁탁 두드리며) 부자재 USD로 0.20불 공임, 가공비죠. 1불 한 장당, 종류당 4.16, 3.73, 3.32불로

주문받은 5만 야드면 최소 15만 불 들어갑니다.

상식   15만 불?! 너무 비싸잖아!

석율   비싸죠! 비쌉니다! 그런데! 제가 꼬불쳐놨던 원단이 있습니다. (샘플 가리키며)
조기 조~ 천, 로스분과 원단 문제로 아무도 안 가져간 여분 4만 7,928야드.
결론적으로! 재고분이므로 원단비 필요 없고, 부자재 필요 없고, 가공비 장당
1불. 모자라는 원단도 근처 공장들에서 우리 아저씨들이 확보해주시겠답니다.

상식   (흠… 헛기침하며) 어… 그럼 생산 라인 확보가 문제네.

석율   그건 제가 어떻게든 되게 만들어 오겠습니다.

일동   오~

상식   좋아. 그럼… (하다가 그래를 돌아보며) 장그래! 일 안 해?

그래   (정신 확 들고) 네!

S#52 ── 호텔 외경, 낮

S#53 ── 호텔 거실, 낮 · 밤/몽타주

백기, PPT 파일 만들고 있고, 영이는 자료를 조사하고 있다. 석율, 울산 공장에 전화해서 생산라인 확보하려고 통화하고 있다.

석율   아휴 아저씨~ 제가 라인 스무 개 다 파악하고 있는데? 또 이런다. 다~ 아는데,
그래도 이번 말레이시아 은행 유니폼 수주 끝난 자리에 두 라인만 밀어주십쇼~
정말요? 네에~~ (전화 끊고 브이 하며) 라인 일곱 개 확보!

그래, 자료 중에서 녹음기에 이어폰을 꽂고 있다.

상식   니가 하게?

그래   네, 제가 이제 녹취록 작성 도사입니다.

귀에 이어폰 꽂고 플레이 누르고 노트북에 옮길 준비하던 그래… 잠시 그대로 있더니 아무렇지
도 않은 얼굴로 녹음기를 툭 끄고 이어폰 빼서 영이 앞에 쓱 밀어놓는다. 영이, 의아하게 보면

상식   (픽 웃으며) 영어겠지.

그래   (영이를 보며 당연하다는 듯) 네, 그렇습니다.

영이   (머쓱하게 이어폰을 꽂고 녹음기를 켠다)

영이   (듣고) 안녕하세요. 원인터내셔널 선 차장입니다. 네, 파키스탄 보건부 커러시
          디부입니다. 여기까지 와주셔서 감사합니다. 아닙니다. 저희에게 이런 좋은
          기회를 주셔서 오히려 감사드립니다.

영이가 불러주는 대로 타이핑하는 그래, 중간에 못 받아썼다고 하면 멈추고 다시 돌려 다시 통역
해주는 영이. 손발이 척척 맞는 두 사람.

Cut to.
피곤한 기색이 역력한 모습으로 상식, 자료를 넘겨 보고 있다. 백기의 PPT를 확인하는 그래와 영
이. 갖고 온 노루꿀을 타서 돌리는 석율.

영이   음… 여기 중장기적 이익에 대해서는 좀더 추가해야 하지 않을까요?
백기   아… 대금 결제를 받았을 때 원인터 이익을 좀 강조하면서요?
영이   (고개 끄덕인다)
석율   (보다가) 여기 모포 가격 에스티메이션이 틀렸네.
백기   어? 그러네. (하며 타다닥 고친다)
그래   (유심히 보며) 모포별 가격, 성능은 엑셀 파일로 첨부하는 건 어떨까요?
영이   좋네요. 상무님 입장에선 자료만 넘쳐나는 PPT 선호하지 않을 수 있어요.

Cut to.
같은 장소, 밤. 의자에 기대어 잠든 상식. 하품하는 백기, 피곤한 듯 목을 주무르는 영이. 엑셀 파
일을 만들고 있는 그래. 석율, 졸고 있다가 파일을 후두둑 바닥에 떨어뜨린다. 그래, 일어나서 파
일을 주워 테이블에 올리고, 세 사람을 보다가 문 쪽으로 간다.

영이   (PPT 자료 보다가) 어디 가요?
그래   바람 좀 쐴까 하고요.
영이   (일어나며) 나도 가요.
백기   (얼른 나서며) 나도.

나오는데 석율, 눈을 번쩍 뜬다.

석율   어디 가?
세 사람   (대답 없이 우르르 나간다)
석율   (속삭이듯) 어디 가냐니까?

스트레칭하면서 나오는 그래와 영이와 백기, 난간에 올라앉았거나 기대선다. 캔 맥주 들고 나오는
석율, 영이에게도 하나 던져주고 그래와 백기에게 한 캔씩 나눠준다. 영이만 빼고 다들 캔 따서
마시는. 석율 벌컥벌컥 마시고,

석율	오 차장님은 증말 대단하셔. 어떻게 이래? 이 꽃청춘들이 주말에, 합숙을, 게다가 우리 중 그 누구의 팀도 아닌 다른 팀 일에. 우리 게릴라 부대야? 인간 병기야? 엉?
그래/백기	(표정/맥주 시원하게 마시는)
석율	근데, 작업 내내 이런 생각 들더라. 나중에 내가 이런 일을 당해. 그럼 당신들은 오 차장님처럼 할 수 있을까? 할 수 있어? (세 사람 착착 본다)
세 사람	(본다)
석율	내가 캐릭터별로 리액션 맞춰볼까?
영이	(웃으며 자기도 모르게 맥주 캔을 흔든다)
석율	장그래? 한밤중에 허기에 모욕을 당하지 않으려면 컵라면을 챙기는 게 어떨까요? 아! 이번에도 맘에 안 들면 판을 흔들어보겠습니다.
영이/백기	(푸하하 웃는다)
그래	(당황해서) 아~ 무슨…
석율	장백기는? 전 당장 가고 싶지만 지금 소금에 절여져 있어서 움직이기 힘듭니다. 기본까지 철저하게 절여진 후 가겠습니다.
영이/그래	(깔깔 웃는다)
백기	(당황해서) 한석율 씨!
석율	안영이는? 전 트럭이라도 몰고 꼭 가겠습니다. 다만 김 여사 운전이라는 점은 감안해주십시오.
백기/그래	(영이를 보고 푸하하 웃는다)
영이	(척척척 맥주를 더 세게 흔들면서 웃는다)
석율	이거 봐 이거 봐, 나만 이상한 놈 만들어. 난 안 갈 거거든. 이게 말이 돼? 아, 떠들었더니 목이 타네. (자기 맥주 들이키는데 다 마셨다) 어?
영이	(자기 맥주 준다) 이거 마셔요.
석율	오~ 땡큐!

하고 따는데 파파팍! 폭죽처럼 터지는 맥주 거품이 석율의 얼굴을 덮친다. 일제히 싹 피하며 웃
는 그래, 영이, 백기. 맥주 거품 뒤집어쓴 채 황당한 석율.

제17국

상식, 의자에 기대서 자다가 눈을 부스스 뜨면 네 사람, 자리에 없다. 일어나서 PPT 자료 확인하는 상식, 한 장 한 장 넘겨보다가 웃음이 옅게 스친다.

상식   제법들이네.

하고 보면, 살짝 열린 호텔 방 문, 밀고 들어가보는 상식. 침대 위에는 그래와 백기와 석율이 이상한 포즈로 자고 있다. 소파에서 자는 영이도 약간 웃음이 나오는 포즈 혹은 얼굴이다. 상식, 피식 웃으며 그 모습 바라본다가 휴대전화를 꺼내 사진을 찍는다. 사진 속 곤히 잠들어 있는 네 사람.

S#56 — 거리 일각, 저녁

빌딩 숲 사이로 석양이 진다. 피곤한 모습으로 나란히 걸어가는 다섯 명. 석율, 피곤한 기색 없이 끊임없이 떠든다.

상식   (멈추고) 이틀 동안 수고들 많았다. 난 선 차장 병원 좀 들렀다 갈게.
영이   저희도 갈까요?
상식   아냐, 번잡해. 빨리들 들어가서 쉬어. 내일 내가 한잔 살게.
일동   네 (꾸벅 인사하며) 수고하셨습니다.
상식   (손 인사하고 헤어져 간다)
석율   가자. (걷다가) 아! 이런! 그 중요한 걸 다 깜빡하면 어떡해~!
그래   왜요? 뭐 놓고 왔어요? (멀어진 오 차장 부르려 하며) 오 차장님 부를까요?
석율   (막으며) 우리 그래가 이렇게 일밖에 모른다~ 일요일이 아직 다섯 시간 34분이나
                남았다는 거! 지금부터 열다섯 시간 같은 다섯 시간을 보내는 거야! 불살라!

하는데, 네 사람의 휴대전화에 카톡 알림 음이 울린다. 보는 네 사람. 다섯 사람 채팅방에 상식이 보낸 사진, 일동, 멈춰 서서 열어보고 뜨악! 사진 속 널브러져 자고 있는 그래, 영이, 백기, 석율의 모습. "너희들의 뜨거웠던 오늘을 기억해라." 일제히 삭제하는 일동,

석율   큼. 어제 오늘은 지웁시다. (절레절레 흔들며 가면서) 이건 아니야~ 이건 아니지~
                직장이 이러면 못 쓰지~
그래/영이/백기   (머쓱하게 보다가 픽 웃으며 간다)

침대에 기대앉아 있는 선 차장. 서류 파일 훑어보고 있고 상식이 앞에 앉아 있다.

선 차장	(좋지만) 정말 못 말리겠네요.
상식	좋으면 좋다고 해.
선 차장	(웃으며) 쉬겠다는데 쉬지도 못하게 해놓고 칭찬받으시려구요?
상식	당신이나 나나 쉬어도 일로 쉬는 사람들이잖아.
선 차장	(깜짝) 네에? 무슨 그런 악몽 같은 말씀을 하세요? 한 묶음으로 묶지 마세요. (파일 보며) 신입들 고생 좀 했겠네요.
상식	(문득 생각난 듯 휴대전화의 사진을 보여준다)
선 차장	(웃음 터뜨리는)
상식	우리 신입 때 중국 주택 건설 프로젝트 하던 거 생각나서.
선 차장	(웃고 다시 파일 보며) 사람 마음 참 간사하죠. 믿었던 팀원들한테 외면받고, 몰랐던 속내 알고, 아프고 그러니까 다 놓고 싶었다가 이 종이 몇 장이 뭐라고… 또… (헛웃음)
상식	왔다리 갔다리 그게 삶의 맛이지.
선 차장	(뜨악하게 보다가 어이없이 웃고) 근데, 요즘 무슨 고민 있으세요? 생각해야 하는 일이 뭐예요?
상식	…고민 없는 날이 있나…
선 차장	(보다가) 뭔데 일로 힐링해야 할 정도예요?
상식	(보다가…) 답답하다. 바람 좀 쐴 수 있어?
선 차장	(보는)

윗옷 걸쳐 입은 선 차장. 심각한 얼굴로 상식과.

상식	총알 겸 총알받이인 거지. 우리 팀이.
선 차장	…전무님도… 참… (끄덕끄덕) 대단하신 분이시네요.
상식	그 속내를 알고도 뱉어버리지 못하는 나도 참…
선 차장	(본다) 제가 맞춰볼까요? 왜 이러고 있는 건지.
상식	어?
선 차장	승부를 걸어보고 싶으신 거죠?
상식	(당황하는)

선 차장	지금이야말로 전무님과 그럴 시점이라고 생각하시는 거예요. 차장님의 그 비과학적인 김이요.
상식	뭐… 뭐?
선 차장	전무님과 진검 승부처가 될 것 같은 거죠? 포신 건을 성공하면 전무님 손으로 직접 영업3팀과 차장님을 인정할 수밖에 없을 테니까. 전무님 부사장 자리가 걸렸으니까 지원도 확실하게 해줘야 하는 판이고.
상식	(당황했지만… 피하지 않고 선 차장을 본다)
선 차장	아녜요?
상식	…
선 차장	좋아요. 그럼 이건 어때요? 이거 하나는 확실하죠. 5억 불 수주면 부서장으로 승진할 수 있고 부서장이 되면 오 차장님 재량으로 원하는 인원을 뜻대로 쓸 수 있게 돼요. 회사 내규가 그래요.
상식	(얼른 못 알아듣고) 어?
선 차장	장그래 씨요.
상식	!
선 차장	아직도 안 된다고 생각하는 거예요?
상식	(멍한…)
그래	(E) 이대로만 하면 정규직이 되는 거죠?

[Flashback] 제14국 S#73 옥상

상식	안 된다고 했어.
상식	대책 없는 희망이. 무책임한 위로가 무슨 소용이야?
선 차장	…전 그 대책 없는 희망. 무책임한 위로 한마디 못 건네는 세상이란 게 더 무섭네요. 대책 없는 그 말 한마디라도 절실한 사람들이 많으니까요.
상식	(선 차장을 보다가) …그래도 안 돼.

상식, 선 차장을 멍한 듯 아닌 듯 보는…

선 차장   전, 장그래 씨가 안 된다는 데 동의 안 되거든요. 그때나 지금이나.

선 차장을 보던 상식, 돌아선다… 난간이라도 있으면 잡고 고개를 떨군다. 깊은 생각에 잠기고… 다시 고개를 들어 하늘을 본다. 맑은 하늘…

S#60 —— 상식 집 주방, 밤

식탁에 앉아 깊은 생각에 빠져 있는 상식.

> [Flashback] S#58
> 선 차장　이거 하나는 확실하죠. 5억 불 수주면 부서장으로 승진할 수 있고
> 　　　　부서장이 되면 오 차장님 재량으로 원하는 인원을 뜻대로
> 　　　　쓸 수 있게 돼요. 회사 내규가 그래요.
> 상식　　(얼른 못 알아듣고) 어?
> 선 차장　장그래 씨요.
> 상식　　(심각해진다)
> 선 차장　아직도 안 된다고 생각하는 거예요?
>
> [Flashback] S#24 중앙 정원, 대리들의 대화를 듣는 상식
> 성 대리　참, 김동식은 또 물먹었더라?

상식 아내, 밥상 차리고 마지막으로 뜨끈한 국을 뜨면서 상식을 흘끔흘끔 본다.

상식 아내	(국그릇 놔주며 슬쩍 눈치 살피는. 가볍게) 애들 깨울까?
상식	어? 아냐, 뒤. (국 먹고) 어우 좋다.
상식 아내	(냉장고에 찬통 넣으며) 엄마한테 갓김치 좀 담가달랠게.
상식	어? 어… 맛있지, 장모님 갓김치.
상식 아내	(일부러 이것저것 한다)
상식	당신은 나 꼴 보기 싫은 적 없어? 아, 곱게 보일 때가 별로 없나?
상식 아내	언제 이뻐 보였나 꼽는 게 빠르지. 언제냐… 아, 내가 만들어준 밥 국 군소리 없이 좋다~ 하고 먹을 땐 좀 이쁘드라.
상식	(흐흐 웃는다) 내가 결혼하고 많이 변했나?
상식 아내	(보다가 와서 앞에 앉는다) 얘기해.
상식	(짐짓) 뭘?
상식 아내	(본다)
상식	…저기 말야. 내가 누굴… 언놈한테 뭘 좀 해줘도 되나?
상식 아내	(보기만)
상식	(애꿎은 국만 휘적) 내가 말야… 내가 누구 사는 거에 또다시 관여를 해도 되나…

돕는답시고 말야 손을 내미는 게 (헛웃음) 맞나… 내가…?

상식 아내 그만 잊어도 돼 당신.

상식 (본다)

상식 아내 은지 씨 그만 보내줘. 묻어주든지.

상식 (쓴웃음) 아니 내가 뭘…

상식 아내 다 해. 그냥 해. 당신 하고 싶은 대로 해. 잘못한 거 없어. 난 그래.

다시 그때 그 사람이래도 당신 그렇게 할 거고. 난 그게 맞다고 생각해.

상식 내가 뭐라고.

상식 아내 내 말이 그 말이야. 당신은 당신이 해야 맞겠다 싶은 거 그것만 생각해.

나머지는 당신 맘대로 되는 거 아니야. 뭐 되게 영향력 있는 사람같이 그런다?

누군 뒷짐 지고 있다가 당신이 시키는 대로만 한대? (일어나서 또 괜히 일한다)

난 또 무슨 나라를 구하는 줄 알았네.

상식 허… 허허… 아우 오늘 국이 짜네.

상식 아내 (와서 국그릇 뺏으려 하며) 내놔.

상식 (막으며) 됐네~ 낙장불입. (하고 먹는다. 표정 다시 어두워진다)

S#61 — 영업3팀, 낮

상식의 자리가 비어 있다. 일이 손에 안 잡히는 듯 그래, 동식, 천 과장, 상식의 빈자리를 돌아본다.

천 과장 몸 아프고 하시는 분 아니잖아. 감기도 잘 안 걸리시는 분인데. 오늘 같은 날 반찬를 내시고…

동식 (뜨끔) 아… 요즘 좀… 신경 쓰실 일이 많았어요.

그래 (걱정스럽게 보며) 주말에 선 차장님 일도 도와주시고 하셨어요. 무리하셨나 봐요.

동식 … (하고 돌아본다.)

천 과장 (한숨 푹 쉬며, 혼잣말) 아휴… 오늘까지 결정하셔야 할 텐데… 걱정이네.

그래, 무슨 말인가 하고 천 과장을 돌아보는데. 천 과장, 그저 돌아앉아 일에 집중한다. 신경 쓰이는 듯 다시 상식의 자리를 돌아보는 그래와 동식.

S#62 — 상식 집의 부부 방, 낮

러닝셔츠만 입고 창가에 서서 창밖을 보고 있는 상식. 고민이 깊어 생각 많은 얼굴. 눈을 깊이 감았다 뜨는 상식, 얼굴이 점점 단단해진다. 열린 문틈으로 고개를 내밀고 보는 아이들을 데리고 가는 상식 아내. 아이들의 "학교 다녀오겠습니다" 하는 소리 들리고, 방문을 조용히 닫아주는 아내.
단단한 표정으로 마음먹은 상식. 와이셔츠를 꺼내서 정갈하게 착착 입는다.

S#63 — 거실, 낮

고급 양복을 입고 나오는 상식, 신상 같은 넥타이와 양복.

상식 아내　　(휘둥그레) 웬일이야? 너무 고급이라 옷에 주름 많이 간다고 싫어하더니.
상식　　　　(말없이 옷매무새만 다듬는다)
상식 아내　　그래, 오늘은 비싸고 좋은 거만 해. 부정 타면 안 되니까. (카드 착 내밀며)
　　　　　　　음식도 비싼 걸로 사 먹고, 택시 타고 가고.
상식　　　　(거절하지 않고 받아들며) 갔다 올게. (돌아선다)
상식 아내　　(뒤에서 상식을 따라가며 옷을 털어주면서) 잘 갔다 와.
상식　　　　(간다)

S#64 — 원인터 외경, 낮

S#65 — 원인터 로비, 낮

침착한 얼굴로 걸어 들어오는 상식.

S#66 — 엘리베이터, 낮

엘리베이터 안의 상식.

S#67 — 17층 엘리베이터 앞, 낮

문이 열린다. 내리는 상식. 전무실 안내판을 침착한 얼굴로 다시 본다. 들어가는 상식.

S#68 ─── 전무 비서실, 낮

일어나 인사하는 비서, 그 앞의 상식.

S#69 ─── 전무실 안, 낮

문이 열린다. 창밖을 보고 있던 최 전무, 돌아서면 들어서는 상식. 쳐다보는 전무. 둘. 엔딩.

Episode 18

제18국

S#1 — 원인터 외경, 낮

S#2 — 원인터 로비, 낮

침착한 얼굴로 걸어 들어오는 상식.

S#3 — 이 부장실, 낮

굳은 얼굴로 서 있는 상식을 쳐다보고 있는 이 부장.

이 부장 잘 생각했어. (전화한다) 응. 전무님 자리에 계신가? (상식을 본다)

S#4 — 18층 엘리베이터 앞, 낮

문이 열린다. 내리는 상식. 전무실 안내판을 침착한 얼굴로 다시 본다. 들어가는 상식.

S#5 — 전무실 안, 낮

문이 열린다. 창밖을 보고 있던 최 전무, 돌아서면 들어서는 상식. 쳐다보는 전무. 둘.

최 전무 (자리로 가서 앉으며) 어서 와. 앉게.
상식 (앉는다)
최 전무 (본다) 오래 고민한 보람이 있군 그래.
상식 …
최 전무 실망하지 않을 수 있어서 좋군.
상식 …
최 전무 포신에서 태양열 국책사업에 뛰어든 게 얼마 안 돼. 그래서 지금껏 진행한 집열판 사업에는 그 변수가 반영되지 않았어. 그러니까 반영해서 자네 팀 능력 발휘 좀 해봐.
상식 네.
최 전무 기분이 좋아. 옛 생각도 나고, 다시 피도 끓는 것 같고. 간만에 우리, 일을 하게 되는 거군.

상식	…전무님, 뭐 하나 여쭙겠습니다.
최 전무	(보면)
상식	…왜 접니까? 왜 영업3팀입니까…?
최 전무	(보다가 웃으며) 왜라니? 오상식이니까 부탁하는 거야. 오상식.
	그것 말고 다른 이유가 있겠나?
상식	(믿지 않는 마음이다. 본다)
최 전무	이따 점심 같이하지.
상식	(보다가) 네…
동식	(E, 놀란 채) 하… 하시기로 하셨다구요?

S#6 ─ 소회의실3, 낮

동식과 천 과장, 놀란 얼굴로 상식을 보고 있다. 그래는 동식과 천 과장의 반응에 약간 어리둥절
해하는 얼굴로…

동식	(걱정스럽게) 괜…찮으시겠어요?
천 과장	잘하셨습니다. 이참에 화장실 옆자리 좀 벗어나보죠.
상식	(천 과장을 본다)

그래, 여전히 어리둥절한 얼굴로 천 과장을 봤다가 상식을 본다.

동식	장그래. (두 서류 파일을 밀어주며) 훑어봐.
그래	(어리둥절해서 서류 파일을 보다 약간 놀라) 두 건인 건가요?
동식	그래. (가리키며) 이쪽 태양열 발전소 사업 건은 5억 달러 규모야.
그래	(깜짝 놀라서) 네? (우리 돈으로 환산하고 있다)
천 과장	(상식에게) 꽌시는 어떤 형태로 하게 됩니까?
그래	(어리둥절해서) 꽌…시?
상식	원가 조정으로 우리 마진 줄여서 포신 측에 이익을 높여주는 방식으로.
동식	저기 차장님. 전 차장님이 하자고 하시면 무조건 콜인데요. 차장님이 우려하시는 위험 요소, 그러니까 포신이 발전소 사업을 딸 확률이 100퍼센트가 아니란 건 변함없지 않습니까?
상식	지금은 그래.
천 과장	(의아하게 보다) 지금은요?
상식	위험 요소를 걷어낼 방법이 있어.
천 과장/동식	(보면)

상식	중국 정부 쪽은 고급 집열판과 설비를 원해. 그쪽 분야로 거래량이 많고
	큰 캐파를 감당할 수 있는 회사를 원하고. 포신의 입장에서는 집열판을
	최대한 많이 확보할수록 태양열 발전소 사업을 딸 가능성이 커지는 거지.
동식	집열판을 많이 확보할수록요? (의아하게 집열판 서류를 끌고 와 넘기며)
	그런데 기존 진행하던 팀은 왜 이렇게 작게 설계했을까요?
상식	발전소 사업 건이 연계되지 않았었으니까. 상황이 달라진 지 얼마 안 돼.
천 과장	그럼 결국 우리 하기 나름인 거군요.
동식	(웃으며) 이렇게 되면 뭐 꽌시를 하는 게 아니라 받아야 되는 거 아녜요?
천 과장	(웃으며) 그러게.
상식	쓸데없는 소리 말고, 동식인 포신 쪽에 우리의 이런 설계에 대해 의사 타진하고,
	천 과장은 고급 집열판 수출국 쪽에 우리 라인 있는지 알아봐.
천 과장	네, 국내 업체 쪽에서 몇 있고 미국, 유럽 쪽에도 있습니다.
상식	좋아. (그래 보며) 장그래는 찬찬히 읽어보고 선임들 서포트 잘하라고.
그래	네.
상식	이번엔 장 팀장질 하지 말고. 또 일 안 하고 철학 하고 있으면 짤라버릴 거야.
그래	(갑자기 딸꾹질을 한다)
일동	(웃고)
상식	자자, 나가서 일들 해!

우르르 일어나서 나간다. 마지막으로 나가는 그래를 끝까지 쳐다보는 상식.

S#7 ── 통로, 낮

영업3팀을 향해 걸어가는 그래와 동식과 천 과장.

그래	근데요 대리님. 꽌시가 뭐예요?
동식	어? 음… 우리 장그래는 모르는 게 좋을 텐데.
천 과장	(웃으며) 왜? 그것도 비즈니스 매뉴얼 중에 하난데. 장그래 씨가 뭐 청정구역
	유기농 숫양인가?
동식	중국에선 세도가 아니라 꽌시가 일을 한다는 말이 있을 정도야. 그만큼
	중국인들에게 법보나는 인맥을 통한 결과가 중요하거든.
천 과장	사업에선 이루 말할 것도 없고.
그래	그러니까 그 꽌시가…
동식	(엄지와 검지를 말아 동그랗게 해서 보인다)
그래	! 아~!

천 과장	꽌시를 단순한 뇌물 공여로 보면 안 돼. 감정적인 유대감 형성이 먼저니까.
동식	아무리 그래도 역시 오 차장님 스타일은 아니야.
그래	근데 왜 이 사업을 받으신 걸까요? 게다가 전무님…
동식	왜긴 왜야? 천 과장님 표현대로라면 화장실 옆자리 벗어나려는 거지. (웃는)
그래	(소회의실3 쪽을 다시 돌아본다) …

S#8 ─ 소회의실3, 낮

여전히 걱정이 가시지 않은 무거운 얼굴 그대로 앉아 있는 상식…

S#9 ─ 자원팀, 낮

서류철을 내밀고 있는 정 과장 앞에 깜짝 놀란 얼굴로 서 있는 영이.

정 과장	자, 장렬하게 전사했던 니 사업 살아 돌아왔다. 본사에서 니 걸로 하라고 다시 내려왔어.

엉이, 서류 받아 보면 '아르헨티나 살네비나 리듐 탐사사업 세안서'나. 하 내리와 유 내리도 놀란 얼굴로 보고 있다.

하 대리	그럼 (마 부장 쪽 보고 소리 죽여) 마 부장님 3팀 거는요?
정 과장	(목 슥 긋는 시늉)
하 대리	(어이없지만 영이에게 툭) 축하한다.
유 대리	(울상으로) 축하는 무슨 축하~ 우린 이제 정말 죽었어요오~ 어뜩해요오~
정 과장	(자리로 가며) 시끄러.
유 대리	이러다 우리 영업3팀 자리로 가는 거 아녜요? 아~ 거기 가끔 화장실 냄새 나는데에~
영이	(웃으며) 감사합니다. 다… 과장님과 대리님들 덕분입니다. 감사의 표시로 제가 커피 한 잔 올리겠습니다. (나간다)

S#10 ─ 통로, 낮

기분 좋은 얼굴로 걷는 영이, 복사할 서류 들고 탕비실 쪽으로 가는 백기와 만난다. 영이, 백기의 와이셔츠를 알아본다.

영이	어? 오랜만이네요?
백기	(무슨 소리인지 몰라서…)
영이	(와이셔츠 가리키며) 그거요. 안 입는 거 같더니, 오랜만이네.
석율	(Off) 뭐? 뭐가 오랜만이야?
영이	아~ 장백기 씨가요. (탕비실로 간다)

석율 "뭐라니? 쟤" 하며 백기와 탕비실로 들어간다.

S#11 — 탕비실, 낮

백기는 복사하고 있고 영이는 커피 타고 있다. 석율, 커피머신에 물이 없는 걸 보고 머신의 물통 빼서 생수기로 간다.

석율	어? 물이 없네. 안영이, 물통 좀 갈아줘.
영이/백기	(어이없이 보면)
석율	남자가 물통을 갈아야 한다는 편견을 버려! 그거야말로 역차별이야.
영이/백기	(어이없이 보면)
석율	(빈 물통을 빼며) 이렇게 하 대리한테 많이 당했지? (새 물통을 든다)
영이/백기	(어이없이 웃는데)
석율	(낑낑대며 잘 못 든다) 아~ 역시 난 하체가… 하체가…
백기	(와서 도와준다. 물 꽂고)
석율	땡큐. (머신에 물 부으면서) 어? 근데 백기, 이 와이셔츠 뭐야? 완전 좋은 건데?
영이/백기	(자기도 모르게 당황)
석율	(머신 버튼을 누르고 천을 자세히 만져보며) 어 이건 피마 코튼. 아 아니 이집션 코튼 120수?! 보통 고급 와이셔츠는 이집트 기자면 100프로에 120수 원사로만 쫙~ 뽑아서 만든 거거든. 거기다 컬러 염색이 잘되고 표면 광택감이 뛰어난 컴팩트한 얀을 사용한 셔츠!는 아니네, 그것까진 아니네. (아래 위로 슥~ 보며) 어, 그래도 돈 좀 썼겠는걸?
백기	(당황해서 영이를 본다)
영이	(틈… 틈)
석율	어~ 근데 내가 보기엔 이게 장백기 스타일은,
백기	(입을 척 막으며) 그만하시죠.
석율	(밀쳐내며) 퉤퉤, 드럽게. (찡그리고 입술을 부르르 불면서 커피 들고 간다)
영이	(후~ 내쉬면)
백기	(조금 당황해서) 이게 그렇게 비싼 거였어요?

영이	아녜요. 할인가로 샀으니까 부담 갖지 마세요. 근데…
백기	(보면)
영이	그동안 안 입고 다녀서 맘에 안 드는 줄 알았어요.
백기	(웃으며) 조금 껴서요. 입으려고 열심히 살 좀 뺐습니다.

영이, 웃는데 전화 온다. 웃으며 보다가 얼굴 확 굳는. 또 '…'이다. 영이의 굳은 모습을 의아하게 본 백기, 영이의 휴대전화에서 '…'을 본다. 영이, 전화 끄고 백기에게 아무렇지도 않은 듯

영이	먼저 갈게요. (나간다)
백기	(보다가 다시 자기 와이셔츠를 본다) …

S#12 —— 섬유팀, 낮

커피 들고 들어온 석율, 결재서류 확인하는데 석율이 참조로 되어 있는 결재. 파일에 "상파울루 네오프렌 원단 수출의 건"이 올려져 있다. 석율, 급하게 납품업체 확인해보면 업체명 청솔실업이다. 기가 막힌 석율, 성 대리를 확 돌아본다. 성 대리, 문 과장 옆에 딱 붙어 앉아 휴대전화로 동영상을 보여주면서 희희낙락 농담을 하고 있다. 석율, 벌떡 일어나 두 사람에게 간다. 눈은 성 대리를 노려보면서. 성 대리, 무심결에 고개를 들다가 석율과 눈이 마주치고 그 눈빛을 받아치듯 본다.

석율	(째리며 다가오다가 문 과장에게) 과장님. 네오프렌 건 납품 업체 청솔실업으로 정하셨는데, 다시 검토해보셨습니까?
문 과장	어. 왜, 문제 있어?

석율, 성 대리를 본다. 성 대리 눈길을 돌리면 석율, 막 문 과장에게 말하려는데

문 과장	납품 딜레이 잦다는 거?
석율	(당황해서) 네?
문 과장	알고 있어. 성 대리가 그것 때문에 고민 많이 했어.
석율	(성 대리를 확 본다)
성 대리	그래서 이번에는 딜레이 발생 시 페널티 물기로 하고 계약서에 넣었어.
석율	네?!
문 과장	구두 약속만 받으랬더니 성 대리가 굳이 계약서에 명시했네. 꼼꼼하기는.

석율, 당황해서 성 대리를 본다. 성 대리, 석율을 가소롭단 듯 보고 흥! 비웃고는 나간다. 석율, 약간은 굴욕적으로 고개 떨어뜨리고 있다가 얼른 성 대리 따라간다.

S#13 — 계단참, 낮

석율과 성 대리, 계단참에 서 있다.

석율   정말 그런 보장 받으셨습니까?
성 대리   이 새끼야! 니가 과장이야? 부장이야? 내가 너한테 그런 걸 재차 보고할
             의무가 있어? 가서 계약서 확인해봐.
석율   …
성 대리   (비릿하게 웃으며) 왜? 믿기지가 않냐? 내가 먼저 딜레이 인정하고 그런 서류 받아
             오니까 속이 뒤집혀? 내가 구내식당 짬밥을 먹어도 너보다 몇 년을 더 먹었어
             자식아. 넌 아무리 날아도 내 손바닥 위에서 뛰는 원숭이 새끼야. 같잖게…

석율을 홱 밀치고 지나가는 성 대리. 석율, "휴우~" 하고 깊은 한숨 내뱉는다. 그러나 곧 앞머리
를 5 대 5로 잡고 짠 넘기면서 의지를 다진다.

S#14 — 고급 일식집, 낮

담담하게 앉아 있는 상식 앞에 최 전무. 그 옆에는 이 부장이 앉아서 전무의 잔에 술을 따라준다.
묘한 긴장감이 흐르는 상식과 전무.

최 전무   (술을 살짝 마시고 내려놓으며) 예전에는 가끔 낮술도 한잔하더니? 요즘은… 안 하나?
상식   오후 근무에 지장이 있을 거 같습니다.
최 전무   (한잔 따르며) 지장 없게만 마셔.
상식   (어쩔 수 없이 받아 마신다)
최 전무   어떤 면선 파트너 관리가 일의 핵심일 수도 있어. 많이 달라졌다고 해도
             아직 중국은 꽌시야. 나쁜 거다 관습이다, 해도 통하지. 내가 중국에 5년 있었어.
             거기에서 정말 많은 일을 했었지. 굉장했어. 그때 함께 진행했던 중국 파트너들
             전부 독립했어. 아주 잘나가지.
상식   (약간 인상 일그러지지만 참고) …
이 부장   사업은 뭐니 뭐니 해도 기간사업이 제일인 것 같습니다. 성취감이랄까…
최 전무   먹고 빠지는 그런 사업은 안 돼. 이젠 평생 가는 거야. (상식에게) 너도 이제
             평생 갈 친구, 제대로 사귀어야지.
상식   (무표정하게 본다)
최 전무   (상식에게 술을 따라주며) 잘하자. 이번 건.
상식   …네.

휴대전화 꺼내 8번을 꾹 누른다. 이어서 상식의 전화가 울린다. 상식, 약간 당황해서 휴대전화를
보면 모르는 전화번호.

최 전무	(피식 웃으며) 역시 내 번호, 저장 안 돼 있었군.
상식	…
이 부장	어허허~ 이 사람.
최 전무	(전화 끄며) 8번으로 저장했어. 자네 번호야.
이 부장	(장단 맞추며) 하하~ 중국에선 행운의 번호 아닙니까?
최 전무	(웃고 마는)
상식	(본다)
최 전무	예전처럼… 종종 통화하자고…
상식	… (휴대전화를 바라보는…)

S#15 — 영업3팀, 낮

그래와 천 과장, 각각 전화 통화하고 있고, 동식, 바쁘게 일하는 중이다.

그래	아… 네… (천 과장 돌아보고는) 지금 통화 중이십니다. 네. (적으며) 쏠라코리아. 전화번호가 4778이요. 네, 전화드리라고 하겠습니다.
천 과장	(영어) 아, 브로셔 보내주시겠습니까? 네, 메일 용량은 관계없고 제품 설명이 자세한 것으로 부탁드립니다. 저희 쪽에서 찾는 제품이 있으면 바로 연락드리겠습니다. 감사합니다. (전화 끊는)
그래	(얼른 다가가 메모 내밀고) 쏠라코리아라는 업체 제품이 포신 쪽 요구 사항이랑 맞아서 연락처 받아놨습니다.
천 과장	어 고마워.

동식의 자리에 전화 오고 얼른 받는 동식.

| 동식 | 네, 영업3팀 김동식입니다. (듣고는 얼른 중국어) 네. 아, 감사합니다. 네… 제가 대표님 전화인 줄 모르고 실례를 했습니다. (듣고) 아! 네. 저희 쪽도 최대한 물량 맞춰보겠습니다. 네. (끊으며) 역시 오 차장님 예상대론데요. 중국 쪽에서 적극적으로 나오는데요. (서류 들고 그래에게 가며) |
| 천 과장 | 그래, 포신 쪽에서도 돌파구가 생긴 걸 테니까. |

동식	(종이 주며) 장그래, 무역협회 담당자 찾아서 포신에 대한 좀더 자세한 자료 받을 수 있는지 한번 물어봐.
그래	아… 네…

책상 위 그래 휴대전화에 문자 온다. '하 선생'이다. 동식, 무심결에 보고. 그래, 흘끗 바라보고는 확인하지도 않고 무역협회 홈페이지를 연다.

동식	(그 모습을 보다가) 하 선생, 연락 꾸준히 해오네.
그래	(무역협회 들어가며) 네, 가끔 안부 전해요.
동식	(보며) 장그래한테 관심 있는 것 같던데?
그래	(당황해서) 아, 아니에요.
동식	좀 잘해줘. 여자 자존심 좀 챙겨주라고. 제때 답장해주는 정도도 못 해?
그래	(당황해서…) 그게… 좀… 부담스러워요.
동식	(어이없는) 부담스러워? 답문 해주는 건 멜로가 아냐 휴먼이지. 오버는.
그래	(머뭇) 저… 그게요… 사실은 그때 대리님 선보시고 같이 술 마신 날이요.
동식	응?
그래	…

[Flashback] 제14국 S#42 술집 앞, 밤
동식	(취해서 고래고래) 2차 가자고요! 2차!

하 선생, 그래를 보면 취해서 약간 흔들흔들하고 있다.

하 선생	다음에 갑시다.
그래	(인사 꾸벅) 그럼 안녕히 가십시오.

비틀비틀 걸어간다.

하 선생	(동식에게) 그럼 담에 또 봬요. 뵙게 되면. (얼른 그래를 따라간다)
동식	어? 어? 걘 왜 따라가요?!
하 선생	(보지도 않고) 장그래 씨랑 같은 방향이에요.

[Flashback] 몽타주/그래의 집 근처, 밤
#그래 집 근처 일각. 그래, 약간 비틀해서 걸어가면, 뒤따르는 하 선생, 말짱한 모습이다.
#그래 집 근처 다른 일각. 그래, 비틀거리던 걸음이 약간 멀쩡해지고, 하 선생을

의아하게 돌아본다. 그래를 못 본 척 따라 걷는 하 선생.
#그래 집 앞 골목

그래   (하 선생 홱 돌아보며) 가세요. 왜 안 가세요. 집이 어디세요?
하 선생   (턱짓으로 어딘가를 가리키며) 저기예요. 저기.
그래   (어이없고) 아. 어디요? 가시라구요. 우리 집 다 왔어요.
하 선생   (끄덕거리며) 예에~ 가던 길 가세요. 저도 우리 집 가니까.

[Flashback] 제14국 S#11 그래 집 앞. 밤
문 앞에 다다르고 멈춰 서는 그래. 졸래졸래 따라와 마치 데려다주는 것처럼
서 있는 하 선생.

그래   (홱 돌아본다) 어딘데요? 집이.
하 선생   (집을 보며) 여기에요?
그래   네. 이제 쓸데없이 묻자하지 마세요.
하 선생   그래요. 그럼 이제 쓸데 있게 묻자할게요. (손 흔들며 온 방향으로 간다)
그래   ! 내 전화번호 어떻게 알았어요?!
하 선생   (놀아서서 웃으며) 소비 어머님께 여쭤봤죠. (씽긋 웃고 간다)
그래   (기가 막혀서 보는)

그래   (E) 부담스럽잖아요.

S#16 — 영업3팀, 낮

동식   (웃는다) 아이구~ 우리 장 팀장님. 그게 부담스러워요? 호강에 겨워 요강을 차고
           계시네요.
그래   대리님~
천 과장   (돌아보며 웃고 다시 일한다)
동식   좋은 분 같던데? 잘해봐. 여자가 그렇게 적극적이기도 쉽지 않아.
그래   … (책상 위 계약직 팻말을 보며 중얼거리듯) 제가 지금 연애할 땐가요…
동식/천 과장 뭐?/(돌아본다)
그래   (희미하게 웃는)
동식   (부러 아무렇지 않게) 할 때지! 당연히 할 때지! 너 밍기적거리다 나 된다.
           아끼다 똥 된다. 그쵸 과장님.
천 과장   그럼, 뭐든 다 때가 있는 거야.

제18국

그래, "네" 하면서 아무 생각 없는 눈길로 자기도 모르게 계약직 푯말을 보고 있다. 통로 쪽에서 오던 상식이 그러고 있는 그래를 보며 걸어오다가 그래의 시선을 따라 계약직 명패를 본다…

상식	(들어와 자리로 가며) 포신 측은 어때?
동식	(얼른 따라가며) 예상대로 반깁니다. 최대한 물량 확보해달랍니다.
천 과장	집열판 관련 업체들은 확인 중입니다. 그런데 미국, 독일, 국내까지 커버하려니 시간이 꽤 걸리겠는데요.
상식	음… 그렇지.
동식	(신경 쓰이는) 저… 근데요 차장님.
상식	응? 왜?
동식	포신 측이요… 중간 관리자가 없어요.
상식	그게 무슨 말이야?
동식	자료에 있는 연락처를 통했더니 포신 대표와 바로 연결이 되네요.
상식	(약간 당황) 대표와 직접?
동식	네.
상식	…

S#17 — 이 부장실, 낮

이 부장	대표와 핫라인이면 더 좋은 거지 뭐가 걱정이야? 워낙 중요한 사업이니까 대표가 직접 챙기는 거 아냐? 우리 쪽에서도 전무님이 직접 챙기고 있잖아.
상식	우리 쪽은 저희가 하고 있는 거죠. 저희 같은 중간 관리자가 없으면 나중에 문제가 생겨도 책임 추궁이 불명확해질 우려가 있습니다.
이 부장	(답답한) 문제는 무슨 문제~! 오 차장, 왜 이리 답답하게 굴어? 집열판 물량 확보되는 대로 그냥 도장 찍고 넘기라구. 다 얘기된 거라고 했잖아. 도장은 형식적인 절차라고!
상식	….

S#18   통로, 낮

이 부장실에서 나온 상식, 여전히 찜찜한 얼굴로 걷는다. 이 부장실을 돌아봤다가 다시 가는데 영업3팀 입구에서 외투를 입으며 나오는 그래.

동식	난 올리브 빼고 고기만.

상식	어디 가.
그래	샌드위치 사러요. 간식 드신다구요. 차장님 괜찮으세요?
상식	어, 그래.
그래	(꾸벅하고 가려는데)
상식	장그래.
그래	네.
상식	일, 신중하게 하자…
그래	네? (모르지만) 아… 네. 알겠습니다. (꾸벅하고 간다)

그래, 꾸벅하고 가면 그래를 돌아보는 상식…

S#19 — 샌드위치 전문점, 낮

주문하고 있는 그래.

그래	샌드위치 네 개 주세요. 올리브 빼고 양파 많이 넣어주시고요, 다 데워주세요.
점원	네.
백기	우리 팀이랑 식성이 똑같으시네요.
그래	(돌아보며) 어?
백기	(웃으며) 신입이 빨리 들어와야 막내 생활 벗어나는데 말이죠.
그래	(웃는)
백기	영업3팀 오늘 되게 바쁜 것 같던데요?
그래	아… 네, 갑자기 일이 떨어져서요.

S#20 — 거리, 낮

비닐봉투 든 그래와 백기, 걸어오면서.

백기	전무님이요?
그래	네, 사업을 받은 오 차장님이 조금 이상하긴 하지만…
백기	(보다가) 아… 전무님 별로 안 좋아하시죠…
그래	그래도 팀이 큰다니까, 그런 결정을 하실 수도 있겠구나 싶긴 해요…

(혼자 잠시 생각하는)

[Flashback] 제3국 S#76

그래	화도 났고 얄미운 사람이기도 하시지만… 저한텐 한석율 씨가 필요할 수밖에 없단 거, 인정할 수밖에 없단 걸 깨달았어요. 자존심과 오기만으로는 넘어설 수 없는 차이란 건 분명히 존재하니까요.
상식	(본다)
그래	부끄럽지만… 일단은… 내일은 살아남아야 하니까요.

그래, 살짝 떨구며 웃는데

백기	팀장이니 팀원들을 생각 안 할 수가 없을 테니까요. 천 과장님, 김 대리님 그리고 (하다가 문득 멈춘다)
그래	(보면)
백기	(그래를 본다)
그래	(의아하게 본다)
백기	…오 차장님이 다른 말씀은 없으셨어요?
그래	(끔벅끔벅) 네.
백기	(보며) 네에…

S#21 — 철강팀 + 통로, 저녁

백기, 앉아서 생각 중이다. 강 대리, 들어오며

강 대리	일정 바뀌어서 야근 안 해도 되겠네요.
백기	네? 아… 그렇습니까?
강 대리	(퇴근 준비하는데)
백기	저, 강 대리님. 저… 여쭤볼 게 있는데요.
강 대리	(퇴근 준비에 열중하며) 뭡니까?
백기	팀이 커지면 뭐가 달라지는 겁니까?
강 대리	(살짝 씨푸리며) 뭐요?
백기	아, 그러니까… 팀의 위상이나 규모가 커지면…
강 대리	(가방을 챙기며) 그만큼 인력이 필요하죠. 부서장 권한으로 충원 요청할 수 있습니다.
백기	그럼, 혹시 계약직을 정규직으로 전환시킬 수 있다든가…
강 대리	(백기를 본다) 네. 가능할 겁니다. 왜요?

백기	아, 아닙니다.
강 대리	내일 봅시다. (나간다)

백기, 인사하고 통로로 나간다. 영업3팀 쪽을 본다. 샌드위치 먹으며 일하고 있는 영업3팀원들.
그 와중에 성식과 그래를 보고 있는 백기…

S#22 —— 로비, 밤

퇴근하고 나오는 백기, 엘리베이터에서 내리는데 옆 엘리베이터에서 서류 들고 내리는 상식
(퇴근 아님). 백기, 인사한다.

상식	어, 퇴근?
백기	네, 영업3팀은 야근이라구.
상식	(웃으며 걸으며) 응. 장그래 또 가서 하소연했어?
백기	(웃으며 따라 걸으며) 아닙니다. (웃다가) 저… 차장님…
상식	응?
백기	저… 새 사업 시작하셨다면서요?
상식	응? (의아) 응.
백기	뭐… 그럴 리는 없겠시만… 뭐… 저… 혹시 세가 도울 일이 있으면… 시켜주십시오.
상식	(의아하게 웃으며 보며) 응? 허! 그래. (웃는데 전화 온다. 받으며) 어, 동식. (백기에게 손 인사하며 다시 돌아가면서) 그거 내 책상에 있는데?
백기	(뒤에 대고 꾸벅 인사하고) …

S#23 —— 원인터 밖, 밤

나오는 백기, 다시 돌아보다가… 걸어가는 백기.

S#24 —— 인근 구두 매장, 밤

걸어가는 백기, 문득 멈춰 선다. 매장 안 구두들을 바라본다.

[Flashback] 제12국 S#6

제18국

영이. 주저앉아 구두 벗어서 바닥에 탕탕 박아 넣으며 무심히

영이   며칠 전부터 굽이 헐렁거리더라구요. (다시 신고 바닥에 탁탁 쳐보고) 됐네요.

백기, 자기도 모르게 피식 웃다가 자기 와이셔츠를 쳐다본다.

백기   (와이셔츠를 다시 만져보며) 정말 엄청 비싼 거 아냐…?

S#25 — 그래의 집 외경, 밤

S#26 — 그래의 방, 밤

서류를 보면서 일하고 있던 그래, 문득…

동식   (E, S#7) 아무리 그래도 역시 오 차장님 스타일은 아니야.

멈추는 그래. 생각에 잠긴다.

[Flashback] S#20
백기   전무님이요?
그래   네, 사업을 받은 오 차장님이 조금 이상하긴 하지만…
백기   (보다가) 아… 전무님 별로 안 좋아하시죠…
그래   그래도 팀이 큰다니까, 그런 결정을 하실 수도 있겠구나 싶긴 해요.

그래   (Na) 그러나… 그럼에도 불구하고 내 마음 속 한구석에서 떨쳐지지 않는
            의문 한 조각… 왜?

'포신 집열판 사업' 기획안 시류를 내려다 그래… 독이 든 성배처럼 의미 있게 보이는 시류…

S#27 — 몽타주, 낮

#영업3팀. 천 과장과 동식, 통화하고 있다. 상식, 일하고 있다. 상식에게 가는 그래.

그래	(Na) 차장님은 그 어느 때보다 확고하게 일을 밀어붙이고 있었다. 포신 쪽에 중간 관리자가 없다는, 약간의 개운치 않은 문제는 접어두신 듯했다.
그래	포신 측에서 요구하는 유기 박막형 전지 사양이랑 같은 모델 있습니다.
상식	어. 다른 업체도 확인해봐.
동식	(통화하며) 네. 근데 우리 쪽에서 찾는 모델은 유기 박막형 전지를 쓰는 집열판이거든요.
천 과장	(영어 통화) 지금 메일 확인했는데, 모듈을 어떤 걸 사용하는지 모르겠네요. 아… 네…

#통로. 상식과 천 과장 서류 보며 애기하며 걸어온다.

그래	(Na) 대신, 집열판의 물량을 확보하는 문제에 팀력이 집중됐다.
천 과장	그동안 저희가 알아본 독일, 미국, 국내 업체와 제품에 대해 포신 측과 공유했고 포신 쪽 반응도 아주 긍정적입니다.
상식	좋아. 최대한 물량을 확보해야 돼. 백업할 업체 리스트도 체크해두고.
그래	(Na) 업체 확보는 생각보다 순조롭게 진행됐다. 물량이나 단가, 품질까지. 이만한 조건이 없다는 점에 포신이 동의했다.

#회의실

동식	마무리 작업되는 대로 바로 계약서 초안 보내주기로 했습니다. 물량이나 납기일, 결제수단 결재기일에 대해서도 명쾌한 건 다 좋은데, 역시 중간 관리자가 없다 보니 디테일한 소통은 좀 번거롭네요…
상식	(미간 모으고 서류를 유심히 보는) …

#영업3팀. 다시 열심히 일하는 영업3팀 팀원들. 상식, 포신유한공사 측에 영어로 메일을 작성하고 있다. "현재까지의 진행사항과 관련 자료 추가분, 그리고 계약서 초안을 보냅니다. 원인터내셔널은 명시한 내용대로 포신유한공사에서 요청한 물량을 차질 없이 일정 내에 수급함으로써 만족스러운 거래를 제공할 것을 약속드립니다. 원인터내셔널 영업3팀 차장 오상식" 메일 보내기 버튼을 클릭하는 상식.

그래	(Na) 차장님은 계약서를 만들어 포신 쪽에 보냈고, 이제 계약서 도장 찍을 일만 남았다. 모든 게 순조로운 듯 보였다.

#탕비실, 낮. 커피를 타서 가는 그래.

(Na) 그런데… 뜻하지 않은 데서 문제가 터졌다.

S#28 — 영업3팀, 낮

상식 모니터에 메일 도착 알림이 올라온다. 클릭해서 열어보는 상식, 포신유한공사에서 온 메일. 첨부된 계약서 파일을 열어 확인하는 상식, 얼굴이 확 굳어진다.

상식	(뱉듯이) 이 사람들이…
일동	(돌아본다)
상식	(모니터를 뚫어지게 본다)
동식	왜 그러세요?
상식	(대답 없이 모니터만 뚫어지게 보고 있다)
일동	(어리둥절해서 보는데)
상식	(동식에게) 포신 대표 전화 연결해줘.
동식	(놀라서 본다)
상식	(모니터를 쏘아보듯 보고 있다)
상식	(E, S#5) …전무님, 뭐 하나 여쭙겠습니다.

　　　　　[Flashback] S#5
　　　　　최 전무　　　(보면)
　　　　　상식　　　　…왜 접니까? 왜 영업3팀입니까…?
　　　　　최 전무　　　(보다가 웃으며) 왜라니? 오상식이니까 부탁하는 거야. 오상식,
　　　　　　　　　　　그것 말고 다른 이유가 있겠나?

상식　　　(E) 이거였습니까? 전무님…?

S#29 — 소회의실, 낮

포신 쪽에서 온 계약서기 펼쳐져 있다. 영업3팀 팀원 일동.

동식	(놀란) 에이전트를 통해야 한다구요? 게다가 커미션이 2.5퍼센트요?
천 과장	…
동식	아니, 우리가 보낸 계약서에는 그런 내용이 없지 않았습니까?
상식	이미 구두 합의가 돼 있다는 게 포신 대표 주장이야.

Episode 18

일동	(놀란…) 네?
천 과장	구… 구두 합의를 누구와…
상식	최 전무지 누구겠어?
동식/천 과장	(당황)
그래	그럼… 지금 우리가 3퍼센트 마진인데 여기서 2.5퍼센트를 떼줘야 한다는 얘긴가요? 그럼 우리 수익은 0.5퍼센트로 확 주는데요?
동식	아니… 꽌시… 감안해서 우리가 원래 5퍼센트 마진을 3퍼센트로 줄인 건데, 여기서 커미션까지 주라는 건… 아니, 불필요한 에이전트를 끼우라는 건… (어리둥절했다가) 애초 3퍼센트 마진은 꽌시를 원가에 반영시켜서 회사에서 암묵적으로 오케이했지만 갑자기 끼어든 에이전트에 우리 마진에서 커미션까지 떼어준다는 건 문제가 될 수 있어요.
일동	(침묵)
천 과장	(조심스럽게) 제… 생각은 조금 다릅니다, 차장님. 마진율이 제로가 되는 것도 아니고, 우리 사업 중에 0.5퍼센트짜리 사업도 많습니다. 향후 태양열 발전소 사업 건까지 생각하면 이것까지도 꽌시로 칠 수 있다는 거죠. 문제 될 건 없어 보입니다.
상식	…일단 말은 해둬야겠어. (계약서 들고 나간다)
그래	(나가는 상식을 본다)
그래	(Na) 뭔가… 확실히 알 수 없지만 일련의 상황들에 계속 위화감이 든다. 맞지 않는 옷을 억지로 꿰어 입으려고 하는 느낌. 부자연스러움… 내 마음속에 증폭되는 의문들… 대체… 뭐지…?

S#30 — 이 부장실, 낮

이 부장	(계약서 보고 있다)
상식	이렇게 무리한 조건인 거 아셨습니까?
이 부장	(상식을 본다)
상식	이미 가격 조정해서 인사 충분히 반영된 계약서였습니다. 그걸 받자마자 우리 쪽 마진을 일방적으로 낮춰 포신이 지정한 에이전트에 넘기라는 계약서를 보내온 겁니다. 이건 아무리 생각해도 도를 넘었습니다.
이 부장	(달래듯이) 오 차장, 그냥 얼른 도장 찍고 끝내.
상식	(본다) 그럼 알면서 하라고 하신 겁니까.
이 부장	이익은 좀 적지만 사내에선 전혀 문제없는 수치야.
상식	좋습니다. 에이전트 껴서 한다고 치더라도요, 커미션을 2.5퍼센트나 주는 건 너무 과한 것 아닙니까?

이 부장	문제 될 거 없다잖아.
상식	부장님, 이 사업, 아무래도 찜찜합니다. 지난번 중간 관리자 문제도 그렇고, 이 문제도 그렇고, 문제 생기면 영업3팀만 죽게 됩니다.
이 부장	어허 이 사람, 죽긴 누가… 그렇게 따지지 않아도 돼. 믿으라고. 제발 믿어! 자네 지금 이 건 주무르고 있을 때 아냐. 빨리 마무리하고 태양열 발전소 사업에 전념하라고. 어차피 그 사업 보고 하는 거잖아. 지금.
상식	(강하게 보는)

S#31 ── 영업3팀, 낮

무거운 얼굴로 그래를 보며 걸어오는 상식.

상식	(자기 자리로 가면서) 중국 건 잠시 홀딩해.
그래/천 과장	(긴장한 얼굴로 본다)
동식	(긴장해서) 그래도 될까요?
상식	당분간 중국 쪽 아이템 관련한 모든 통화는 녹취해.
일동	(의아하게) 네?
상식	장그래, 전에 쌀 아이템 준비할 때 중국 주재원하고 연락했었지?
그래	네? 네, 석 대리님이요.
상식	그 뒤로도 그 친구랑 통화한 적 있나?
그래	네, 아이템 접으면서 감사 인사 했습니다.
상식	인사하니까 뭐래? 믿을 만한가.
그래	허튼 말은 없는 사람으로 보였습니다.
상식	(동식 보고) 그 친구 연락해봐. 포신에서 지정한 에이전트 어떤 곳인지 알아보고, 포신에서 진행한 다른 건에도 이렇게 갑자기 에이전트 끼워 넣어서 계약한 건이 있는지 알아보라고 해. 연락은 나한테 직접 하라 하고.
그래	네.
상식	불필요한 이야기는 삼가고, 조용히 처리해달라고… 알았지?
그래	네. (긴장한 얼굴로 상식을 본다)

S#32 ── 비상구 계단, 낮

문을 열고 나오는 그래. 굉장히 복잡하고 무거운 얼굴로 생각에 잠겨 한 계단씩 내려온다.

[Flashback] S#29

동식	(놀란) 에이전트를 통해야 한다구요? 게다가 커미션이 2.5퍼센트요?
	아니, 우리가 보낸 계약서에는 그런 내용이 없지 않았습니까?
상식	이미 구두 합의가 돼 있다는 게 포신 대표 주장이야.
일동	(놀란…) 네?
천 과장	구… 구두 합의를 누구와…
상식	최 전무지 누구겠어?

계속 내려오는 그래.

[Flashback] S#29

동식	아니… 꽌시… 감안해서 우리가 원래 5퍼센트 마진을
	3퍼센트로 줄인 건데. 여기서 커미션까지 주라는 건… 아니,
	불필요한 에이전트를 끼우라는 건… (어리둥절했다가)
	애초 3퍼센트 마진은 꽌시를 원가에 반영시켜서 회사에서
	암묵적으로 오케이 했지만 갑자기 끼어든 에이전트에 우리 마진에서
	커미션까지 떼어준다는 건 문제가 될 수 있어요.

계속 내려오는 그래.

[Flashback] S#31

상식	(자기 자리로 가면서) 중국 건 잠시 홀딩해.

내려오다가 멈춰 서는 그래.

[Flashback] S#31

상식	당분간 중국 쪽 아이템 관련한 모든 통화는 녹취해.

그래   뭔가 이상해…

[Flashback] S#7

동식	아무리 그래도 역시 오 차장님 스타일은 아니야.
그래	근데 왜 이 사업을 받으신 걸까요? 게다가 전무님…

그래   전…무님…

석율	(듣고 있다가) 알겠습니다. 고맙습니다. (끊고 문 과장에게 간다)
	과장님, 청솔실업 말인데요. 납품 딜레이로 소송당한 거 아십니까?
문 과장	(문서 계속 뒤적이며) 어. 어제 성 대리한테 보고받았어.
석율	알고 계셨다고요? 그런데도 결재를 내주신 겁니까?
문 과장	말했잖아. 딜레이 발생 시 페널티 조항 넣었다고.
석율	그렇지만 소송 같은 불미스러운 일이 있는 회사인데, 꼭 그렇게까지 해서
	거래를 해야 하는 건지 모르겠습니다.
문 과장	(석율을 올려다본다) 그렇긴 한데… 성 대리가 그렇게 확신 있게 보증한다고 하니까.
	성 대리 믿고 간 거야.
석율	네?
문 과장	꼼꼼한 사람이 그렇게 단언할 때는 그만한 이유 있을 테니까.
성 대리	(들어오며) 과장님 다녀왔습니다. (책상 위에 승용차 팸플릿 척 올려둔다)
석율	(성 대리를 돌아본다)
성 대리	(픽, 비웃고 승용차 팸플릿을 들고 문 과장에게 가면서) 과장님, 제가 차를 한 대 사려는데
	좀 골라주세요.
석율	(본다)
문 과장	어? 웬 차? (팸플릿 받아 보며) 뭐야? 이렇게 비싼 차를 사려구?
성 대리	(웃으며) 연초에 성과급 받은 걸로 계약하게요. 안 썼거든요.
문 과장	나머지는 다 할부?
성 대리	네.
문 과장	어우~ 그래도 이 차는 할부금이 엄청날 텐데?
성 대리	(웃으며) 한번 무리하죠 뭐. 한 대 딱! 골라주세요.

석율, 심각한 얼굴로 성 대리와 차 팸플릿을 보다가 벌떡 일어나서 나간다.

S#34 — 철강팀, 낮

일하고 있는 백기, 그러나 뒤의 자원팀을 계속 의식하면서 돌아본다. 백기 책상 밑에 쇼핑백…

S#35 — 자원팀 통로 앞 + 자원팀, 낮

쇼핑백을 든 백기가 영이를 보며 걸어온다. 영이, 책을 읽고 있다. 의자 돌려 고개 젖히고 자고 있는

하 대리   (가볍게 스치듯) 어, 점심 먹었어?

백기   (멈칫) 아, 네.

책을 읽던 영이, 고개 돌려 백기와 눈인사 주고받는다. 다시 책 읽는 영이. 한참 눈치 보다가 마음을 먹은 듯 홱 돌아서서 나가는 백기. 백기가 사라진 후 기지개 펴며 통로 쪽 보는 영이, 아무도 없다. 다시 책 읽으려는 영이 휴대전화에 문자 온다. 백기다. "정원에서 잠깐 봐요." 의아한 표정의 영이.

S#36 ─ 옥상 정원, 낮

쇼핑백을 들고 약간 긴장해서 왔다 갔다 하는 백기.

영이   장백기 씨.

백기   (홱 돌면서 쇼핑백을 뒤로 감춘다)

영이   (다가오며) 무슨 일이에요?

백기   (영이의 신발을 본다. 굽 흔들거리던 그 구두다)

영이   (다가와 서면) 무슨 일이에요?

백기   어… 그러니까… 제가… 와이셔츠가 너무 비싼 거 같아서.

영이   (의아) 네?

백기   모르면 몰랐지 알고는 그냥 못 있겠어서요.

영이   (어이없는 웃음)

백기   5000만 원입니다.

영이   (백기를 보다가 픽 웃는다)

백기   (영이에게 쇼핑백을 확 안기면서) 나는 아예 상설할인매장에서 샀으니까

          더 부담 갖지 마요.

영이   (당황했다가 조금 망설이다가 포기하고) 고맙습니다.

백기   맞는지 한번 신어봐요.

영이   (꺼내서 신어본다) 딱 맞네요. (왔다 갔다 한다)

백기   굽 관리 잘해요.

영이   (보고 웃으며) 근데 나 힐 잘 안 신는데…

석율   (Off) 뭐야? 사준 거야?!

깜짝 놀라서 보면 석율, 휘둥그레한 눈으로 보고 있다.

백기/영이	(당황해서) 아, 아니…
석율	(막 다가오며) 잘했어 잘했어. 내가 진짜 진즉에 하나 사줄라 그랬어. (영이 보며) 내가 진짜 잘생긴 우리 영이 씨 힐 신고 올 때마다 아주 아찔아찔해요. 오른쪽 굽 흔들흔들하는 거 맞지?
백기	(풉 웃는)
영이	(당황하고 어이없이) 아니 왜 남의 구두는 관찰해요?!
석율	내가 관찰하는 게 아니라 영이 씨 그 구두가 내 이목을 끈 거라고. 내가 주체가 아니라 그 구두가! 흔들흔들 그 구두가! 주체라고!
영이	(창피하다) 알았어요, 알았어!
백기	(웃음을 참느라)
석율	잘 만났어. 내가 의견을 좀 들을 게 있어. 자, 업체가 하나 있어. 우리가 사서 수출을 시켜줘. 우리가 갑이지. 그런데 접대를 해. 누가? 우리가! 받아야 맞는 거잖아? 게다가 기일 못 맞춰서 딴 업체한테 소송까지 걸려 있어. 누가? 그 업체가! 근데 굳이 계약서에 없던 조항까지 넣어가면서 계약을 강행해. 이게 뭘까?
영이/백기	(끔벅끔벅) …
석율	몰라? 느낌 안 와?
영이	글쎄요.
석율	뒷돈을 받는 거라고. (확신한) 뒷돈… 뒷돈이 확실해… (심각)

S#37 — 원인터 외경, 밤

그래	(E) 차장님, 석 대리님 연락 왔습니다.

S#38 — 소회의실, 밤

녹음 버튼 누르고 통화하는 상식, 혼자 있다.

상식	오상식입니다.

분할 화면.

석 대리	안녕하십니까, 오 차장님.
상식	수고가 많아요.

석 대리	아닙니다. 알아보라신 에이전트는 법인은 맞는데 신생이라 알아볼 만한 정보가 없습니다.

석 대리 아닙니다. 알아보라신 에이전트는 법인은 맞는데 신생이라 알아볼 만한
정보가 없습니다.

상식 (긴장)

석 대리 그리고 포신 쪽 라인으로 좀 알아봤는데, 이렇게 중간에 에이전트를 끼워서
거래를 한 경우는 없더라구요. 필요하면 처음부터 세팅을 했다네요.
게다가 커미션도 말도 안 되게 불렀네요. 2.5퍼센트라니요.

상식 너무 많단 말이지?

석 대리 네, 보통 1퍼센트라네요. 그리고 우리 쪽 마진을 3퍼센트 잡으셨었죠?

상식 그랬지.

석 대리 이쪽 관계자들 얘기로는요, 유기 박막형 전지 사용 집열판이 고급 집열판인 데다가
그쪽 몸집 부풀리기까지 도와주는 건이라 우리 마진율을 높였어도 충분히
진행이 가능했다고 합니다. 게다가 이 건은 포신 쪽에서 더 급한 거기도 하구요.

상식 …

석 대리 좀 이상하죠?

상식 (멈칫) 어? 어… 어… 아, 아냐. 이유가 있겠지 뭐. 수고했어. 고마워.

전화 끊고 얼굴이 굳는 상식.

동식 (E, 놀란) 신생이요? (천 과장을 본다)

S#39 — 헬기 옥상, 밤

굳은 얼굴의 상식, 동식과 천 과장이 놀란 얼굴로 쳐다보고 있다.

동식 게다가 우리 마진도 꽌시 적용 전 마진율이었던 5퍼센트보다도
더 높일 수 있었다구요?
(천 과장을 본다)

천 과장 (굳어진다) …그래서, 차장님 생각은 어떤 겁니까?

상식 (천 과장을 본다) …

천 과장 혹시…

동식 (천 과장을 봤다가) 차장님 혹시…

천 과장 (동식을 봤다가) 전무님이 리베이트를 받는 거란 생각…하시는 겁니까?

상식 (천 과장을 본다)

일동 (긴장하고)

동식 차장님… 그냥 이 건, 접으시죠.

천 과장	(동식을 본다) …
동식	이 건 왜 하려고 하시는 건지 아는데요… 잘못하다간 팀 박살 나겠어요.
상식	(천 과장을 본다. 동식을 본다…)
동식	차장님.
상식	(망설인다)
동식	(뭔가 이상하다) 차장님, 뭘 망설이시는 거예요? 뭐 다른 거 생각하시는 거예요?
상식	…장그래가… 걸려 있어.
동식	(의아한) 네? (천 과장을 본다)

S#40 ── 영업3팀, 밤

골몰히 생각에 잠겨 있는 그래. 창고 쪽으로 오던 백기, 그런 그래를 보면서 걸어온다. 잠깐 멈췄다가 다시 걸어간다. 백기가 가까워져도 전혀 모르고 생각에 잠겨 있는 그래.

백기	(손가락으로 캐비닛 톡톡) 진행 잘됩니까?
그래	(그제야 보고) 네? 아… 새 사업… (애매한 미소)
백기	무슨 생각을 그렇게 해요. (들어와서 뒤쪽 책상에 살짝 기대앉는다)
그래	뭐 그냥…
백기	(보다가…) 장그래 씨, 뭐가 그렇게 걸리는지 모르겠지만, 그냥 하십시오. 아무것도 돌아보지 말고 아무것도 묻지 말고, 그냥 오 차장님 믿고서, 그냥 하십시오.
그래	(본다)
백기	… (가려고 하면)
그래	(백기를 잡는다. 본다) 왜 그래야 하는 겁니까?
백기	… (갈등의 눈으로 그래를 보다가…) 장그래 씨가 그랬잖습니까. 이번 사업은 오 차장님이 팀을 키우기 위해 한 결정이라구요.
그래	…
백기	(얼른 말을 이어 붙이지 못한다. 다시 잠시 마음속의 갈등… 그러다가) 팀이 커져서 부서장이 되면, 장그래 씨를 정규직으로 채용할 수 있는 기회가… 있다고 하네요.
그래	(충격받은 얼굴) !
백기	…장그래 씨… 뭐가 고민인지 모르겠지만 나는 장그래 씨가… 했으면 좋겠습니다. (간다)

동식	정규직 전환이요…?
상식	(답답한 얼굴로…)
천 과장	…
동식	…절호의 기회인 건 맞아요…
상식	그래서 그래. 밀어붙였다가는 팀을 위험에 빠뜨릴 수 있고, 그렇다고 접자니 장그래한테 마지막이 될 절호의 기회를 날려버리는 게 아닌가…
천 과장	…차장님, 전무님이 리베이트를 받는다는 정확한 근거가 있는 것도 아니지 않습니까?
상식	(천 과장을 본다)
천 과장	좀더 신중하게 생각해보시죠.
상식	…
동식	그러세요 차장님… 장그래가 걸렸다면… 저도 할 수 있는 데까지 해보고 싶습니다.
상식	…

S#42 ― 영업3팀, 밤

그래, 충격받은 얼굴로 혼자 앉아 있다가 갑자기 확 일어난다. 거칠고 다급하게 통로를 걸어간다.

S#43 ― 탕비실 + 휴게실, 밤

들어가서 상식을 찾는 그래, 다급히 나온다.

S#44 ― 엘리베이터 앞, 밤

다급히 나오는 그래, 전화기를 꺼내 전화를 상식에게 걸며 엘리베이터를 누른다.

S#45 ― 헬기 옥상, 밤

긴장한 얼굴로 서 있는 세 사람, 상식의 휴대전화가 울린다. 상식, 보면 "장그래".

213 **상식**   (받으며) 어, 왜.

그래   (E, 다짜고짜) 어디 계십니까?

상식   (약간 당황) 어? 어⋯ (일동 보며) 들어가는 중이야.

    .

S#46 ── 엘리베이터 앞, 밤

그래, 엘리베이터 타면서

그래   드릴 말씀이 있습니다, 차장님.

S#47 ── 헬기 옥상, 밤

전화 귀에 댄 채 당황한 얼굴로 있는 상식. 그런 상식을 보는 천 과장과 동식.

상식   먼저들 내려가.

동식, 천 과장, 보다가 돌아서 간다.

S#48 ── 엘리베이터 안 + 15층 엘리베이터 앞, 밤

생각에 잠겨 있는 천 과장. 복잡한 표정의 동식. 띵 하는 소리와 함께 엘리베이터 열린다. 동식 내리는데

천 과장   어, 나 바람 좀 쐬고 들어갈게. 생각 정리도 좀 하고.

동식   네, 알겠습니다. (들어간다)

닫히는 엘리베이터.

S#49 ── 18층 엘리베이터 앞, 밤

엘리베이터가 열린다. 천천히 내리는 천 과장. 전무실 쪽을 보며 갈등이 깊은 얼굴이다⋯

[Flashback] S#41

천 과장	(동식을 봤다가) 전무님이 리베이트를 받는 기란 생각…하시는 겁니까?
상식	그래서 그래. 밀어붙였다가는 팀을 위험에 빠뜨릴 수 있고, 그렇다고 접자니 상그래한테 마지막이 될 절호의 기회를 날려버리는 게 아닌가…
천 과장	…차장님. 전무님이 리베이트를 받는다는 정확한 근거가 있는 것도 아니지 않습니까?

그대로 서 있는 천 과장… 깊은 한숨을 내쉬고 돌아서서 다시 열림 버튼을 누른다. 타는 천 과장…

S#50 — 헬기 옥상, 밤

팔짱을 끼고 기다리고 있는 상식. 문이 열리고 들어오는 그래.

상식	(보고 다가가며) 무슨 일이야? 무슨 일인데 이렇게,
그래	(OL) 저 때문이신 겁니까?
상식	뭐?
그래	이번 사업에 석연치 않은 여러 가지 상황들, 평소에 차장님이시라면 간과하지 않으셨을 상황들, 그냥 눈 감고 넘어가시는 것, 저 때문이신 겁니까?
상식	(당황하지만 화를 내는) 뭐 이리 건방진 소리가 다 있어?!
그래	저 때문이라면 그만둬주십시오.
상식	(화나는) 너 때문이란 소리도 못 알아듣겠고, 석연치 않은 상황이란 건 다 뭐냐? 쓸데없는 소리 하지 말고 가서 일이나 해! (가려는데)
그래	계약서에도 없는 에이전트가 등장하고 커미션을 요구하는 이런 상황들이 이해가 안 갔습니다.
상식	내가 판단해!
그래	차장님의 판단이 혹여나 저 때문에 흐려지신 것 아닌가 싶어 드리는 말씀입니다.
상식	건방진 자식! 니가 뭔데 내 판단력에,
그래	(OL) 저를 구제하시려는 거잖아요.
상식	(멈칫한다)
그래	저를… 정규직으로… 만드시려는 거잖아요. 그래서… 지금… 평소 같으면 절대 손을 잡지 않으실 분과 손을 잡으신 것 아닙니까?
상식	(얼른 말을 못 잇고 당황한 얼굴로 본다)
그래	저 때문에 팀을 위험에 빠뜨리고 싶지 않습니다. 부탁드립니다. 그만둬주십시오.
상식	니가 대체 무슨 짐작을 하고 있는지 모르겠지만 전무님을 비난할 생각이라면

그만둬라.

그래   (보면)

상식   전무님과 내가 껄끄러운 사이라는 건 맞아. 하지만 사생활과 일은 구분할 줄 아는 사람들이야, 그분이나 나나! 회사가 장난인 줄 알아?

그래   전무님의 다른 속내가 있으신 것 같습니다. 거기에 우리를 이용하고 계신 것 같습니다.

상식   무슨 말도 안 되는 소리야! 너보다 훨씬 뛰어난 실적 내신 분이고 나보다 훨씬 더 회사에 기여한 분이야. 너와 나보다 훨씬 더 오랜 시간 우리 회사를 위해 일해오신 분이야. 아무리 내가 미워도 자신의 팀과 회사에 해를 끼치는 일은 하지 않으셔.

그래   (상식을 본다…)

상식   걱정할 것 없어. 이 일은 내가 반드시 되게 할 거다. 아무도 위험에 빠뜨리지 않을 거야. 최선의 결과를 낼 수 있는 방법을 찾을 거다.

그래   차장님.

상식   그래, 널 구제할 수 있는 기회, 맞아. 그래서 마지막으로 내가 할 수 있는 건 할 거다. 왜냐고? 지금 안 하면 다시 기회가 온다 해도 내가 이런 마음을 또 가질 수 있을런지 모르겠으니까.

그래   (흔들리는 눈으로 상식을 본다)

[Flashback] 제14국 S#73

상식   안 된다고 했어.

선 차장   차장님.

상식   은지 때보다 더 어려운 시대잖아. 대책 없는 희망이, 무책임한 위로가 무슨 소용이야?

선 차장   … (앞을 보며 약간 뼈 있게) 전 그 대책 없는 희망, 무책임한 위로 한마디 못 건네는 세상이란 게 더 무섭네요.

상식   (선 차장을 본다)

선 차장   대책 없는 그 말 한마디라도 절실한 사람들이 많으니까요.

선 차장을 보는 상식… 상식을 보는 그래… 말없이 서 있는 세 사람… 잠시 후 상식이 무겁고 단호하게 입을 땐다.

상식   그래도 안 돼.

그래   !

상식   (그래를 보다가) 내려가. 니가 할 일은 일이야. 그거 말고는 아무것도 하지 마.

아무것도 의심하지 말고.

그래   …

옥상 문 안에서 듣고 있는 천 과장…

S#51 — 로비 안, 밤

심각한 얼굴로 걸어 나오는 백기. 그 앞에 구두를 내려다보며 걷는 영이가 보인다. 백기, 보고 있으면 한 발 한 발 걸어가며 구두를 유심히 보는 것 같은 영이.

백기	거참, 구두 닳겠네.
영이	(깜짝 놀라 돌아보면)
백기	(다가오며) 너무 노골적 아닌가? 이러면 사준 사람이 엄청 무안한데…
영이	(당황해서) 제… 제가 원래 새 신 신으면 팔자로 걸어서 신경 쓰여서 그래요.
백기	?
영이	큼. (획 간다)
백기	(웃으면서 따라가며) 아르헨티나 건 문제없어요? 필요하면 이상현 씨한테 도움 좀 청하죠?
영이	(찡그리며) 네?
백기	광자원공사에 친한 선배 있다고 입에 달고 다녔잖아요.

픽 웃던 영이, 앞을 보더니 그 자리에 얼어붙는다.

백기	(영이를 의아하게 본다) **영이** 씨.
영이 아빠	누구신가?

백기, 돌아보면 중년 남자. 영이, 남자를 쏘아보고 있다.

영이 아빠	난 영이 애비 되는 사람인데?
백기	(놀라서) 아, 안녕하십니까. 안영이 씨 입사 동기 장백기입니다.
영이	(싸늘하게) 먼저 가세요. 내일 뵙죠.
백기	아… 네… (영이 아빠에게 꾸벅 인사하고 가는데 등 뒤에서 들리는 소리)
영이 아빠	(Off) 신 팀장한테 내가 전화했어. 양심이 캥겨서 가만있을 수가 있어야지.
백기	(걸음이 멈춘다. 돌아보면)
영이	(일그러진 얼굴로 아버지를 보고 있다)

백기	…	
영이 아빠	국밥이나 한 그릇 먹자. 밥 구경 좀 하자.	
영이	(굳은 얼굴로 보다가 백기와 눈이 마주친다. 당황하는) …	
백기	(목례하고 나간다)	

S#52 ── 국밥집, 밤

술잔에 자작하는 영이 아빠. 술을 맛있게 마신다. 국밥을 우걱우걱 먹는 영이 아빠. 보는 영이, 터질 것 같은 감정을 억지로 꾹 누르고 앞에 앉아 있다.

영이 아빠	(다시 자작하며) 너무 그러지 마라. 술도 체한다.
영이	…
영이 아빠	늬 엄마 감기 걸렸더라. 관절염인지 류마티슨지 뼈다귀도 아프대고. 들여다는 봐야지. 나나 미워하지 늬 엄마는 미워하지 마.
영이	회사는 어떻게 아셨어요.
영이 아빠	신 팀장한테 전화했다니까. 얼마 전에 한번 찾아갔어.
영이	아버지가 신 팀장을 왜 찾아가요?
영이 아빠	그냥 안부 인사 했어. 너 거기서 만났다고, 일 잘하고 잘 다니고 있다고, 너 칭찬 많이 하더라.
영이	(부들부들 떤다)
영이 아빠	(마시고 또 자작) 고맙단 말하러 간 거야. 늦긴 했다만. 그 인사야 진즉에 했어야 맞잖아. 니가 하도 펄펄 뛰어서 참고 안 갔던 거지.
영이	(기가 막힌)
영이 아빠	그 바람에 내 얼굴이 뭐가 됐겠어. 돈을 그렇게 많이 빌려줬는데 경우도 양심도 없는 인간 된 거지. (마시고 또 자작)
영이	(거친 숨을 참는) …그래서, 왜 오셨어요?
영이 아빠	너 마이너스 통장 만들었다며? 다 갚았어? 다 채워 넣었어? 애비가 어떻게 좀 해줄라고 했는데, 인 돼시 미안하다.
영이	(기가 막혀서 본다)
영이 아빠	허튼 데 논 쓰지 말고 논 생기는 대로 챙겨 넣어둬. 그래야 나중에 급할 때 또 쓰지. 아참, 한 50만 원만 있으면 부쳐라. (술잔 비운다)
영이	(입술을 앙다물고 있다가) 어떻게 하면 돼요?
영이 아빠	(빈 잔 들고 영이를 본다)
영이	어떻게 하면 아버지한테서 벗어날 수 있어요?
영이 아빠	(보다가 술잔 감정 실어 툭 내려놓는다) 부쳐라. (일어나 간다)

S#53 ─ 식당 밖 일각, 밤

식당 문 열고 나오는 영이 아빠. 식당 슬쩍 쳐다보곤 건너편으로 사라진다. 그런 영이 아빠 보며 한쪽 구석에서 나오는 백기. 식당으로 걸어가서 안을 보는데 고개 숙이고 있는 영이.

S#54 ─ 식당 안, 밤

그대로 멍하니 앉아 있는 영이. 띵. 문자 온다. 보면 백기 "술 한잔해요?" 돌아보는 영이. 식당 밖에 서 있는 백기. 쳐다보는 영이.

S#55 ─ 한강 둔치 강 대리 벤치, 밤

영이와 나란히 앉아 있는 백기. 멍하니 건너편 야경 쳐다보던 영이, 손에 든 휴대전화를 만지작거리다가 터치해서 아버지한테 온 전화번호 화면을 보여준다. 발신인 이름에 적힌 '…'.

영이　　　아버지예요. 쩜쩜쩜… 정말 할 말 없게 만드는… 분.

[Flashback] 제1국 S#90
백기, 영이가 '…'으로 온 전화를 보고 굳어 있는 장면이 떠오른다.

영이, 남의 말 하듯이 드라이하게 계속한다.

영이　　　아버진 군인이셨어요.

Ins. 인형을 들고 있는 머리 긴 어린 여섯 살 영이, 차갑고 못마땅한 얼굴로 봤다가 외면하는 군인 아버지. 두 사람 화면에서 스틸.

영이　　　(E) 내가 사내아이가 아닌 게 못내 못마땅하셨죠.

Ins. 머리를 짧게 깎은 열두 살 영이, 남자처럼 옷을 입고 출근하는 군인 아버지 앞에서 인사하는 영이. 두 사람에서 스틸.

영이	(E) 자라면서 제일 많이 들은 말은 니가 시내였이야 하는데… 엄미가 제일 많이 들은 말은 계집애한테 공들이지 마…
백기	…

Ins. 과외 아르바이트를 하는 영이, 편의점이나 카페 아르바이트를 하는 열일곱 살 영이에서 스틸.

영이	(E) 학비 한 번 받아본 적이 없어요. 고등학교 때부터 알바를 했죠.

Ins. 러닝셔츠를 입고 집에서 혼자 술을 먹고 있는 퇴역 군인 아버지 앞에 아르바이트비로 모은 돈을 내놓는 열일곱 살 영이, 두 사람에서 스틸.

영이	(E) 아버진 옷을 벗고 이런저런 사업에 손대셨어요. 사기 당하고 말아먹고… 그러다 내 알바비까지 털어 가셨죠.
백기	(본다)
영이	전액 장학생으로 대학에 가고 그리고 또 알바를 해서 아버지 드리고 그런데도 놓여날질 못했어요. (잠시 멈췄다가) 졸업 전에… 취업을 했죠.
백기	(멈칫 본다)
영이	…삼정물산이요…
백기	!

[Flashback] 제12국 S#45
영이를 쳐다보던 신우현과 외면하는 영이.

백기	혹…시… 삼정 신우현 팀장…
영이	네, 제 사수였어요.
백기	! 그런데 왜…
영이	…

[Flashback] 키페 혹은 적당한 곳, 2년 전

영이 아빠	연봉이 얼마냐? 대우는 어때? 대기업이니까 대출도 쎄지?
영이	…
영이 아빠	이번에 좋은 가게 터 하나 봐뒀는데.
영이	(숙이는) …

영이	처음엔 마이너스 대출을 해서 드리고 대출 자격이 되고서는 대출을 해드렸죠. 그러고도 또 원하셨어요. 도저히 방법이 없었는데… 어느 날… 아버지가

나도 모르게 신 팀장을 찾아갔어요.

백기   !

영이   (고개를 떨군다) 신 팀장님은 제게 안영이로 살 수 있는 방법을 가르쳐주신 분이에요.
사내애가 아니라서 미안한 여자애 말고.

[Flashback] 제12국 S#18 삼정물산 회의실 밖 혹은 로비, 낮

우현   잘했다.

영이   (웃는)

우현   (걸으면서) 중국과 아랍 쪽 바이어는 여자가 담당자란 생각을 못 해.
앞으로 어떤 회의에서건 남자들 사이에 있을 땐 늘 가운데 앉아.

영이   (웃으며) 네.

영이   그분과 일을 하는 게 즐거웠어요. 일하는 재미, 노동의 보람 그리고 나…
나의 미래… 그런 가치들이 소중해졌어요. 아버지가 그분에게 돈을 빌렸단 걸
알기 전까지는요.

[Flashback] 제8국 S#38 지하 주차장, 밤 혹은 낮, 1년 전
화가 나 파르르해진 얼굴로 어떤 차를 향해서 걸어가는 영이. 차 안의 우현,
다가오고 있는 영이를 보고 내린다.

영이   왜 그러셨어요?! 왜 저한테 한마디 묻지도 않고 그러셨어요?!

우현   (본다)

영이   그렇게 해주시면 제가 고마워라도 할 줄 아셨어요?
평생 은인이라고 생각할 줄 아셨습니까?!

우현   니가 그런 일로 흔들리는 게 싫었다.

영이   흔들려요?! 누가 그래요?! 그 사람이 그럽니까?
돈을 주지 않으면 내가 힘들어진다고요?!

우현   (차분하게) 안영이,

영이   (OL) 집어치워요! (눈물이 흐른다) 팀장님은 위선자예요.
제가 얼마나 비참해질지 알면서 하신 일이에요. 이 상황을
즐기고 계신 거. 다 보입니다!

우현   (화난) 안영이!

영이   (흥분한 채 노려보다가 뒤로 확 돌아 걸어간다)

우현   안영이!

우현을 뒤로하고 더 이상 울지 않으려고 빨개진 눈으로 이를 꽉 물며 걷는 영이.

영이	미친 여자처럼 위아래 없이 퍼부어댔죠. 그리고 쫑.
백기	(본다)
영이	삼정 그만두고 6개월을 집에만 있었어요. 죽은 사람처럼. 죽고 싶었죠. 그러다가 어느 날… 티비에서 무슨 다큐멘터리를 멍하니 보고 있는데 아… 죽으면 안 되겠구나 싶었어요.
백기	무슨… 다큐요?
영이	몰라요. 넥타이 부대들 우르르 나오는 거였는데… 점심 밥값을 누가 계산해야 하냐… 그런 내용이었는데… 찌질해 보였어요.
백기	(풋 웃는다)
영이	저 우르르 속에 있어야겠다. 내 인생 살아야겠다…
백기	…신 팀장님, 좋아했어요?
영이	(당황해서 백기를 봤다가 대답 안 하고 앞만 본다) …
백기	…영이 씨.
영이	네.
백기	우리 심야 공포 영화나 보러 갈까요?
영이	네? 공포 영화 못 보잖아요.
백기	아… 글쎄요… 그게… 문득 볼 수도 있겠구나… 하는 생각이 든 거죠.
영이	(빤히 보다가) 그럼… 끝나고 시뻘건 선짓국도 같이?
백기	(당황) 아… 거기까진 아직 진도가 좀 이르고요.
영이	(피식)
백기	(피식) 가죠. (일어난다)

따라 일어나는 영이. 나란히 걸어간다.

S#56 ── 몽타주, 밤

\#영업3팀, 밤. 깜깜한 어둠 속에 혼자 앉아 있는 그래, 괴로운 얼굴이다.

> [Flashback] S#50
> 상식   걱정할 것 없어. 이 일은 내가 반드시 되게 할 거다. 아무도 위험에
> 빠뜨리지 않을 거야. 최선의 결과를 낼 수 있는 방법을 찾을 거다.

\#상식의 집 주방, 밤. 불도 안 켜진 어두운 식탁에 혼자 앉아 캔 맥주를 마시고 있는 상식.
\#거리. 괴로운 얼굴로 걸어가는 그래.

[Flashback] S#50

상식   그래, 널 구제할 수 있는 기회, 맞아. 그래서 마지막으로
내 가 할 수 있는 건 할 거다. 왜냐고? 지금 안 하면 다시 기회가
온다 해도 내가 이런 마음을 또 가질 수 있을런지 모르겠으니까.

괴로움에 걸어가는 그래…

S#57 ─ 원인터 외경, 낮

S#58 ─ 섬유팀, 낮

성 대리를 의식하며 일하고 있는 석율. 일어나서 나가는 성 대리를 계속 눈으로 쫓는다.

석율   (머리를 감싼다) 뒷돈… 뒷돈… 틀림없는데… (일어나서 나간다)

S#59 ─ 영업3팀 통로, 낮

영업3팀을 향해 걸어가는 석율. 그래의 숙이고 있는 머리통이 보인다.

석율   어휴~ 또 무슨 생각 하느라고 코 빠져 있나? 또 혼났나?

영업3팀 앞에 가다가 멈춰 선다. 예사롭지 않게 고개를 숙이고 생각에 잠겨 있는 듯한 그래의 모습. 다가가려다가 그냥 만다.

석율   말 붙일 분위기가 아니네…

돌아서 간다. 가다가 멈추고 다시 돌아봤다가 갸웃하고 간다.

S#60 ─ 탕비실, 낮

들어와서 커피 타는데, 영이 들어온다.

석율	장그래는 무슨 일인 줄 알아?
영이	모르겠는데요? 무슨 일 있어요?
석율	(화를 낸다) 아니~ 왜 이렇게 관심들이 없어?! 따 시키는 거 아냐?
백기	(들어온다)
석율	아니, 장백기! 우리 그래 무슨 일 있나 본데, 모르지?
백기	(멈칫) 네? 아… 네…
석율	무슨 일인데 저렇게 코가 빠져 있는 거야? 안 되겠어, 이따가 다 같이 모여서 간만에 점심이나 같이 먹자.
영이	그래요.
백기	…

S#61 — 영업3팀, 낮

굳은 얼굴로 생각에 잠겨 있는 듯한 그래.

[Flashback] S#50

그래	전무님의 다른 속내가 있으신 것 같습니다. 거기에 우리를 이용하고 계신 것 같습니다.
상식	무슨 말도 안 되는 소리야! 너보다 훨씬 뛰어난 실적 내신 분이고 나보다 훨씬 더 회사에 기여한 분이야. 너와 나보다 훨씬 더 오랜 시간 우리 회사를 위해 일해오신 분이야. 아무리 내가 미워도 자신의 팀과 회사에 해를 끼치는 일은 하지 않으셔.

그래, 생각에 생각이 꼬리를 물듯 생각에 빠져 있다. 상식 들어오다가 그런 그래를 본다. 말없이 자리에 가서 앉는 상식, 다시 그래를 본다.

상식	장그래.
그래	(보면)
상식	또 무슨 뻘 생각을 하고 있는 거야?
그래	아닙니다.
상식	아니긴 뭐가 아냐? 내가 철학 하지 말라고 했지.
그래	차장님 저는,
상식	어젯밤에 얘기 다 끝냈다.
그래	차장님,
상식	일해.

상식	(돌아가는 그래 봤다가 일하는데)
그래	(다시 벌떡 일어나서 상식에게 온다) 저 때문에 차장님과 팀이 조금이라도 위험해진다면… 아무것도 의미 없습니다. 저를… 구제해주시려고 하신 그 마음이면 충분합니다, 차장님.
상식	(본다)
그래	(목례하고 나간다)

S#62 ─ 구름다리, 낮

올 것 같은 얼굴로 걸어 나오는 그래, 그때 전화가 온다. 엄마다. 그래, 전화받으면

그래 엄마	(E) 응, 바쁘지 용건만 간단히.
그래	응.
그래 엄마	(E) 넥타이 드라이 얻다 맡겨놨냐? 찾아놔야 매지. 김 씨네야? 이 씨네야?
그래	엄마, 이 씨네 아저씨 문 닫았잖아.
그래 엄마	(E) 어? 아! 맞다. 알았다. 끊는다.
그래	(얼른) 엄마.
그래 엄마	(E) 응.
그래	(머뭇머뭇)
그래 엄마	(E) 바빠. 말해~
그래	…
그래 엄마	(E) 말해!
그래	엄마, 공공근로 못 하니까 서운해?
그래 엄마	(E) 뭐?
그래	왜 예전에, 나 인턴 시험 볼 때… 나 붙으면 엄마 공공근로 못 나간다고 투덜댔잖아.
그래 엄마	(E) …서운하지 그럼…
그래	…끊어요.
그래 엄마	(E) 일찍 들어와.
그래	네… (끊는다) …

S#63 ─ 영업3팀, 낮

들어오는 그래. 빈 영업3팀. 그래, 상식 자리 보면 비어 있다. 자리에 앉는 그래… 앉아서 일을 하려고 하는데 상식 책상에 전화벨이 울린다. 돌아보는 그래. 전화벨이 영업3팀 안에 울려 퍼지는 듯.

한 번, 두 번, 세 번. 일어나는 그래… 다가간다. 전화벨은 계속 울린다. 전화를 잡는 그래. 받는다.

그래	여보세요.
석 대리	아, 장그래 씨.

분할 화면.

그래	아, 석 대리님. 안녕하세요?
석 대리	네. 오 차장님 안 계십니까?
그래	지금 자리 비우셨는데요. 급하시면 제게 말씀해주세요 (녹음 버튼 누르며) 녹음하고 있으니 그대로 전달해드리겠습니다. (듣고)
석 대리	포신 쪽 측근에게 알아봤더니 포신 쪽에서는 이번 집열판 주문만 성사되면 발전소 사업은 거의 수주한 것과 마찬가지라는 소문이 돌고 있습니다.
그래	그렇다면 더더욱 저희 원인터가 이런 조건으로 계약을 할 필요가 없는 것 아닙니까? 물량을 확보해서 포신이 발전소 사업 딸 수 있게 우리가 밀어주는 상황 아닙니까?
석 대리	그렇죠. 맞죠. 그래서 제가 차장님께 말씀드렸어요. 이쪽에서 조사해보니 이런 경우 마진을 훨씬 더 많이 남겨도 진행에 문제없을 거라고.
그래	그런데, 포신에서 우리가 받아야 할 마진까지 에이전트 커미션으로 요구를 하고 있는 거군요. 꽌시라는 명목으로요.
석 대리	그렇죠.

그래 단독.

그래	석 대리님… 뭐 하나 여쭤볼게요. 그러면 우리가… 절이라도 받아야 하는데 인사를 하고 있는 상황, 아닌가요…?
석 대리	(E) …
그래	뭣 때문인지 모를 전무님의 판단으로 절을 받아야 할 우리 회사가 인사를 해야 하는 상황이 된 겁니까?
석 대리	(E, 긴장하는) …
그래	석 대리님.
상식	(Off, 버럭) 장그래!

그래, 확 돌아본다. 당황해서 그래와 전화기를 보고 있는 상식. 그렇게 그래와 상식. 엔딩.

Episode 18

Episode 19

제19국

S#1 — 영업3팀, 낮

당황해서 그래와 전화기를 보고 있는 상식. 그래가 상식 너머를 보면, 동식과 천 과장이 긴장하고 놀란 얼굴로 보고 있다.

S#2 — 회의실, 낮

전화기에서 나오는 녹취된 석 대리와 그래의 말(제18국 S#63). 각각의 굳은 얼굴로 듣고 있는 영업3팀 팀원들.

그래	(E) 석 대리님… 뭐 하나 여쭤볼게요. 그러면 우리가… 절이라도 받아야 하는데 인사를 하고 있는 상황, 아닌가요…?
석 대리	(E) …
그래	(E) 뭣 때문인지 모를 전무님의 판단으로 절을 받아야 할 우리 회사가 인사를 해야 하는 상황이 된 겁니까?
석 대리	(E, 긴장하는) …
그래	석 대리님.
상식	(Off, 버럭) 장그래!

스톱 버튼을 누르고 장그래를 무섭게 보는 상식.

상식	이게 무슨 짓이야, 장그래…
그래	…
상식	내가 뭐라고 했, (동식과 천 과장 봤다가 동식에게) 석 대리 연결해줘.
동식	네. (수화기 들어 전화한다)

동식이 연결하는 동안, 그래를 보고 있는 상식.

S#3 — 회의실 외경, 낮

S#4 — 회의실, 낮

석 대리와 통화하고 있는 상식. 동식과 천 과장, 걱정스럽게 바라보고 있고, 그래는 시선을 떨궜

상식　　　(편안하게 아무렇지도 않은 듯) 우리 막내가 말실수한 거야. (듣고 사이)
　　　　　　아냐, 아냐, 그런 거 없어. 그럼. 이쪽도 전혀 그렇게 생각하지 않아. 그럼. (사이)
　　　　　　내가 지난번에 말했잖아. 그냥 여러 가지로 확실하게 해두려고 그러는 거라고.
　　　　　　(허허허 웃으며) 그래, 그래, 그러~엄. 아무 걱정 말아. 녹취? 녹취는 무슨.
　　　　　　벌써 지웠지. (듣고) 그래. 알지 알지. 고마워. 한국 오면 소주 한잔 살게. 그래, 수고!

전화 끊고 그대로 있는 상식… 모두 아무 말도 없이 그대로 있다…

상식　　　천 과장, 김 대리. 나가 있어.
천 과장/동식　　(보고 나간다)

그래를 보고 있는 상식.

상식　　　넌 날, 끝까지 믿지 못한 거냐.
그래　　　(고개 들며) 차장님,
상식　　　(OL) 내가 알아서 한다고 했잖아.
그래　　　(다시 시선 떨구지만…)
상식　　　장그래, 잘 들어라. 오늘 니가 한 이 행동이 오히려 팀을 더 위험에 빠뜨릴 수 있어.
그래　　　! (본다)

S#5 ── 중앙 정원, 낮

나오는 동식과 천 과장.

동식　　　장그래, 왜 저렇게 바보 같은 짓을 했지… 아무리 뭘 몰라도 그렇지.
천 과장　　…
동식　　　저러면 석 대리가 얼마나 불안하겠어요? 전무님이 부정이라도 있는 것처럼
　　　　　　몰아가고… 석 대리가 맞장구치게 만드는 모양새가 된 거라구요.
천 과장　　…

상식	석 대리는 자기 말에 책임질 위치가 아니기 때문에 이 상황이 부담으로 느껴지면 어떤 행동을 할지 몰라. 빠져나가려고 할 거야.
그래	(상식을 본다)
상식	게다가 전무님에 대한 네 불신을 증명할 증거도 근거도 없어. 이런 상황에서 말이 만들어지고 사태가 커지고 전무님이 정말 아무 잘못이 없다는 게 밝혀지면…
그래	(당황하고 흔들리는 눈빛으로…)
상식	그 책임은 온전히, 말을 처음 시작한 너와 우리 팀이 지게 된다.
그래	(당황!)
동식	(E) 대체 장그래는 왜…

S#7 ── 중앙 정원, 낮

놀란 얼굴로 천 과장을 보고 있는 동식.

동식	장그래가… 알았다구요?
천 과장	응…

[Flashback] 제18국 S#50

그래	(OL) 저를 구제하시려는 거잖아요.
상식	(멈칫한다)
그래	저를… 정규직으로… 만드시려는 거잖아요. 그래서… 지금… 평소 같으면 절대 손을 잡지 않으실 분과 손을 잡으신 것 아닙니까?
상식	(얼른 말을 못 잇고 당황한 얼굴로 본다)
그래	저 때문에 팀을 위험에 빠뜨리고 싶지 않습니다. 부탁드립니다. 그만둬 주십시오.

천 과장	차장님이 자기 때문에 판단력이 흐려졌다고 생각하는 것 같았어. 그래서 자기 의심에 대해 확인하려고 했던 것 같아. 나름 팀을 구하려고 한 행동이었겠지. 미숙했지만…
동식	(고개를 떨군다. 입술을 깨문다)
천 과장	자기 때문이라고 생각했으니… 못 견뎠을 거야.
동식	(중얼…) 바보 같은 놈… 나한테 의논이라도 하지…

굳은 얼굴로 들어오는 천 과장과 동식. 동식, 서 있는 그래를 보며 들어온다.

상식	석 대리는 안심시켜놨으니까 일이 더 커지진 않을 거야.
천 과장	확실하게 안심시키려면 다시 일을 진행하고 있다는 걸 보여줘야 합니다.
상식	(천 과장 봤다가…) 그래, 천 과장 말이 맞아. 이렇게 된 이상 달려가는 수밖에 없어.
그래	… (숙이는)
상식	(동식과 천 과장에게) 업체별 계약서 확인하고, 법무팀에 넘겨서 하나하나 검토받도록 해. 포신에서 보내온 계약서 재검토하고 서브 조항들은 우리 쪽에 최대한 유리하게 뽑아놔.
동식	에이전트는 어떻게 해요.
상식	… (단단한) 전무님 뵙고 올게. (그래를 본다)
그래	…

S#9 ─ 전무실, 낮

추궁한 듯 무거운 분위기로 앉아 있는 상식, 그러나 최 전무는 전혀 밀리지 않는 여유까지 보인다.

최 전무	그래, 에이전트. 약속된 거 맞아.
상식	기존 팀에서 진행하다 넘어온 자료에는 없던 조항이었습니다.
최 전무	말하지 않았나? 중간에 상황이 바뀌었다고. 태양열 발전소 사업 말이야.
상식	합의 됐던 꽌시로 그 건은 충분히 커버된다고 생각했습니다.
최 전무	(고개 저으며) 아냐. 그 정도는 어디서나 한다구. 우린 플러스알파가 필요해. 문제가 될 수 있는 부분 감안해서 항목을 나눴을 뿐이야. 전부 꽌시라고 생각해.
상식	이렇게 하면 집열판 사업으로 얻는 회사 수익은 0.5퍼센트입니다. 이건 이 사업의 특성상 수익률이 제로에 가깝단 뜻이 되는 겁니다.
최 전무	오 차장, (자세를 잠시 바꾸고) 그럼에도 불구하고야.
상식	전무님.
최 전무	(보다가…) 나, 25년째야. 이 회사. 이렇게 성장한 회사야. (상식을 보는) 늘 결과로 보여줬어. 항상 결과로 말이야.
상식	…
최 전무	국제 경기가 얼어붙어 다른 회사들 고전할 때, 우리 회산 어땠는지 아나? 중국에 있는 내 라인 총동원해서 활로를 찾아냈지. 번번이 내가 살렸어. (전무실 훑어보며) 이렇게 회사를 키워왔고, 그렇게 우리 회사가 컸어.

이 모든 건 중국에 내 식구 같은 사업 파트너를 만들어둬서 가능했던 걸세.

상식	(보면)
최 전무	이번에도 다르지 않아. 꽌시가 얼마든, 회사를 위한 일이야.
상식	(보다가… 고개 떨구듯 살짝 숙이며 살짝 픽 웃는다)
최 전무	(확 구겨지는 표정)
상식	(고개 들고) 전무님이 어떤 방식으로 회사를 키웠든 존중합니다. 다만, 그 방식, 이번 건에서는 접어주십시오.
최 전무	(상식을 노려본다)
상식	저희 방식대로, 꽌시는 저희가 보낸 계약서 초안대로만 진행하겠습니다.
최 전무	오상식.
상식	그것이 회사가 승인한 만큼이고, 제가 납득할 수 있는 최대치입니다. 그러니 이번 계약, 더는 무리 안 할 수 있도록, 힘을 좀 실어주십시오. 에이전트 조항은 전무님께서 빼주십시오. 그렇게 안 된다면 (전무를 제대로 보고 던지듯) 저희 이 건, 진행 어렵습니다…
최 전무	(노려보는 눈썹 끝이 일그러진다)
상식	빼고 진행하게 해주시면 저희, 두 번째 사업 또한 반드시 따낼 겁니다.
최 전무	(노려본다)
상식	전무님 부사장 되시는 데 지장 없도록 하겠습니다.

상식, 일어나 꾸벅 인사하고 돌아서 나간다. 전무 그대로 앉아 있다가 어이없는 웃음 픽. 그리고 다시 차갑게 굳는 얼굴.

S#10 ── 영업3팀, 낮

상식, 성큼성큼 걸어 들어오면 일하고 있던 그래, 동식, 천 과장이 상식을 기다렸다는 듯 일어난다.

동식	(일어나며) 차장님.
상식	에이전트 빼고 원래대로 진행해.
동식/천 과장	!…
천 과장	그대로 되겠습니까?
상식	응. (제자리로 휙 가면서) 장그래, 국내업체에 보낸 이메일 회신 왔어?
그래	네… 차장님 책상에 정리해서 올려뒀습니다… (보다가 자리에 앉는다)
상식	(자리에서 서류 찾아본다)
동식/천 과장	(상식을 본다)

동식　　　　(놀라) 전무님, 협박하고 나오신 거예요?

상식　　　　…

천 과장　　　그…렇게 하셔도 되겠습니까?

상식　　　　전무는 받을 거야. 부사장 자리가 걸렸으니까.

동식/천 과장　(보면)

S#12 ─ 전무실, 낮

창밖을 보며 생각에 잠긴 최 전무.

S#13 ─ 구름다리(혹은 적당한 곳), 낮

답답하고 걱정 섞인 얼굴로 나오는 천 과장, 담배 꺼내 물고 라이터 찾는데, 주머니에서 울리는 진동 소리. 꺼내보는 천 과장, 하… 짧은 탄식 섞인 한숨과 함께 자기도 모르게 눈을 질끈 감았다 뜬다.

S#14 ─ 전무실, 낮

책상 위를 톡… 톡… 치는 전무의 손가락. 그 소리를 들으며 불안한 얼굴로 소파에 앉아 있는 천 과장.

최 전무　　　영업3팀이 역시 일을 참 잘해. 단시일 내에 그만한 물량 확보도 그렇고.

천 과장　　　…네.

최 전무　　　천 과장하고도 이견 없이 호흡 잘 맞고?

천 과장　　　…네…

최 전무　　　뭘 그렇게 긴장을 해. 자넨 아직도 그렇게 내가 긴장이 되나?

천 과장　　　…

최 전무　　　(보다가) 참, 자네 생각은 어떤가. 에이전트 조항을 빼고도 인상적인 인사가
　　　　　　　　될 수 있다고 보나? 포신이 다음 사업을 꼭 맡기고 싶을 만큼 말이야.

천 과장　　　저는… 제 생각은… 잘 모르겠습니다.

최 전무　　　…

천 과장　　　하지만,

최 전무　　　(본다)

천 과장	하지만 오 차장은 꼭 성공시킬 겁니다. 그러니 믿고 맡겨주십시오 전무님.
최 전무	(보다가) 오차장이… 혹시… 장그래 사원 얘기는 안 하던가…?
천 과장	(멈칫) 네…?

S#15 ―― 섬유팀, 낮

석율, 잔뜩 열받아서 통화하고 있다.

석율	아니, 박 대리님, 부자재 내역서 보내달라고 청솔에 대체 몇 번을 요청했었습니까? 그것도 차일피일 미루다가 덜렁 싼 부자재로 교체하고, 한 번도 아니고 말도 없이 몇 번씩이나. 제가 이러면 절대 안 된다고 말씀드렸잖아요. (듣다가 흥분) 아니, 지금 배 째라는 겁니까?! (기막혀하고) 이 부장님이 된다고…? 안 됩니다. 해결 방안 찾으시고 다시 연락 주세요. (끊는다) 도대체 얼마나 해 처먹기로 한 거야. 이 성 대리 개ㅅ…
성 대리	(들어온다)
석율	(일어나 가며) 청솔, 부자재 또 바꿔야겠답니다!
성 대리	(흘깃) 그래? 기존 부자재 구하기 힘들다더니 결국 바꿨나 보네.
석율	(기가 막힌) 바…꿨…나 보네…요? 이게 지금 그렇게 끝낼 일입니까?! 이대로 받으면 퀄리티가,
성 대리	(OL) 걔네 프로야. 뭘 알구 까불어.
석율	절대 못 바꿉니다! 당장 들어오라고 하겠습니다!
성 대리	야! (어이없이) 뭐? 들어오라 해? 필요한 니가 가야지 들어오라 해? 너 요즘 세상이 어떤 세상인데 갑질 하냐? (전화 온다. 받고) 아, 이 부장님. 예, 얘기 들었습니다. 부자재 그렇게 진행하세요. 제가 과장님께 허락받을게요. (석율 노려보며) 납품 기일 맞추는 게 우선입니다. 네네! 아, 아네요. 들어오실 필요 없어요. (잠깐 한숨 쉬며) 금방 다시 할게요. (전화 끊고 석율 노려보며 옷 입으면서) 이 새끼, 니가 골질 해놔서 공장 섰다잖아! 언제까지 니가 싼 똥 내가 치워야 되냐?! (확 나간다)
석율	(어이없이 있다가 의심스럽게 확 본다)

S#16 ―― 계단, 낮

조심스럽게 계단 문이 빠꼼 열리고 석율. 계단 아래서 들려오는 성 대리의 통화 소리.

성 대리	(E, 달래듯) 아… 그거 아니라니까요. 우리 사이에 그런 거 아니잖아요.
석율	(긴장한 얼굴로 문틈 조금 열어두고 듣는)
성 대리	그래, 내가 받았어. 그동안 많이 받은 거 알아. 그래, 그러니까 갚는다고. 두고두고 갚는다고 했잖아요. (헉! 해서) 차를, (한숨 쉬며) 하… 그래.
석율	(헉! 숨죽인 채 듣는다.)
성 대리	다~ 갚을게. 근데 이거는 이해해줘. 이게 처음 계약하고 너무 갭이 심하긴 해요. 오히려 역효과야. (듣다가 한숨 쉬며) 그럼 내일 저녁에 봅시다. 만나서 얘기해요. 네.
석율	(기가 막혀 문을 조용히 닫는다)

S#17 ― 통로, 낮

| 석율 | (황당하고 놀라운 얼굴로) 와~ (어이없어 웃음만) 이게 뭐야? 아니, 내가 의심은 해도 설마설마 했는데… 와~ 세상에, 정말 뒷구녕 구린 짓을 하고 있는 거야? (돌아보며 또 어이없는 헛웃음을 짓는다) 허! |

S#18 ― 탕비실, 낮

석율, 여전히 어이없는 웃음 지으며 들어오는데 영이, 커피 타고 있다.

석율	장그래. 계속 못 봤지? 결국 점심도 같이 못 먹었네.
영이	(보고) 한석율 씨 전화도 안 받아요?
석율	응. 사무실도 계속 비어 있고, 3팀 엄청 바쁜가 봐.
영이	그러게요… (하다가) 아! 그 일 때문인가?
백기	(들어온다. 아는 척하고)
석율	(영이에게) 무슨 일?
영이	중국 쪽 일 하나 하는 거 같아요. 원래 마 부장님하고 자원3팀에서 만지던 건데 전무님이 영업3팀으로 넘기신 거 같던데…
백기/석율	(본다)
영이	규모가 크거든요. 5억 달러?
석율	(놀라며) 오… 오억 달러?
영이	성공만 하면 팀이 커질 수 있는 기회예요.
석율	(약간 시니컬하게) 아… 난 약간 오 차장님한테 실망인데, 전무님의 모든 걸 모두 까기 중이신 줄 알았는데…

영이	저도 조금 이이더라구요. 하지만 일은 일이니까…
백기	…
석율	그래도 난 역시 실망. 줄 내려주니깐 덥석 잡으신 건가…?
그래	(Off) 무슨 말 하는 겁니까?!

세 사람, 놀라서 보면, 어둡고 화가 난 얼굴로 서 있는 그래.

석율	아, 장그래,
그래	(OL, 석율에게) 잘 알지도 못하면서 함부로 말하지 마십시오! (세 사람을 보며) 함부로… 말하지 말란 말입니다. (괴로운 듯 찡그리는)
석율	(놀란) 장그래…
그래	(확 돌아서 나간다)
영이	(놀란) 장그래 씨…
백기	…

S#19 — 계단, 낮

그래, 퍽퍽퍽 거칠게 계단을 내려가다가 계단 난간을 잡고 선다. 아… 신음을 뱉으며 고개를 떨어뜨린다.

> [Flashback] 제18국 S#50 헬기 옥상
>
> **상식**   그래, 널 구제할 수 있는 기회, 맞아. 그래서 마지막으로
> 내가 할 수 있는 건 할 거다. 왜냐고? 지금 안 하면 다시 기회가
> 온다 해도 내가 이런 마음을 또 가질 수 있을런지 모르겠으니까.

그래, 계단에 무너지듯 앉고 고개를 파묻는다.

백기	(E) 오 차장님이 전무님 건을 받으신 건 장그래 씨의 정규직이 걸려 있기 때문인 거 같아요.

S#20 — 탕비실, 낮

놀라서 백기를 바라보고 있는 영이와 석율.

석율	(당황한 얼굴로) 정규직이 걸려… 있어?
영이	…차장님이 부서장이 되시면 인력 충원 요청을 할 수 있으니까요.
석율	… (당황하고 다급해서) 어… 어떻게 해야 그 건이 성공하는 거야? (어쩔 줄을 모르고) 내가 뭘 도와야 하지? 내가 할 수 있는 게 뭐냐고.
백기	…우리가 할 수 있는 일이요… 없을 겁니다…
석율	아냐, 뭐라도 있을 거야. 지난번 선 차장님 일처럼 우리가,
영이	(OL) 이건, 아녜요. 한석율 씨. 그때랑 다르잖아요…
석율	…

S#21 ─ 로비, 저녁

엘리베이터를 나와 힘없이 입구로 걸어가는 그래. 비서와 함께 걸어 들어오는 최 전무를 봤다. 멈칫 서는 그래, 얼른 숙이며 옆으로 물러선다.

최 전무	(끄덕이며 지나가려다가 선다) 바둑 두러 오라고 했는데 왜 안 오나?
그래	(깜짝)
최 전무	(보며 웃는다)
그래	죄… 죄송합니다.
최 진무	그래… 시간 날 때 들르라고…
그래	(말없이 목례만 한다)
최 전무	(의미를 알 수 없는 얼굴로 쳐다보다가 간다)
그래	(다시 갈 길 가는데)
최 전무	(멈춰 서서 그래를 돌아본다. 의미를 알 수 없는 표정이다)

S#22 ─ 영업3팀, 저녁

상식, 창가를 보고 서 있다가 울리는 전화를 받는다.

상식	네 영업3팀 오상식입니다.
최 전무 비서	(E) 최영후 전무님 비서실입니다.
상식	(약간 긴장) 네.
최 전무 비서	(E) 전무님께서 저녁 식사 같이하자십니다.
상식	(굳은) …

안내를 받는 상식, 문 앞에 선다. 안내인, 똑똑 두드린다. 상식, 긴장한 얼굴로 서 있다. 안내인, 문을 열면 상식, 고개를 들어 열리는 문을 본다. 안으로 보이는 최 전무 그리고… 맞은편에 앉은 다른 한 사람이 보인다. 그래다.

상식   !

급히 일어서는 그래. 쳐다보는 최 전무. 확 굳은 얼굴로 보는 상식.

S#24 —— 일식집 룸 안, 저녁

그래의 옆에 굳은 얼굴로 앉아 있는 상식, 그래를 보면

최 전무	내가 불렀어. 생각해보니 사람을 맡기고 너무 나 몰라라 했던 것 같아서.
상식	(어금니를 물듯 입을 꾹 다물고 최 전무를 본다)
최 전무	이전에 세운 공들도 있고… 오 차장 말대로 다른 사람도 아닌 내 안목인데 공치사로라도 밥 한 끼는 사는 게 윗사람의 도리일 듯 싶고.
상식	…
최 전무	젊은 친구가 진중한 건지 수줍음이 많은 건지, 바둑 한 판 두러 올라오라고 해도 영 말을 안 들어. (웃는)
그래	(당황하는)
상식	(그래를 본다)
최 전무	아, 참. 장그래 씨는 이런 말을 들은 적이 있겠군. 내게 좋은 수는 상대방에게도 좋은 수가 될 수 있다고.
상식	! … (쏘아보듯 최 전무를 본다)
그래	(당황해서 최 전무를 봤다가 상식을 본다)
최 전무	(웃으며 음식 권하고) 식사들 하지. 오늘 농어가 좋군.
상식	장그래 씨는, 오늘 처리해야 할 업무가 많습니다. 전무님.
최 전무	(본다)
상식	(받는다)
최 전무	(웃고) 그런가? (그래 보며)
그래	(순간 당황) 아… 네…
최 전무	(여유 있게 웃으며) 어… 그래. 할 수 없군. 그럼 다음에 다시 식사하자고.
그래	네.

일어나서 최 전무에게 꾸벅, 그리고 상식을 바라보다가 꾸벅 인사하고는 나간다. 그래가 완전히 나가 문이 닫힐 때까지 말없이 앉아 있는 두 사람.

상식 (분노를 눌러 참으며) 이게…

최 전무 (OL) 생각해보니 말이야… 자네도 이 사업, 꼭 해야 하는 이유가 있지 않은가? (술병을 들면서) 그 이유를 잊어버린 거 같아서 자리를 마련했어.

상식 (어금니를 꽉 물고 보는)

최 전무 나는 이기고 상대방은 지게 만드는 승패적 사고에 익숙한 사람들이 있어. (상식의 잔에 술을 따른다) 그런 사람들은 결국 패승하게 되지. 나는 지고 상대방을 이기게 해. (자신의 잔에 술을 따르며) 나는 승패도 패승도 싫어해. 서로 승승하자구. 나도 이기고 너도 이기고. (잔을 들고 가볍게 건배 제스처 하고 마신다)

상식 (강하게 본다)

S#25 — 거리, 밤

괴로운 얼굴로 한동안 걸어가는 상식, 멈춰 선다.

상식 후… (다시 얼마간 걷다가 멈춰 선다) 후… (근처 벤치에 앉는다… 담배를 꺼내서 들고 깊은 생각에 잠기다가 고개를 떨군다…)

S#26 — 원인터 외경, 낮

상식 (E) 하겠습니다. 전무님이 원하시는 대로.

S#27 — 전무실, 낮

창 앞에 서서 상식을 보는 최 전무.

상식 그럼에도 전… 이은지 씨 때처럼 무턱대고 전무님을 믿을 수는 없습니다.

최 전무 (피식 비웃듯 웃다가) 그래서? (하고 다시 창밖을 넘겨본다)

상식 이 건! 무슨 일이 있어도 되게 만들 겁니다. 그러니… (힘주어) 확답을 주십시오. 꽌시와 관련한 어떤 문제든, 영업3팀에 그 책임을 묻지 않을 거라는 약속 말입니다.

최 전무 (돌아서 상식을 빤히 본다)

상식	(그 눈빛을 되받듯 전무를 본다)
최 전무	약속이라… (끄덕이다가) 계약서에 내가 사인을 하면 되겠나?
상식	(놀란 얼굴로 바라본다)
최 전무	내 전결로 처리한다는 말이야. 문제가 생기면 내가 책임져. 확답이 됐나?
상식	(본다)
최 전무	이걸로도 안 돼?

S#28 ─ 윈인터 옥상, 낮

상식	여전히… 전무의 속을 모르겠어. 분명히 우리 팀을 총알이자 총알받이로 선택한 거라고 생각했어. 그런데… 저렇게 쉽게 대답을 해…
선 차장	상황은 언제나 바껴요. 우리 일이 늘 그렇죠. 차장님은 일을 계약 직전까지 진행시켜놨어요. 최 전무 생각보다 훨씬 성공적인 모습으로요.
상식	(본다)
선 차장	그러니 애초에 일이 안 될 수도 있단 불안이 사라졌겠죠. 이제 영업3팀은 최 전무에게 총알인 거예요. 아주 성능 좋고 빠른 총알이요.
상식	…
선 차장	게다가 목적 지향적인 분이시잖아요.
상식	…
선 차장	차장님도 차장님의 목적만 생각하세요.

S#29 ─ 섬유팀, 낮

굽실거리며 전화받고 있는 성 대리. 성 대리를 보는 석율.

성 대리	네, 이 부장님, 네. 그럼 6시 30분에 거기서 뵙겠습니다. (끊고 석율 보며) 야, 아직 총무팀에 이번 달 성산 올리지 마.
석율	왜요?
성 대리	니 똥 치우러 일부러 가는데 내 돈으로 기름 채워야 되겠냐?
석율	(어이없다) 알겠습니다. 본사에서 업무환경 개선조사 나온다는데 그건 어떡하실 건데요?
성 대리	아~나. 대강 체크해서 넘겨. (나간다)
석율	(성 대리를 보고 흥! 하며 썩소 지으며 배차 신청하는 석율)

백기와 강 대리, 엘리베이터를 기다리며 서류를 넘겨 보며 검토하고 있다.

백기   완료 보고는 사용한 예산에 대한 정리가 완벽해야 한다고 하셔서요.
                여길 이렇게 고쳤습니다.
강 대리   그래요.
백기   최대한 프로젝트 관리자의 성과가 확실하게 보이도록요.
강 대리   좋습니다.

새 담배를 열며 다가와 서는 하 대리. 꾸벅 인사하는 백기.

하 대리   업무는 사무실에서 좀 마무리해라. (백기 흘끗 보며) 애들 피곤하게…
강 대리   (서류 본 채) 너나 담배 좀 끊지? 안영이 씨가 재떨이 냄새 난다고 안 해?
하 대리   어. 안 해. (백기 보고) 본사에서 업무환경 개선조사 나온다지?
백기   네? 아, 네.
하 대리   귀찮게 그런 건 뭐 하러 자꾸 나와, 말해도 하나 개선되는 것도 없는데.

하는데, 띵! 하고 엘리베이터 문이 열리면 깡마르고 딱딱한 인상, 검은 뿔테를 낀 사감 스타일
여자 한 명(대리)과 블라우스를 걸친 글래머에 희고 청순한 얼굴의 여자 한 명(신입)이 내려서 사
무실 안으로 들어간다. 강 대리, 하 대리, 누가 먼저랄 것도 없이 홱 돌아서 두 사람을 따라간다.

백기   (놀라서) 강 대리님, 지금 재무팀 가셔야 한다고…

백기, 어이없는 표정으로 통로로 들어가보면, 통로 일각에 서서 영업1팀 혹은 적당한 팀으로 들
어가는 여자들을 보고 있는 두 대리. 강 대리는 여대리를 눈에서 레이저가 나올 듯 쳐다보고 있
고, 하 대리는 여신입을 감동한 눈으로 바라보고 있다. 상황이 이해가 안 되는 듯 두 사람을 바라
보고 있는 백기. 영이, 샘플을 확인하며 창고로 가다가 멍하게 서 있는 백기를 본다. 그 시선을 따
라 강 대리, 하 대리를 보는 영이. 영업1팀 혹은 적당한 팀의 직원들에게 설명하고 있는 여대리.

여대리   본사 경영지원본부에서 업무환경 개선조사 나왔습니다. 저는 대리 강민경이고,
                이쪽은 저희 팀 신입사원 이연서 씨입니다. 이연서 씨 설문지 나눠드리십시오.
                간단하게 체크해주시면 됩니다.

| 여신입 | (나눠주며) 다 되시면 저한테 주세요. (하며 볼펜 끝을 입에 넣고 문다) |

강 대리와 하 대리, 각각의 여자들한테서 눈을 떼지 못하고 보고 있다. 영이, 백기 옆에 서서 그러고 있는 대리들을 본다.

영이	우리 대리님들이 반했나 보네요…
백기	(강 대리를 멍하게 보며) 설마요…
여대리	(E) 이연서 씨! 볼펜 입에 넣지 마십시오. 직원분들에게 실례입니다.
여신입	(놀라서) 죄송합니다. (얼른 뺀다)

하 대리는 당황한 신입을 보고, 강 대리는 절도 있는 여대리를 빤히 바라본다. 넋 놓고 있는 강 대리와 하 대리를 번갈아 보는 영이, 백기.

S#32 — 탕비실, 낮

재무팀 갈 서류 든 강 대리, 미소도 뭣도 아닌 묘한 표정으로 컵을 뽑는다. 들어오는 하 대리와 이어서 들어오는 유 대리.

하 대리	(커피 타며 문 쪽을 보며) 여자의 적은 여자라더니.
강 대리	(흘깃 본다)
하 대리	자기보다 어리고 예뻐서 저러는 거라고. 볼펜 좀 입에 물면 어때서?
강 대리	(물을 따르며) 공적인 자리에서 사적인 습관은 자제할 줄 알아야지.
	충분히 지적받을 상황이었다고.

백기, 복사할 서류 들고 들어와 하 대리에게 인사하고 복사기로 간다.

하 대리	귀엽기만 한데 뭐.
강 대리	(정색하고 돌아서서) 귀여워? 내 보기엔 기본이 안 돼 있던데.
백기	(멈칫한다. 곁눈질하면)
하 대리	기본이 안 된 건 저 대리라고. 사람 무안하게 하고 있잖아.
백기	(어리둥절해서 하 대리를 돌아본다)
강 대리	무안? 갑자기 안영이 씨한테 그간의 심정을 물어보고 싶네.
백기	(풋 웃는다)
하 대리	(울컥해서) 강 대리, 내가 평소 너 여자 스타일 참 독특하다고 생각했어.
강 대리	(받으며) 내가 뭐?

Episode 19

하 대리	원래 저런 마른 볏짚 같은 여자 좋아하잖아. 서걱거리고 차갑고 찔러도 피 한 방울 안 나올 것 같은 여자.
강 대리	말 똑바로 해. 세상 반듯하게 사는 여자를 좋아하는 거야. 그런 하 대리는 그냥 해실거리면서 말 잘 듣는 여자가 취향인 거지?
하 대리	(기가 막힌) 강 대리야말로 말 똑바로 해. 난 주위를 따뜻하고 행복하게 해주는 내면을 가진 여자를 좋아하는 거니까.
유 대리	(끔벅끔벅) 제가 보기엔 두 분은 그냥 마른 여자 취향이거나 글래머 취향인 것 같은데요…?
강 대리/하 대리	(유 대리를 본다. 정곡을 찔린) 큼…
유 대리	뭐 어쨌든 저도 신입 쪽이 더 취향이긴 해요. (웃으며) 귀엽잖아요.
하 대리	(슬쩍 미소)
강 대리	(갑자기 백기를 확 보며) 장백기 씨는 누가 더 낫습니까?
백기	(당황) 네? 아… (웃으며) 저도 그 대리님은 좀 피곤할 거 같아요.
강 대리	(백기를 빤히 보며 싸한 표정)
하 대리	(승자의 웃음으로) 거 봐, 강 대리 취향이 이상한 거야.
강 대리	(울컥해서 백기를 바라보고는 확 나간다)
백기	(당황해서 보면)
하 대리	(기분 좋아서 백기를 툭 치며) 의리 있어.

S#33 — 15층 엘리베이터 앞, 낮

강 대리, 엘리베이터 앞에 서 있는데 당황한 백기, 따라 나온다.

백기	(당황한 채) 저기 강 대리님,
강 대리	…
백기	강 대리님.

그때 엘리베이터 열리고, 큰 망원렌즈 카메라 들고 서 있는 석율, 강 대리를 보고 인사하려는데 강 대리는 백기에게만.

강 대리	장백기 씨 여자 보는 눈에 실망입니다.

강 대리 타면 석율, 화들짝 놀라서 내린다.

석율	무… 무… 무슨 일이야?

맥없이 서 있는 백기 옆에 석율, 커피를 젓고 있다. 카메라는 선반 위에.

석율   장백기도 차암~ 입사한 지 1년이 넘었는데 아직도 그걸 모르나?
           상사 취향은 무조건 바이블이야. 썰렁 개그엔 박장대소, 음식 취향엔 맛있습니다!
           담배 타이밍은 저도 같이. 음악, 미술, 정치, 사회 현안 모든 걸 맞추라고.
           근데 그 모든 것 위에 위에 위에 뭐가 있는 줄 알아? 여자 취향이야, 여자 취향.
           그건 무조건 따봉을 외쳐줘야 하는 거라고!
백기   (한숨 푹 쉬며 자책) 아…
석율   단! (순간 울컥!) 그 선배를 좋아할 경우에만! (허공을 보며 부르르~)

영이, 복사 서류 들고 하 대리와 같이 들어온다. 꾸벅 인사하는 백기, 석율. 영이는 복사하고, 하 대리, 물을 마시다가 백기에게

하 대리 강 대리 아직도 인정 안 하지?
백기   (당황스럽고) 아… 뭐…
하 대리 하여튼 여자 보는 눈 하고는.
영이   (프린트한 파일 들고 와 하 대리에게 내민다.)
하 대리 (파일 받으며) 안영이 너도 봤잖아. 대리가 나았어? 신입이 나았어?
영이   (고민 없이 재깍) 신입 여자분이 훨씬 매력적이었습니다.
하 대리 (기분 좋고) 그렇지? 여자 눈은 정확하다고.
영이   그래서 저도 제게 없는 그 애교를 배우려고 합니다.
백기   (벙~해서 보고 있고)
하 대리 (만족스럽게 웃고는 파일 들고 나간다. 일동, 인사하면)
석율   (영이에게 박수 치며, 와우~) 수석이 괜히 수석이 아니야. 감정을 책으로 배운
           장백기하고는 달라. 질뿐 아니라 양도 달라.
백기   (울컥해서 석율을 확 쏘아본다)
석율   (시계 보고 카메라 휙 들고) 5시! 이만 바빠서. (후나닥 간나)
백기   (가는 석율 봤다가 다시 영이에게 어이없이) 애교를 배우겠습니다?
영이   (씩 웃으며) 직장인이 그런 것도 못해서 직장인이라고 할 수 있겠어요?
백기   (어이없이)
영이   근데 한석율 씨는 어디 간다는 거예요?

미끄러지듯 들어오는 성 대리의 외제차. 일각에 주차한다. 잠시 후 따라와 일각에 주차하는 소형차. 석율이다.

#차 안, 밤

석율　　(시동 끄며) 면허 다시 따두길 잘했네. 잘했어.

차 안에서 성 대리의 차를 주시하고 있는 석율, 카메라를 연사 모드로 조작하면서

석율　　접선 장소가 한강 둔치라… 영화에서 본 건 있어서…

#차 밖, 밤. 잠시 후 도착하는 자동차. 라이트 반짝하더니 성 대리 차 맞은편에 주차한다.

#차 안, 밤. '옳지!' 하고 카메라 손에 드는 석율. 차 문 열고 나오는 성 대리 보이고. 석율은 줌해 사진 찍기 시작한다. 찰칵찰칵. 익숙하게 조수석 문 열고 타는 성 대리. 카메라에 계속 찍힌다. 석율, 차 안으로 카메라 각도를 틀어보면서

석율　　(기가 막혀) 맞네, 이 부장, 어이구야~ 성 대리, 아주 안절부절이네.
　　　　　자, 이제 그만 떠들고 돈을 줘라. 돈을. 머니! 머니! 빽머니!

셔터를 신나게 누르던 석율이 갑자기 멈칫한다. 누른 채 있는 셔터를 타고 연사로 찍히는 소리가 계속 올리고 카메라에서 눈을 때고 망치로 얻어맞은 듯 놀란 얼굴로 성 대리의 차를 보고 있다.

석율　　뭐…니? 저거? (멍~해서 끔벅끔벅하는)

엘리베이터에서 어두운 얼굴로 내리는 그래… 로비로 나오는데 손에 카메라를 들고 멍~한 얼굴로 로비 문을 열고 들어오는 석율이 보인다. 석율, 충격받은 듯 멍~한 생각에 빠져 그래를 못 본 듯 그냥 지나간다.

그래　　(돌아보고…) 한석율 씨.
석율　　(멈칫, 그제야 알아보고) 어, 장그래, 퇴근?

그래	네. (석율의 모습을 죽 보고) 무슨 일 있어요?
석율	어? (당황해서) 아… 아니.
그래	그래요… 그럼, 내일 봐요.
석율	장그래, 일 잘돼가지?
그래	네?
석율	잘돼야 돼. 잘돼야 한다. (성큼성큼 가더니 와락 꺼안아주고 간다)
그래	(쳐다보는…)
그래	(Na) 그렇다. 삶은 가끔 짓궂은 퀴즈를 던져 내내 속수무책으로 만들다가 엉뚱한 곳에 힌트를 놓아두기도 한다. 물론 그렇게 얻은 해답이 모두 정답이라는… 보장은 없다.

S#37 — 영업3팀, 낮

#바쁘게 일하고 있는 상식, 그래, 동식, 천 과장.
#이 부장, 서류 들고 와서 상식과 의논하고
#통로에서부터 이들을 보며 걸어오는 최 전무, 들어오면 모두 일어나서 인사한다. 최 전무, 끄덕끄덕하고, 격려하듯 둘러본다. 그래, 최 전무를 보는 상식과 최 전무를 차례로 본다.

그래	(Na) 차장님과 최 전무의 그날 이후, 영업3팀은 모두가 끝을 보기 위해 작정한 사람들 같았다. 일에만 매달렸고, 일 외에는 다른 어떤 것에도 마음을 두고 가지 않았다. 그리고 어느 날…

S#38 — 영업3팀 + 통로, 낮(다른 날)

정신없이 일하고 있는 상식. 책상 위의 전화가 울리면 받는다.

상식	예, 오상식입니다. (굳는 얼굴) …본사에서요?

상식의 목소리에 들어보는 그래, 동식, 천 과장. 다급해진 상식의 시선이 통로 끝 입구 쪽을 본다. 본사 감사팀1, 2기 들어서고, 영업3팀을 향해 걸어온다. 상식의 시선이 그들을 좇아 움직이자 그래, 동식, 천 과장도 그쪽을 쳐다본다. 본사 감사팀1, 2 영업3팀으로 성큼성큼 들어서 곧장 상식 앞에 선다.

본사 감사팀1	오상식 차장님?
상식	(당혹스러워 굳은 얼굴) 네…

본사 감사팀1 본사에서 나왔습니다. 최근 본사 차원에서 전 그룹 계열사 긴축경영 체크를
하던 중에 제보가 들어와서요.

그래, 동식, 천 과장, 놀라서 본다. 고 과장과 황 대리도 놀라서 보면서 "제보?" 웅성거린다. 복도
끝에서 백기와 영이도 이 모습을 본다. 상식, 툭, 그래를 본다.

S#39 ── 전무실, 낮

서새에서 책을 꺼내 보고 있는 최 전무. 책상 위의 전화가 울리면 천천히 돌아본다. 울리는 전화벨.

S#40 ── 영업3팀, 낮

상식 앞에 서 있는 본사 감사팀1, 2.

본사 감사팀1 본사 주재 경영회의 월간 손익보고에 최영후 전무님의 중국 사업에 대한 문제
제기를 담은 문서가 올라왔습니다. 제보에 의하면 영업3팀에 녹취록이 있다구요.

당황하는 동식, 그래를 본다. 낭황한 그래, 동식과 천 과장과 상식을 차례로 본다. 쳐다보는 영업2팀.
따라와서 보는 자원2팀. "무슨 소리야? 녹취록? 무슨 일이야?" 웅성웅성. 상식의 얼굴 어두워진다.

S#41 ── 통로, 낮

무거운 얼굴의 최 전무, 어디론가 걸어간다.

그래   (Na) 제보는, 중국발이었다. 묘하다 싶은 이 게임에서 빠지고 싶었을 것이다.

S#42 ── 영업3팀, 낮

상식, 의자를 돌려 창 쪽을 향해 앉아 있다. 망연자실한 천 과장, 상식의 뒷모습을 보다가 고개 숙
이는 그래와 동식. 주변에서 영업3팀을 쳐다보는 시선들…

그래   (Na) 오 차장님이 급히 다독이긴 했지만, 본인의 발언이 녹취됐고, 한 팀의

신입사원 입에서 흘러나온 뜨끔한 말에 부정이 아닌 침묵으로 동조해버린
석 대리는 불안감에 상사에게 보고했다. 석 대리의 보고를 받고 뜨거운 감자를
쥔 중국 주재 부장은 얼른 본사에 넘겨버린 것이다.

S#43 ── 전무실, 낮

본사 감사팀1, 2 앞에 앉은 최 전무, 화를 누르는 얼굴이다.

최 전무　　몇 번을 묻나? 그건 지금까지 해오던 인사치레야.
본사 감사팀2　그 인사 방식에 대한 문제 제기입니다.
본사 감사팀1　다 파악됐어요, 매번 이렇게 하셨더군요. 아주 오랜 기간 동안 말입니다.
최 전무　　(화난 얼굴로 본다)
그래　　(Na) 최 전무님은 십수 년 동안 자신이 일해온 방식을 설명했다.
　　　　　　그렇게 설득할 수 있다고 생각했다. 그러나 현실은…
본사 감사팀1　보니까 전에도 크게… (최 전무 보며) 전무님 표현으로 '인사'를 하셨던데…
　　　　　　그렇다 해도 규모가 인사의 당위를 넘어섰습니다.
최 전무　　(참지 못하고 버럭) 그 당시 논리로 봐야지! 할 만한 인사였고 무리 없이
　　　　　　진행된 일을 왜 다시 꺼내는 거야? (답답하고 억울한 얼굴로 본다)
본사 감사팀2　자료에 다 나와 있어요, 전무님. (서류 탁탁 짚으며) 여기, 여기, 보십시오!

분노와 억울함을 곱씹으며 입을 굳게 닫아버리는 최 전무.

S#44 ── 회의실, 낮

법무팀1, 2 앞에 앉아서 취조받고 있는 상식. 감정을 읽을 수 없는 굳은 표정이다.

법무팀1　　그러니까 이번 사업의 경우, 최영후 전무는 우리 회사의 이익을
　　　　　　거의 고려하지 않고도, 과한, 확신을 갖고 밀어붙인 거 아닌가요?
상식　　　확신을 갖고 있지 않은 임원이 있었습니까?
법무팀1　　(보다가) 그럼 다시 묻겠습니다. 좀 선에 판시가 관습화된 상례라 말씀했는데,
　　　　　　그렇다면 이렇게 많이 하는 것이 통상적이라고 생각합니까?
상식　　　보기에 따라 통상적이지 않습니다.
법무팀1　　보기에 따라, 라고 하셨습니까? 통상적으로 볼 수도 있다는 말입니까.
상식　　　후… 상사의 일이란 기본적으로 리스크가 다양한 사업이 주를 이룹니다.

진행 부서는 가치와 불확실성과 손실까지 모두 분석합니다. 또한 향후 비즈니스
파트너로서 동반 가능한 관계에 대해…

[Flashback] 제18국 S#14

최 전무   (E) 파트너 관리가 일의 핵심일 수도 있어. 많이 달라졌다고 해도
          아직 중국은 된시야. 나쁜 거다 관습이다. 해도 통하지.
          먹고 빠지는 그런 사업은 안 돼. 이젠 평생 가는 거야.

상식   (흔들리는 표정) …
법무팀1   오상식 차장님?
상식   파트너로서 동반 가능한 관계에 대해 투자 개념의 꽌시를 행해왔기 때문입니다.
          그 사이즈는, 이후에 취할 수 있는 우리 회사의 수익과 비례해서
          책정 가능하다고 생각합니다.
법무팀1   그렇다면 어째서 오상식 차장의 그간의 대중국 사업에서는 그 같은 꽌시를
          찾을 수 없는 겁니까? 꽌시가 정당치 않다는 판단을 해왔던 것 아닙니까? 또한,
          최영후 전무의 지시 후 중국 주재원에게 조사를 요청했던 내용 역시 같은
          맥락으로 보입니다만.
상식   (말없이 힘들어한다) …

S#45 ─ 전무실, 낮

책상 앞에 앉아 한 손으로 이마를 감싸듯 짚고 앉아 있는 최 전무. 참담한 얼굴로 일어나 창가로
다가가는데 노크 소리와 함께 들어오는 비서.

비서   (최 전무의 눈치 살피며) 사장님이… 오셨습니다.
최 전무   (조금 놀란 얼굴로 몸을 돌린다)

들어오는 사장. 웃음기 없는 얼굴로 최 전무에게 다가선다.

최 전무   사장님. (고개 숙여 인사) 어떻게 여기까지… 부르시지 그러셨습니까.
사장   (선 채로) 본사 감사팀 만나고 오는 길일세.
최 전무   (본다)
사장   최 전무. (보다가) 정식 절차 들어갈 것 같네.
최 전무   (당황) 지금까지 해오던 일입니다. 대체 뭐가 문젭니까? 관행입니다.
          사장님도 익히 알고 계신 거잖습니까? 제 방식을 믿고 지지하신다고,

249	**사장**	(OL) 나는 알고 있었지만, (본다) 본사에서도 알고 있었는지 모르겠네.
	최 전무	(사장을 보다가 고개를 돌린다. 기가 막힌다)
	사장	준비할게 있다면 준비하게. (나간다)

최 전무, 보다가 눈을 감으며 숨을 깊게 내쉬다가… 문득 그래가 떠오른다.

	상식	(E, 제14국 S#11) 전무님 안목 아니십니까?
	최 전무	(허탈한 웃음…)

S#46 ― 전무실 밖 비서실, 낮

정적이 흐르는 비서실… 화면의 불이 꺼지듯 F. O.

S#47 ― 18층 엘리베이터 앞, 낮

정적이 흐르는 18층 입구… 화면의 불이 꺼지듯 F. O.

S#48 ― 전무실, 낮

창밖을 쳐다보고 서 있는 최 전무… 화면의 불이 꺼지듯 F. O.

S#49 ― 로비, 낮

로비를 가로질러 걸어 나가는 최 전무. 자원팀 사람들, 마 부장, 회사 직원들이 양쪽으로 서서 전무를 배웅하고 있다. 악수를 나누고 어깨를 쳐주고 하며 의연하게 인사하는 최 전무를 멀리 일각에서 지켜보고 있는 상식… 최 전무도 상식을 봤다. 사람들에게 인사 받으면서 상식을 보는 최 전무… 일각에서 그런 상식을 쳐다보고 있는 그래.

S#50 ― 영업3팀, 낮

책상 위에 오래된 연도 표기된 서류들을 잔뜩 쌓아놓고 보고 있는 상식. 서류를 넘기면 "동해 게

르마늄 정제 사업" "중국 고형 연료 에너지 사업" "해양 플랜트 EPC 사업" 등 다양한 사업들이 있다. 그중 서류 한 장 꺼내보면, 결재 부분 펜으로 직접 사인한 결재자, 부장 최영후라고 적혀 있다.

> [Flashback] 과거. 자원팀 최 부장(최 전무) 자리
> 최 부장 일하고 있으면, 대리 상식. 손에 계약서를 들고 막 달려 들어온다.

> 대리 상식   (흥분한) 부장님 땄습니다! 해양 플랜트 EPC 건 땄습니다.
>   국내 최초 해양플랜트 건입니다! 우리가 해냈습니다.
> 최 부장   뭐? (얼른 다가와 상식의 손에 든 계약서를 확인한다. 그리고 뿌듯한) 그래!
>   그래. 우리가! 우리가! 해냈다.

결재자를 빤히 보고 있던 상식 착잡하게 서류를 닫는다.

그래   (Na) 최 전무는 비상장 그룹사 원글로벌로 발령이 났다.

S#51 — 몽타주, 낮 혹은 밤

#영업3팀. 착 가라앉은 분위기. 그래, 고개를 푹 숙이고 괴로운 얼굴로 자리에 앉는다.

그래   (Na) 오 차장님과 영업3팀은 꽌시 건에 대한 계속적인 문제 제기와
             구제 노력의 진정성이 받아들여져 징계의 칼날을 피해갈 수 있었다.

동식과 천 과장, 집열판 관련 업체의 브로셔, 계약서 초안 등 다양한 파일들은 휴지통에 버리거나 테이블 위에 놓는다.

그래   (Na) 포신유한공사 측은 일방적으로 태양열 발전소 사업을 중단시켰다.
             꽌시를 문제 삼은 것과 전무의 징계에 대한 항의였다.

#15층 사무실 안. 여기저기 얘기하는 사람들.

그래   (Na) 사내는 뒤숭숭했고,

#기타 팀(영업1, 2 자원, 철강 제외). 중국과 통화하며 사정하는 모습의 직원1, 상대가 일방적으로 끊었는지 애타게 부르다가 전화를 끊으며 화가 나서 손에 든 서류를 확 내팽개친다.

그래 (Na) 꽌시로 관계를 공고히 해오던 중국 업체들 사이에도 소문이 돌아서
직접적으로 손해를 입는 팀들도 생겼다.

#영업3팀. 상식, 자신의 책상에서 집열판과 발전소 관련 자료들과 파일들을 착착 추린다. 상식, 정리하면서도 고개를 푹 숙인 채 앉아 있는 그래를 본다.

그래 (Na) 그 원인은 조직에서 환영받지 못하는 오 차장님의 업무 스타일과
그 부작용이 낳은 참극으로 모아졌다. 그리고 날이 갈수록 모든 책임은
오 차장님에게 전가됐다.

상식, 정리된 파일들을 들고 가 캐비닛에 2013년 폴더에 집어넣는데 와르르 떨어지는 파일들. 상식, 흔들리는 눈으로 파일들을 한동안 보다가 들어서 다시 착착 집어넣는다. 그런 상식을 보는 그래.

그래 (Na) 그렇게도 단단했던 오 차장님도 흔들리는 듯했다. 그리고 나는 알고 있었다.

상식, 일어나 그래를 다시 돌아본다.

그래 (Na) 이 모든 상황이 한 신입사원의 경솔한 말 한마디에서 시작됐음을…

S#52 ─ 옥상, 낮

여전히 고개를 떨어뜨리고 서 있는 그래. 상식은 그 앞에서 담배를 물고 서 있다.

상식 너 때문이 아니야.
그래 …
상식 나 때문이다.
그래 (부정하는 눈빛으로 상식을 본다)
상식 서 대리에게 알아보라고 하고, 작은 건까지 하나하나 헤집고 알아본 건 나다.
그래서 모두를 불안하게 만들고 아무것도 모르는 너까지 불안하게 한 게 나야.
그러니 시작도 나고 끝도 나다.
그래 (더 떨군다)
상식 장 팀장질 하지 말라고, 했잖아. 책임을 느끼는 것도, 책임을 지는 것도,
책임질 만한 일을 하는 것도, 다 그럴 만한 자리에 있는 사람의 몫이자 권리야.
니가 이렇게 가끔 분수 모르고 장 팀장질 하려고 할 때면, 난 정말이지
요즘 애들 말로 손발이 오그라들어서 못 살겠어.

그래	(힘없이 픽 웃는다)
상식	(보다 웃으며) 주변이 힘들긴 할 거야. 박 과장 때와는 사이즈가 다르잖아.
	(부러 웃으며) 너 제일 잘하는 거 있잖아. 참어. (자신에게도 다짐하듯 힘주어)
	버텨보자고. 우린 돌격대 영업3팀이잖아.
그래	(다시 고개 떨어뜨리고 들지 못한다.)
상식	(어깨 툭툭 치며) 고개 들라니까?
그래	(천천히 고개 든다)
상식	어깨도 펴고.
그래	(어깨도 편다)

상식, 피식 웃다가 난간 앞에 서서 먼 곳을 바라본다. 그래, 여전히 괴로운 표정으로 먼 곳을 보는 상식을 바라본다.

S#53 — 원인터 외경, 낮

S#54 — 자원팀, 낮

정 과정, 진화 통화하고 있고, 하 대리, 유 대리 그리고 영이가 긴장스러운 얼굴로 정 과정을 바라보고 있다.

정 과장	(중국어) 유연탄 운송에 관한 계약은 그쪽 요청에 의해서 이뤄진 건입니다.
	우리로써는 다른 여러 업체들을 검토하다가… (듣다가 울컥) 아니 생산 직전인
	이 시점에 운송 계약을 재검토하자니요. 구두 계약도 법적 효력 발휘하는 걸
	모릅니까? (신경질적으로 전화를 확 끊는다)
하 대리	(의아한) 유연탄 운송 건이면 계약 맺어달라고 여러 번 회사까지 찾아와서
	부탁했던 그 중국 업체 아닙니까?
유 대리	맞는데… ABD항운이잖아요.
정 과장	(답답한 한숨 푹) 맞아. 그 많고 많은 항운 회사 중 하나였던 ABD 항운.
	계약 전적으로 재검토한다.
유 대리	(원망스럽게) 이거 다 영업3팀 때문이잖아요.
하 대리	(한숨 푹) 오 차장님이 포신유한공사 쪽에 꽌시 관련으로 에이전트 캐고
	다녔던 게 중국 업체 전체에 소문이 쫙 난 모양이네요.
영이	(당황해서 한마디도 못 보태고 바라본다)
정 과장	그 인간 진짜. 전무님 나간 것도 불안한데… (혀를 끌끌 차며 유연탄 관련 자료 획

던지듯 놓으며) 항운회사 다시 찾아보자고.

영이 (얼른 정 과장 자리로 가서 자료를 들어서 보며) 빨리 찾아보겠습니다.

하 대리 (못마땅한) 이렇게 임박해서 업체 선정하면 네고도 어려워. 일본 업체밖에
선정할 곳 없을 텐데.

유 대리 일본 업체는 단가 엄청 쎄게 부르는데… 또… 마 부장님 한바탕하시겠네요.
아… 나 진짜 게시판에 글 올릴 거예요. 오 차장 물러나라!

영이 (놀라서 바라보는) 제가 좋은 업체 선정해보겠습니다.

하 대리 (답답하고) 안영이, 오 차장님 걱정하는 건 알겠는데… 너무 애쓰지 마.
우리 팀만 문제가 아니야. 중국 쪽 엮여 있는 팀들은 다 타격 있을 거라고.

영이 … (걱정스럽게 영업3팀 쪽을 바라본다)

S#55 ── 영업3팀, 낮

동식과 천 과장, 굳은 얼굴로 모니터를 보고 있다. 모니터 안, "대중국 수출 항로 도대체 어떻게
하실 생각입니까?" "중국 업체 수출 거절 그 원인은? 오상식 차장!" "경영기획실은 뭐하십니까?"
등등 동식, 놀라서 상식 돌아보면 말없이 일하느라 정신없는 상식. 그래는 담담하게 일하고 있
다. 동식과 천 과장 서로 쳐다보는데,

상식 주간보고 정리된 거 안 줘?

천 과장 네? 네… 주간보고요. (책상 위에서 찾아서 상식에게 들고 간다)

상식, 천 과장에게 서류를 받으며 그래를 보면, 여전히 조용히 일만 하고 있는 그래의 뒷모습. 상
식의 자리에 전화가 울린다.

S#56 ── 경영기획실 사무실 안, 낮

상식, 기획실장 앞에 딱딱하고 어두운 얼굴로 앉아 있다.

기획실장 (추궁하는) 원래 포신 측 사업은 우리 쪽에서 관계를 돈독하게 해둔 건이기에
계속 진행할 수 있는 건이었습니다.

상식 (당혹스런) 본사에서 감사가 들어온 입장에서 저희 팀도 다른 방법이 없었던 거
모르십니까?

기획실장 (원망스럽게 보며) 말이 나왔으니 말인데 본사에 그런 식으로 알려져야 했을까요?
최 전무님 징계하고 정의 구현으로 마무리됐지만, 사실 그 건이 그렇게

상식	(쓸쓸한) …문제가 불거지자 포신 측에서 먼저 중단했습니다.
기획실장	그러니까 말입니다. 상사맨이라는 사람이! 사업하는 사람이! 바이어 하나를 구슬리지 못해서 인프라 다 구축해놓고 5000억 원이라는 잠정적 손실에다 중국 사업 전체에 영향을 미치도록 만든다는 게 말이 됩니까? 요즘 사내 게시판에 오르내리는 말들 확인 한번 해보십시오. 오 차장님도 양심이 있다면 일말의 가책이라도 느끼실 겁니다.
상식	(싸하게 굳어서) 지금 책임 추궁을 하시는 겁니까?
기획실장	(쏘듯이) 추궁이 아니지 않습니까? 회사 입장에서 따져볼 만한 잘잘못을 확인하는 겁니다. 업체 관리에 대한 회사 전체 입장을 전달하는 거구요.
상식	(어둡게 굳어서) …

S#57 — 술집1, 밤

소주 들이키는 상식, 이를 보고 있는 고 과장과 선 차장. 무어라 말하고 싶은데 그러질 못하고 쳐다만 보다가…

선 차장	오 차장님…
고 과장	에이! 참. (소주 마시고 테이블에 소주잔 탁 놓으며)
선 차장	차장님 잘못한 거 없으세요.
고 과장	(상식 보다가) 야, 우리가 뭐. 사고 친 게 하루 이틀이냐?
선 차장	시간 지나면 차차 나아질 거예요. 그만 드세요.
고 과장	아냐. 오늘 하루만 마셔 그냥. 자! (술 따라준다)
상식	(말없이 술 받는다)
고 과장	전무는 자승자박인거야. 니 잘못 아니다? 시대가 바꼈는데 지만 안 바뀌면 되겠어? 스타일을 안 바꾸니까 제 발목 잡은 거지~ (선 차장 보며) 안 그래?
선 차장	(상식 본다)
상식	(허탈한 듯 피식 웃으며) 전무도 바뀐 게 없고, 나도 그렇고. (술 마신다)
고 과장	뭐 박 과장 때와는 비교가 안 될 만큼 일을 할 수 없는 상황이긴 하지만. 니가 뭐 죄졌냐? 어? 회사가 너한테 무슨 할 말이 있다고 그래애!
상식	(씩씩거리는 고 과장에게 술 따라주고 자신의 잔에도 따른다)
고 과장	(마시고 후… 하고) 아까 김 선배도 전화 와서 니 걱정하더라… 어디서 얘기 들었는지 다 알고 있더라고. 소문이 벌써 났나 봐.
선 차장	(걱정스레 상식 쳐다본다)
상식	(다시 잔을 들어 쓰게 마신다)

S#58 — 술집2, 밤

술을 마시고 있는 그래를 쳐다보는 백기와 영이, 석율.

그래   (시선 느끼고) 제 얼굴에 뭐 묻었어요?
백기   장그래 씨.
영이   그래 씨.
그래   (씨익 웃으며) 폭탄주 만들어드릴까요? (술잔 자기 앞에 갖다놓으며 중얼중얼)
    이게 말이죠. (석율 가리키며) 바로 여기 폭탄주 장인 한석율 씨가!
    비법을 전수해준 거거든요~ 그런데 제가 또 청출어람이라고. 차장님이랑,
    대리님이랑. 이 폭탄주로 우리 영업3팀이~! 문충기를 딱! …은 못했지만…
    메카폰 거래를 착! 하고 성고옹~! (중얼중얼) 우리 차장님이 영업할 때
    꼭 필요하다 그랬거든요…

어설프게 만들어지는 폭탄주. 석율에게 주려는데 컵을 놓쳐버린다. 석율의 옷에 쏟아지는 술. 석율이 그래 본다. 놀란 백기와 영이가 누가 먼저랄 것도 없이 일어나서 물수건 가지러 가고 미동 없이 가만히 앉아 있는 석율. 그래가 닦으려는데

석율   괜찮아…

아랑곳 않고 테이블 닦는 그래, 보는 석율. 뒤에 서 있는 영이와 백기.

S#59 — 그래 집 마루, 밤

비틀거리며 들어오는 그래. 마루에 대강 눕는다.

그래   (취한 목소리로) 다녀왔습니다.
그래 엄마   (방에서 나와 보다가) 왜 이리 늦냐? 또 술이니…?
그래   (어설프게) 엄마가 술맛을 알어?
그래 엄마   (퉁!) 너보단 잘 알지. (주방으로 가며) 뭐 좀 주랴? 그렇게 들이붓고 오면
    배 속 허전할 텐데?
그래   응. 줘. (돌아보며) 라면 줘, 라면.
그래 엄마   잘 밤에 라면은 무슨. (냉장고 문 열어보고) 라면밖에 없네. 큼.

피식 웃고 그대로 누워 있는 그래… 눈을 감는다. 엄마가 라면을 끓이는 달그락달그락 소리가 들

Episode 19

린다. 냄비에 물 붓는 소리, 가스레인지 불 켜는 소리, 그래 엄마, 라면 한 봉을 뜯어 라면을 꺼내 반으로 자른다. 다시 눈 감고 누워 있는 그래 위로 달그락 소리, 파 송송 써는 소리, 달걀 탁깨서 넣는 소리, 뽀글뽀글 소리, 소리… 소리… 소리… 그렇게 눈 감고 있다가 잠시 후… 탁! 상놓는 소리와 함께

그래 엄마	빨리 일어나 해장해.
그래	(눈 뜨며) 어? 어… (일어난다)
그래 엄마	그래도 니 아빤 술 마시고 들어온 날은 알아서 끓여 먹었어. 여보한테도 끓여준 적 없던 라면을 자식한텐 끓여준다 내가.
그래	(배시시 웃으며) 잘 먹겠습니다.

한 젓가락 뜨는 그래, 먹먹하게 먹는다. 그 모습 보고 있는 그래 엄마의 복잡한 표정.

S#60 ── 낚시터(한강)쯤, 낮

강의 풍경이 펼쳐지고… 낚싯대를 드리우고 있는 최 전무를 보다 다가가는 상식.

상식	전무님.
최 전무	(보며) 어… 왔군. 앉게.
상식	(옆에 앉는다)
최 전무	(강을 보며) 바람이 차서 이제 못 나오겠어. 잘 지냈나?
상식	네, 전무님은 어떠십니까?
최 전무	(웃으며) 생각보다 좋아.
상식	…
최 전무	28년을 다닌 회사에서 내 방식을 문제 삼을 때는 정말 충격이었어. 임원은 구름 너머를 보는 사람이야. 나는 구름에 오르기 위해서는 땅에서 발을 뗄 때도 상관없다고 생각해왔지. 두 발을 땅에 딛고 별을 볼 수 있는 사람이 얼마나 되겠어?
상식	…
최 전무	그런데 이번에 확실히 깨닫게 됐다. 그럼에도 불구하고 회사가 원하는 임원이란 두 발을 굳게 땅에 딛고서도 별을 볼 수 있는 거인이라는 걸.
상식	… (냉하게) 처음 전무님을 만났을 땐, 분명히 그렇게 되실 분이라고 믿었습니다.
최 전무	(본다. 웃는) 그랬나?
상식	네. 대단하신 분이라고 생각했죠. 최 전무님같이 되려고 생각한 적도 있었으니까요.
최 전무	그런데, 오상식은 언제부터 그렇게 삐딱선을 탔지?

상식	전무님이 땅에서 발을 떼셨을 때부터요.
최 전무	(본다…) 언제부터 내가 땅에서 발을 뗀 것 같나?
상식	(차갑게) 모르겠습니다. 최영후 과장님이 부장님이 되셨을 때부턴지, 상무님이 되셨을 때부턴지… 아니면
최 전무	(강을 보고만 있다)
상식	힘없는 계약직 여사원에게 죄를 뒤집어씌워 죽음에 이르게 하고도 하얗게 리셋하셨을 때부턴지.
최 전무	(차갑게 굳지만 비웃으며) 아직도 그 얘긴가.
상식	(비아냥대듯) 아니면 처음부터 땅을 디딘 분이 아니었는데 제가 잘못 봤던 섯일 수도요.
최 전무	(일그러진다)
상식	(보다가…) 그만 가보겠습니다.
최 전무	감사받을 때 다른 부분에 대해서 문제 삼지 않아줘서 고맙다. 그 말이 하고 싶었어.
상식	(헛웃음 웃고) 리베이트 관련 의혹 말씀이십니까?
최 전무	(피식 웃고) 의혹이 아니지, 네 근거 없는 의심이지.
상식	(피식 웃으며) 네, 그래서 말 못 한 것일 뿐입니다. 전무님을 위해서 그런 게 아닙니다. 심증은 있지만 확증이 없었을 뿐이죠. 이은지 씨 때처럼요.
최 전무	(돌아본다. 비웃듯 본다)
상식	(일어나서 꾸벅하고 가는데)
최 전무	아직 현역이란 게 참 고맙구만. 글로벌 서비스가 성과 내기 어려운 한직이지만, 다시 점 찍고 돌아와야지.
상식	(돌아본다)
최 전무	(싸늘하게) 하지만 넌 좀 힘들어질 거다 오 차장. 중국을 그렇게 건드려놨으니 이제 원인터에서 오상식이란 이름으로 사업하긴 쉽지 않을 거야.
상식	(보다가 간다)

최 전무를 뒤에 두고 걸어가는 상식…

S#61 — 원인터 외경, 낮

S#62 — 영업3팀, 낮

| 그래 | (Na) 최 전무의 말이 맞았다. 우리는 변함없이 일을 하려 애썼지만 사내 기류는 진정되지 않았다. |

상식	(걸어오며) 김 대리, 이거 통과됐는지 법무팀에 확인해봐.
동식	네⋯ (컴퓨터 쳐보며) 음⋯ 서류 보완하라고 나오는데요. 보험 보장 기간이 너무 짧고⋯ 특약 위주로 구성하라고 합니다.
상식	업체에 직접 가서 설명해야겠는데⋯ 오늘 좀 다녀와줘. 오늘 처리해야 한다고 늦더라도 끝내달라고 해.
동식	예, 알겠습니다.
상식	(서류 보다 일어나며) 생활물자팀 좀 다녀올게. (나간다)

상식의 뒷모습 보는 동식과 천 과장. 일부러 시선 돌리지 않고 타이핑하는 그래.

S#63 — 생활물자팀, 낮

저벅저벅 들어오는 오 과장을 향해 경계하는 눈빛으로 보는 직원1, 2.

상식	김 과장 없나?
직원1	(좋지 않은 눈빛으로) 예, 회의 들어가셨습니다.
상식	그 자료 좀 볼 수 있을까? 지난번, 수단으로 보낸 선적물 자드⋯
직원1	(단호하게) 저희 과장님이 본인 확인 없이는 열람을 금지해서요.
상식	뭐?
직원1	공석일 때 함부로 자료 보이지 말라고 했습니다.
상식	(화난) 이 친구야, 그거 우리 팀이랑 같이한 거야. 근데 왜 못 봐?
직원1	죄송합니다. 김 과장님 오시는 대로 전해드리고 처리하겠습니다.
상식	(어이없이 쳐다본다)

S#64 — 계단, 낮

전화하며 걸어 내려오는 상식.

| 상식 | 김 과장, 차트 한번 보기 참 힘들게 해놨어. (듣다가) 뭐? 지금 거길 다시 가서
보라는 거지? 그냥 내 메신저로 보내. 지금 뭐 하자는 거야?
(한참 듣다가 표정 바뀌며) ⋯일단 알았어. |

전화 끊고 자리 멈춰서 생각에 잠시 잠긴 상식.

S#65 —— 영업3팀 + 통로, 낮

의아한 얼굴로 모니터의 결재 시스템을 들여다보며 "어…" 하는 천 과장.

그래   (의아해서) 왜 그러십니까? (다가가서 모니터 본다)
천 과장   어? 어… 이상하네…
상식   (애써 아무렇지 않은 얼굴로 들어오며) 왜?
천 과장   라오스 비장탄 수입 건이요. 재무부장님 승인까지 떨어졌는데…
                본부장님 결재가 안 났네요… (굳은 얼굴로 상식 보며) 반려예요…
상식   (굳은 표정이다)

통로에서 걸어오던 선 차장, 영업3팀의 분위기를 보고 멈칫 선다. 영업2팀에서 안타깝게 보는 고 과장과 황 대리.

황 대리   (한숨 쉬며) 너무하네… 회사.
고 과장   (안타깝지만 분통 터지는) 에이! (상식 보고) 3팀 요즘 진행하는 사업 하나도 없잖아?

상식 책상으로 전화 걸려 온다. 전화받는 상식.

상식   네, 영업3팀 오상식입니다. (하다가 굳어지는 얼굴)

S#66 —— 인사총무실, 낮

심각한 표정으로 앉아 있는 오 차장.

인사팀장   중국 측에서 들어오는 클레임이 이렇게 많기는 처음이라고 합니다.
               부서마다 중국 쪽 클레임 때문에 일하기가 어렵다고 하네요. 법무팀에서도
               어떻게 처리를 해야 할지… 난감하다고 해요.
상식   …
인사팀장   이런 말씀 드리기 대단히 죄송하지만. 과거에 오 차장님께서 조금이라도
               손을 댔던 사업은 물론이고, 영업3팀과 관련된 사업들은 모조리 거절당하고
               있는 상황입니다.

상식	(표정 굳어 있다)
인사팀장	다른 팀들의 손해가 갈수록 커지고 있습니다. 이걸 어떻게 해야 할지.
상식	제가, 책임을 져야 한단 말씀입니까.
인사팀장	꼭 그렇단 말씀을 드리는 건 아닙니다. (한숨 쉬며 보다가) 그렇다 해도 이걸 개인이 책임지는 방법이란 게…
상식	(흔들리는 눈으로 본다)
인사팀장	아무튼. 중국 업체들은 꽌시를 문제 삼는 원인터와는 거래하기 부담스럽다고 계속 어필 중이라… 할 수 없이 각 팀에서… 그건 원인터가 아닌 한 개인의 독단적인 행동이었다고 구슬려가며 사업을 하고 있는 상황입니다. 그래도 상황이 쉽지 않아요.

S#67 — 통로, 낮

굳은 표정으로 걸어가는 상식.

인사팀장	(E) 그래서 회사 입장에서는 오 차장님을 해고했다는 제스처라도 취해야 할 판입니다. 하지만 징계도 받지 않은 직원을 해고시킬 수는 없지요.

굳어서 걸어가는 상식.

S#68 — 소회의실, 낮 혹은 밤

상식	(헛웃음) 결국 내가 나가야 중국 쪽이 진정된다는 게 회사의 입장이야.
선 차장	…그렇지 않아요.
상식	아냐, 지금 우리 팀을 의도적으로 고사시키고 있잖아. 내가 나가야 우리 팀이 살 수 있을 것 같아.
선 차장	(안타까운 눈으로 보다가) 당연히 회사는 가장 쉽고 빠른 방법을 원하겠죠. 하지만 그게 최선은 아녜요. 결국 옳은 방법을 찾을 수 있어요. 그러니까 기다릴 때까지 기다려보는 게,
상식	(OL) 기다리면…
선 차장	…
상식	기다리다 결국 다 말라 죽으면.
선 차장	오 차장님…!
상식	…

선 차장	그래서 정말 사표라도 쓸 작정이세요?
상식	…사표… *(끄덕끄덕)* 그래… 사표…
선 차장	차장님.
상식	괜찮아. 난데없는 것도 아니고… 가슴속에 그거 한 장 안 품고 사는 직장인이 어딨겠어? 밤마다 사표 쓰는 꿈꾸고 아침마다 사표 쓰면서 출근하잖아 우리. 마음의 준비는 할 만큼 해왔어. 다만…
선 차장	…
상식	다만…

S#69 — 영업3팀, 밤

어둠 속에 앉아 있는 그래…

상식	(E) 그놈이… 걸리는 거지…

S#70 — 곱창집, 밤

혼자 덩그러니 앉아 소주잔에 소주를 따르는 상식. 쭈욱 한 잔을 마신다. 웃는 것도 우는 것도 아닌 얼굴로 고개를 떨구고…

S#71 — 상식 집 주방, 밤

컴컴한 주방. 만취한 상식이 식탁에 털썩 앉더니 이어서 털썩 엎드린다. 그걸 보는 상식 아내, 물을 따라서 상식 옆에 둔다. 상식, 마신다.

상식 아내	얼른 자, 늦었어. 출근하려면 몇 시간 못 자겠다. *(들이가려고 돌아서는데)*
상식	(Off) 나… 회사 그만둬도 될까?
상식 아내	*(조금 놀라서 순간 멈춤. 돌아본다)* 안 되지.
상식	그렇지… *(고개를 툭 떨구는…)*
상식 아내	*(본다)* …
상식	*(떨군 그대로…)*
상식 아내	*(보다가)* …그만두는 거야 쫓겨나는 거야?
상식	…

상식 아내	(본다) …
상식	…그만…두는 거지… 내가.
상식 아내	…알았어…
상식	(고개 들어 아내를 본다)
상식 아내	근데 애 셋인 건 기억하지?
상식	어?
상식 아내	보너스는 받고 나와.
상식	어?

상식 아내, 식탁 위 메모지와 펜을 들고 냉장고 앞에 가서 "냉장고" 하고 적고 TV 앞에 가서 이리저리 보다가 적고 "컴퓨터 두 대" 하는데

상식	뭐 하는 거야?
상식 아내	그만두기 전에 사야 될 것들, 직원가로 살 수 있잖아.
상식	(보다가 픽 웃는다)

S#72 — 원인터 외경, 낮

S#73 — 로비, 낮

말끔하게 양복을 입고 출근한 상식, 엘리베이터 앞에 선다. 뒤따라 엘리베이터 쪽으로 오던 영이.

영이	(다가와 꾸벅 인사하며) 오 차장님, 일찍 출근하셨네요.
상식	어… 안영이 씨 오랜만이네. 얼굴이 좋네. 자원팀 사람들은 잘해주나?
영이	(웃으며) 네, 문제없습니다.
상식	(환하게 웃으며) 역시 질긴 놈이 이기는 거지. 으하하하!
영이	(웃으며) 그렇죠. 역시.

하는데, 백기와 석율, 엘리베이터 쪽으로 오고 꾸벅 인사한다.

백기	오 차장님 나오셨습니까?
상식	어~
석율	아… 요즘 제가 드~러운 선배 하나랑 싸우느라 진을 뺐더니… 영업3팀에 신경 좀 못 썼습니다. 앞으로 제가 확실하게 보필하겠습니다. 차장님!

상식	(웃으며) 머리 빨리 길러. 5 대 5 보고 싶네.
석율	(또 앞머리를 착 5 대 5로 만들어서 보여준다)
상식	(크게 웃으며 백기를 본다)
백기	(상식과 눈을 맞추며 따뜻하게 웃는다)

S#74 — 영업3팀, 낮

들어오는 상식, 빈 그래의 자리를 본다. 자기 자리로 가서 가방 두고, 가족사진을 척 세운다. 본다. 이전에 열었던 사직서가 든 서랍을 열고 사직서를 꺼내 가슴에 넣는다. 다시 그래의 자리를 물끄러미 보다가 흠~ 숨을 크게 들이쉬고는 나간다.

S#75 — 이 부장실, 낮

빈 이 부장 책상 위에 사직서를 올려놓는 상식.

S#76 — 영업3팀, 낮

그래, 영업3팀 향해 걸어온다. 그런데… 멀리서부터 느껴지는 심상치 않은 분위기에 걸음이 점점 무거워진다. 마침내 도착한 영업3팀 앞에서 멈칫하는 그래. 사색이 되어 있는 동식. 돌처럼 굳어 있는 천 과장. 상식의 자리로 고개 돌리는데. 자신을 쳐다보는 상식과 눈 마주친다.

S#77 — 소회의실, 낮

고개 떨군 채 앉아 있는 그래와 그 앞에 빙긋이 앉아 있는 상식.

상식	죽는 거 아냐.
그래	…
상식	회사를 나가는 것뿐이야.
그래	(금방이라도 울 것 같이 먹먹한 표정으로 떨구고 있다) …
상식	노력의 질과 양이 다른 장그래.
그래	네.
상식	버텨라.

그래	(말이 안 나온다… 삼키며 겨우) 차장님은요.
상식	(피식 웃으며) 난 많이 버텼고, 이제 좀 쉬어야겠다. 다리가 후들거려.
그래	(떨구며)
상식	꼭 이겨라.
그래	(울지 않으려고 입을 꼭 문다)
상식	안 될 것 같더라도 끝은 봐. 살다 보면, 끝을 알지만 시작하는 것도 많아.
그래	(숙이고) …
상식	(한참 보다가) 장그래.
그래	(숙인 채) 네…
상식	끝까지 책임져주지 못해서 미안하다.
그래	(본다)
상식	(본다)

S#78 — 중앙 정원, 낮

놀라서 보고 있는 선 차장.

상식	고마웠어.
선 차장	(울음이 나오려는 걸 억지로 참고) 차장님.
상식	신중하게 생각했어. 사표야 뭐 매일 내는 거라고 했잖아. (웃는)
선 차장	(떨리는 입술을 꾹 다물며) 이러지 마세요. 다 지나가요.
상식	(보다가…) 장그래 좀 잘 봐줘. 선 차장이 남아 있어서 다행이야. (장난스럽게 툭) 빨리 부장 돼. 그래야 장그래도 끌어주고 동식이 승진도 좀 시켜주고!
선 차장	(보는) …
상식	영업3팀 좀 가끔 도와주고… 부탁만 잔뜩 하고 가게 생겼네.
선 차장	(아무 말도 못하고 눈물을 참으며 보고 있다)

S#79 — 옥상 정원, 낮

나란히 담배 들고 멀리 보며,

상식	(고 과장에게) 내년엔 꼭 승진 좀 해.
고 과장	(괴로운) 몸 챙겨.
상식	(웃는)

걸어오는 상식, 영업3팀 안에 모여 서 있는 백기, 영이, 석율을 본다. 앉아 있는 천 과장과 동식. 표정 없이 서 있는 그래. 상식이 들어오는 걸 보며 "차장님…" 하며 상식을 향해 돌아서는 백기, 영이, 석율. 상식, 웃으며 석율의 팔을 툭툭 쳐주고 백기와 영이를 보고 웃는다. 그런 상식을 쳐다보는 그래…

S#81 ── 곱창집 외경, 밤

S#82 ── 곱창집 안, 밤

상식의 잔에 술을 따르는 그래, 다른 사람들의 잔에도 따른다. 상식, 곱창을 집어 먹으며

상식	천 과장 처음 왔을 때 있잖아? 장그래 너보다 머리 더 촌스러웠어.
	동식이는 그때 머리가 어땠더라…?
천 과장	똑같았죠. 지금보다 짧았나? 더 아줌마 같았는데.
동식	그래도 그땐 날씬하지 않았어요 저?

세 사람, 떠드는 와중에도 아무 말 없이 천천히 곱창만 집어 먹고 있는 그래.

동식	(술 따르면서) 아참! 차장님, 월마트 변형철 정리해고 됐다는데요?
상식	뭐?
천 과장	정말?
동식	뻥인데…
상식/천 과장	(숟가락으로 머리통 탁! 치며) 인마!/에유.
동식	재밌는데? 재미없어?
상식	니가 인마 그러니까 장가가 깜깜무소식인거야. 딴 건 몰라도 너 장가가는 거
	보구 내가 나가려고 했는데.
그래	(고개도 안 들고 곱창만 먹고 있다)
상식	(그래 쳐다보지도 않고 계속 떠든다) 자자자! 내가 한 일 중에 제일 후회되는 게
	이놈 우리 부서 데리고 온 거야.
동식	이놈? 누구요? 저는 아니죠?
그래	(곱창만 집어 먹는다)
천 과장	나는… 그래, 나인 걸로 하자.
상식	(자기 뱃살 잡으며) 이건데?

으하하하 웃는 상식, 동식, 천 과장, 곱창만 먹고 있는 그래.

동식	(으하하하 웃으며 일어나며 나가는데)
상식	어디 가! 인마!
동식	물 버리러요. (웃으며 나간다)
그래	(곱창만 먹고 있다)
상식	(천 과장에게) 천 과장, 얘들 이거 얼마나 오버쟁이들인 줄 알아? 아, 내가 링겔 맞으러 간 적 한번 있었거든.

S#83 ── 곱창집 밖, 밤

벽에 기대서 고개를 떨구고 담배를 쥐고 있는 동식… 고인 눈물을 닦는데 문이 열리는 소리와 함께

천 과장	(E) 뭐 해.
동식	(멈칫. 시큰한 코를 들이 마시고) 담배 한 대 피려는데 불이 없어서요.
천 과장	(말없이 옆에 와서 선다) 담배 끊었잖아.
동식	…
천 과장	(담배를 꺼내며) 피지 마. 끊기 힘들잖아.
동식	(다시 고인 눈물을 닦으며 벽으로 돌아선다)
천 과장	(담배를 입에 물고 라이터를 꺼낸다)

돌아서 있는 동식과 담배를 물고 그대로 있는 천 과장. 천 과장 옆으로 곱창집 유리 너머로 여전히 뭔가를 열심히 떠들고 있는 상식과 맞은편에서 말없이 곱창만 먹고 있는 그래가 보인다.

S#84 ── 상식의 아파트 앞, 밤

말없이 걸어오는 상식과 그래.

상식	안 취했다니까, 아! 멀쩡하다는데 왜 따라와!
그래	네…
상식	가!
그래	네…
상식	가라니까!
그래	(멈춰 선다)

상식	(멈춰 선다)
그래	그럼 가보겠습니다.
상식	그래, 가. 그리고 집 안다고 자꾸 찾아오고 그러면 안 돼?!
그래	…
상식	대답.
그래	네…
상식	장그래.
그래	네.
상식	내가 뭐라고 했지?
그래	…비텨라…
상식	그리고?
그래	…이겨라…
상식	그래… 명심해! 이제 가!
그래	(인사하고 간다)

S#85 —— 몽타주, 밤

#거리를 걸어가는 그래와
#아파드 벤치에 앉아 있는 상식이 두 번 교차되고

S#86 —— 그래의 방, 밤

문을 열고 들어오는 그래. 어두운 방 안, 벽에 기대앉는다. 우는 그래. 울음이 점점 커진다.

그래　　　　죄송합니다. 죄송합니다. 죄송합니다.

상식과 함께했던 시간들이 흘러간다.

> [Flashback] 제1국 S#81
> 상식　　　　너 나 홀려봐.
> 그래　　　　네?
> 상식　　　　홀려서 널 팔아보라구. 너의 뭘 팔 수 있어?

[Flashback] 제2국 S#37

그래   모르니까, 가르쳐주실 수 있잖아요. 기회를 주실 수 있잖아요.

상식   기회에도 자격이 있는 거다.

[Flashback] 제2국 S#50

상식   (버럭) 나가라구! 이 새끼야!

[Flashback] 제2국 S#64

상식   니 애가 실수로 문서에 풀 묻혀 흘리는 바람에 우리 애만 혼났잖아!

그래   (역시 놀란 얼굴로 멍-하게 상식을 보는)

[Flashback] 제3국 S#21

무역용어 가르치면서 머리를 탁 때리는 상식.

[Flashback] 제1국 S#46

인턴 PT 하면서 상식의 슬리퍼 냄새를 맡는 그래.

[Flashback] 제4국 S#66

그래를 쳐다보고 서 있는 동식.

그래   (꾸벅) 안녕하십니까? 신입사원 장그랩니다.

팔짱 끼고 기대 앉아 못마땅하게 보고 있는 상식.

그래   과장님, 저 왔습니다.

상식   그러니끼… 왜 또 너냐구…

그래   과장님이 부르신 걸로 알고 있습니다.

[Flashback] 제5국 S#2

영업3팀의 상황으로 다가간다. 상식에게 혼나고 있는 그래.

상식   (뒤통수에 대고) 자원팀에 보낼 인수인게 긴이야!
                인수인계는 재차 연락 오지 않게 만드는 게 기본이라고!

그래   ("네!" 하고 얼른 자리로 가는)

[Flashback] 제5국 S#79

자원팀 캐비닛 열다가 정 과장에게 멱살 잡히고, 상식이 막아서는

Episode 19

[Flashback] 제5국 S#90
문을 확 밀고 나간다. 놀라 눈을 뜨는 그래. 상식, 그 앞에 서며

상식   야! 장그래! 이 자식! 너 여기서 뭐 하는 거야?!

그제야 깜짝 놀라 벌떡 일어나 꾸벅한다.

[Flashback] 제6국 S#24
상식을 택시 태워 보내는 그래.

[Flashback] 제13국 S#56
상식   (카드 주며) 첫 번째 메리 크리스마스.

[Flashback] 제18국 S#50
상식   건방진 자식! 니가 뭔데 내 판단력에.
그래   (OL) 저를 구제하시려는 거잖아요.
그래   저를… 정규직으로… 만드시려는 거잖아요. 그래서… 지금… 평소
          같으면 절대 손을 잡지 않으실 분과 손을 잡으신 것 아닙니까?
상식   (얼른 말을 못 잇고 당황한 얼굴로 본다)

세운 무릎 사이에 얼굴을 묻고 끅끅 우는 그래.

그래   죄송합니다… 죄송합니다…

밤새 우는 그래. 엔딩.

Episode 20

제20국

S#1 — 옥상 정원, 낮

끝에서 천천히 걸어오는 그래. 걸어오다가 적당한 난간 쪽에 서서 멀리 본다. 한참을 멍하니 본다.

S#2 — 영업3팀, 낮

사무실로 들어오는 그래, 상식의 빈자리를 본다.

그래　　(Na) 오 차장님이 떠나고 그분의 바람대로 영업3팀은 안정을 찾았다.

동식과 천 과장, 같이 들어오며

동식　　왔어?
천 과장　　일찍 왔네.
그래　　(돌아서서 미소로) 오셨어요?
동식　　(옷 걸고 앉으며) 말레이시아 건 컴플레인 들어온 거 법무팀에서 뭐래?
그래　　검토 중인데 우리 쪽 과실은 크지 않아서 대응이 어렵지 않을 것 같답니다.
　　　　내일 오후 3시에 미팅 잡아놨습니다.
동식　　어, 잘했어.
천 과장　　(컴퓨터 켜며) 일본 쪽은 왜 이렇게 답을 안 주나 모르겠네…

그래, 인사하고 자리로 간다. 동식과 천 과장을 둘러보다가 영업2팀 쪽을 본다. 일하고 있는 고 과장을 지나 영업1팀 쪽을 본다. 일하고 있는 선 차장.

그래　　(Na) 남은 사람들은 모두 나를 위해 애를 쓰고 있었고… 그럴수록 내게는
　　　　떠나야 하는 이유가 쌓여갔다. 그럼에도 불구하고 계속 남아 있는 것은

[Flashback] 제19국 S#84
상식　　장그래.
그래　　네.
상식　　내가 뭐라고 했지?
그래　　…버터라…
상식　　그리고?
그래　　…이거라…
상식　　그래… 명심해!

그래	(Na) 그래서다…
상식	(E, 제19국 S#77) 안 될 것 같더라도 끝은 봐. 살다 보면, 끝을 알지만 시작하는 것도 많아.
그래	(Na) 그래서…다… 그렇게 끝이 보이는 그날이 다가오고 있었다. (돌아보며 On) 커피 한 잔들 드실래요?
동식	응, 그럴까?
천 과장	좋지.

S#3 — 탕비실, 낮

그래, 커피 네 잔 타고 있는데 석율이 영이, 백기와 들어오다 멈칫 본다.

석율	(다가오며 일부러 능청스럽게) 4월은 잔인한 달. 죽은 땅에서 라일락을 키워내고, 추억과 욕정을 뒤섞고, 잠든 뿌리를 봄비로 깨운다… 캬, 느낌 와 느낌 와… 막 깨우잖아. (그래에게 가서 어깨 두르며) 그래 안 그래 장그래~ 아주 뼛속까지 막 시리고 근질거리고 안 그래 그래 장그래?
그래	근지러우면 사우나나 가십시오. 더럽습니다.
석율	더… 더럽…
백기/영이	(피식 웃고)
석율	오늘 인수인계 회의에 참석하는 팀이 어디어디야?
그래	저희랑 영업1팀, 자원, 철강, 섬유 아닌가요? 우린 안 들어가도 되죠?
영이	네.
백기	(웃으며) 인수인계 회의… 뭔가 기시감이 드네요.
석율	기시감? 아~ 마 부장님이랑 오 차장님이 한판 뜬 (멈칫)
그래	(파일철 위에 커피 네 잔 놓고) 먼저 갈게요. 영수증 정리가 밀렸어요.
석율	(웃으며 손 들며) 응.
백기/영이	가요.
그래	(웃고 나간다)
석율	(한숨 푹~ 쉬면서) 계약 만료날은 다가오고, 방법은 없고 김 대리님하고 천 과장님이 한다고는 하는데 한계가 있고, 할 수 있는 일도 아니고…
영이	그래도 선 차장님이 애 많이 쓰고 계시잖아요.
백기	할 수 있는 일이 있으면 뭐라도 하고 싶은데…

그래, 커피 네 잔 들고 온다. 동식, 상식 자리에 앉아 있는 박영호 팀장 앞에서 서류 펼쳐놓고 얘기하고 있다. 천 과장, 굳은 얼굴로 자리에 앉아 있다.

동식   팀장님, 저흰 지금까지 이런 방식으로 해와서요…
박 팀장 저흰 이런 방식? 무슨 방식? 너네 방식이 따로 있으니까 나는 입 닫고
          있으라는 거야?
동식   그게 아니라요…
박 팀장 내가 가자는 대로 좀 가자. 맨날 설명하고 설득해야 돼? 내가?

그래, 커피 든 채 당황해서 서 있다. 천 과장, 그래에게

천 과장   어, 커피 줘.

그래, 그제야 천 과장에게 커피 주고 자기 자리에 커피 놓고 동식의 자리에도 커피 놓는다. 그리고 박 팀장의 커피를 들고 엉거주춤 서 있다. 박 팀장, 그래와 동식, 천 과장을 향해

박 팀장 요 며칠 보니까 말야. 뭐, 일을 하는 건지 말장난을 하자는 건지
          흉내를 내자는 건지… 좀 그래? 나한테 설명하지 마! 페이퍼로 말하라고.
          통화도 짧게! 설명하지 말고, 서류 다 주고받은 거 뭘 그렇게 한 말 또 하고 그래?
동식/천 과장 죄송합니다.

통로 쪽에서 백기는 샘플, 영이는 서류 담긴 상자 들고 걸어오다가 그 모습을 본다.

박 팀장 그렇게 떠들고 집에 가면 입 안 아파? (그러다가 그래를 본다) 커피 줘.
그래   (커피 갖다주면)
박 팀장 다음에 오는 신입은 공들여서라도 제대로 한 명 뽑아 배정받을 거야.

멈춰 서는 영이와 백기.

동식/천 과상 (구겨지는 얼굴)
그래   (숙이고 있는)
박 팀장 신입들 중에서 스펙 좋은 애로 원톱 뽑아줄 테니까, 그때까지만 고생 좀 하자고!
동식/천 과장 (얼굴 확 구겨지고)

돌아서는 그래. 영이, 백기와 눈이 마주친다. 말없는 세 사람…

S#5 — 섬유1팀, 낮

석율, 엑셀로 예산서 작성하고 있다.

성 대리	(들어오면서) 야!
석율	(보면)
성 대리	청솔에 대금 결제해주랬더니 왜 안 해줘? 걔들이 물건 넘긴 지가 언젠데? 너 고소당하고 싶어?
석율	이화학 성적서, 품질 보증서 다 빠졌고 다른 서류들도 누락된 게 많습니다.
성 대리	준다고 했다며? 그럼 주겠지~!
석율	ERP에 대금 결제 넣으려고 해도 대금 받고 나면 그 사람들이 빠진 서류 채워주겠습니까? 그것 땜에 문제 생기면 제가 책임져야 하잖습니까.
성 대리	책임? 너 참~ 책임 좋아한다? 대체 가정교육을 어떻게 받으면 너 같아지냐? 불신주의, 개인주의, 개판주의. 왜 청솔 건만 가면 미쳐 날뛰어?
석율	(기막히고 코 막힌) 가정교… 미쳐 날… 허…
성 대리	당장 결제 내줘. 알았어? 당장. (휙 나간다)

석율, 열받아서 숨을 "허…!" 토해내며 서랍을 확 연다. (사진이 든) 날짜가 적힌 봉투가 너댓 개.

석율	아우, 이걸 정말…! (꺼내려다 멈추고) 어우~ 드러워서 못 보겠다. (닫는다)

휴~ 숨 한 번 돌리고 앉아서 일하려고 하는데, 아래 작게 공지사항 알림이 뜬다. 누르는 석율, 보면, 그 안에 크게 뜨는 팝업 공지. "대졸 인턴사원 선발에 따른 협조 사내 공지". 공지를 보고, 신경질적으로 들고 있던 펜을 확 던지며.

석율	있는 사람이나 잘 지킬 것이지!

S#6 — 중회의실, 낮

영업3팀(천 과장), 철강팀(강 대리), 자원팀(마 부장, 정 과장, 하 대리, 유 대리), 섬유팀(성 대리), 영업1팀(선 차장)이 모여서 인수인계 회의를 마무리하고 있다. 다들, 회의에 집중하는데, 마 부장만 불만스러운 얼굴로 자원팀을 보고 있다.

강 대리	저희 칠강팀에서는 사원팀이 일본 RA사와 진행한 도심 에너지 관련 사업들에서 처리가 필요한 폐냉장고, 전자제품에 관해 추가 사업을 진행하기로 했습니다. 서류 인수인계 작업을 되도록 빨리 마무리 지을 수 있으면 좋겠는데요…
정 과장	유 대리랑 안영이 씨가 최대한 협조할 거야. (마 부장 보고) 석면 쪽은 섬유팀에서 맡기로 했습니다.
성 대리	네, 자원팀이 보유한 석면 관련 정보와 여분 석면 자료 넘겨주시면 저희가 삼국 무역을 통해 말레이시아 수출 건으로 발전시켜보겠습니다.
마 부장	나 원 참, 자원팀 일을 왜 자꾸 남을 주래? 껌뻑하면 TF고 뭐 좀 재미 좀 볼만 하면 인수인계를 하래. (자원팀을 보며) 일을 뭐 어떻게 한 거야?!
자원팀	(안절부절 못하고 머뭇머뭇하나) 아… 죄송합니다.
천 과장	가나 초고속 인터넷 라인 설치 건을 영업1팀과 진행해왔는데 대금을 광물 자원으로 받게 됐으니 자원팀에서 처리해주셔야겠습니다.
마 부장	그러게 왜 대금을 광물로 받나? 물물교환이 언제 적 얘긴데? (정 과장에게) 안 그래?
정 과장	(움찔해서) 아… 그러니까… 그렇죠. 그런데… 최근 프랑스 사업협의체들도 가나의 광물자원 개발 투자를 목적으로 대규모 시찰단이 입국했다고 들었구요… 아… 국제적으로도 가나에서 에너지 개발 관련 프로젝트 기회를 잡으려는 움직임도 있어서… (우물우물)
마 부장	있어서? 뭐? 뭐?
하 대리	(얼른) 관련 연계 사업을 할 수 있는 좋은 기회라고 봅니다, 부장님.
마 부장	(인상 쓰며 보면 자원팀 쫄아 있다)
선 차장	망간, 보크사이트 수요자는 저희 쪽에서 찾아보겠습니다.
마 부장	(핵 보면서) 그걸 왜 당신들이 찾아?! 우리가 찾아도 돼!
선 차장	그럼 그러시든지요. (정 과장에게) 내일까지 찾아줬으면 좋겠는데요.
정 과장	아… 저기… 그게…
마 부장	됐어! 나 다음 회의 가야 돼. 끝내! 개별적으로 마무리들 짓고!

휙 나가면, 모두 일어나고 나갈 준비하고 혹은 나가고. 자원팀, 한숨 쉬고…

S#7 ─ 자원팀, 낮

미국 바이어와 통화하고 있는 영이.

영이	(영어) 네… 직접 검토해보신 것처럼 원자재 가격 슈퍼사이클 끝과 맞물려 광물 가격 하락이 있는 건 맞지만 캐나다 크롬, 니켈, 백금 쪽 시장은 큽니다. 네. 이번 컨소시엄은 보내드린 자료처럼 다양한 시너지가 (흔들림 없이)

발생할 거라고 생각합니다. 네. 그럼, 일정은 (2014년 4월의 탁상 달력을 한 장 넘겨서 5월을 보다가 5월 21일에 동그라미 치고 "입사 2주년"이라고 쓴 걸 보고 잠깐 머뭇한다. 그러다가) 아, 죄송합니다. 상세 일정은 메일로 보내드리겠습니다. 네, 감사합니다.

(끊고 달력의 입사 2주년 글씨를 착잡하게 본다)

[Flashback] 제4국 S#63

그래	네. (영이 보고) 안영이 씨.
영이	(본다)
그래	미안합니다.
영이	(미소로 받으며) 축하해요.
그래	고맙습니다.

영이, 착잡한데… 자원팀 일동 구시렁거리면서 들어온다. 영이 일어나며

영이	끝나셨어요?
정 과장	(넥타이 헐겁게 풀면서) 어… 어휴…
유 대리	(구시렁구시렁) 아이 뭐, 지난번에 정 과장님이 한 번 들이박고부터는 부장님 눈에 우린 내놓은 자식들 같아요. 정말 우리 화장실 옆으로 가는 거 아녜요?
하 대리	시끄러. 말이 씨 된다.
정 과장	(한숨 쉬며 앉으며) 좋은 날이 오겠지…
유 대리	그날이 언제예요? 부장님 정년퇴직하는 날이요? (구시렁) 부장부터 계약직이었으면 좋겠다.
하 대리	(어이없이 보면)

동식, 지나간다. 유 대리, 쳐다보면서

유 대리	안영이 씨, 장그래 씨 나가는 날 얼마 안 남았지?
영이	(멈칫했다가) 네…
유 대리	장그래 씨 나가면 제일 힘든 사람이 김 대리 님이겠네요.
하 대리	그렇지. 인턴이든 신입이든 들어오면 또 처음부터 가르쳐야 하고, 그것도 장그래 후임 충원을 해줬을 때 얘기고…
유 대리	그쵸… 3팀이 언제부터 신입 두고 일했게요. 근데, 장그래 씨는 진짜 재계약 안 되죠?
정 과장	(일하면서 감정 없이 툭) 재계약이면 정직원인데, 그걸 회사에서 왜 해줘?
영이	…
하 대리	선 차장님하고 그쪽 팀에서 애는 쓰는 것 같던데, 그냥 애만 쓰는 거야.

자기들도 알걸?

영이   (고개를 떨군다)

하 대리   (그런 영이를 쳐다본다)

S#8 — 휴게실, 낮

커피 들고 휴게실로 오는 영이, 앉는다. 맞은편 빈자리를 본다.

[Flashback] 제3국 S#43

영이   누구와 파트너가 되건 내 몫의 역할만 분명히 하면 될 거라고
           생각했지만 그래도 이왕이면 대화가 되는 사람하고 했으면 했거든요.

그래   (보는)

영이   (웃으며) 그냥. 말씀드리고 싶었어요. 장그래 씨가 알고 있는
           그런 나쁜 의미로 같이하자고 했던 건 아니었어요.

그래   미안.

영이   (OL) 아뇨. 그만두세요.

그래   (당황해서 보면)

영이   사과는 합격하면. 그때 해주세요.

그래   … (웃는다)

영이   (웃는다)

그때를 떠올리며 희미하게 웃는데, 하 대리, 다가와서 그 앞에 불쑥 앉으며

하 대리   허전하긴 하지. 동기라곤 달랑 넷인데.

영이   아…

하 대리   (커피 마시면)

영이   정말 방법이 없는 건가…? 요즘은 그 생각뿐이에요.

하 대리   없지.

영이   …

하 대리   회사 분위기라도 만들어보든가.

영이   분위기요…?

하 대리   한 사람보다 두 사람이 낫고 둘보다 열이 낫잖아. 떠드는 사람들 많으면
           회사에서 그냥 흘릴 거 다시 생각해볼 수 있는 거고.

영이   (보면)

하 대리   그렇다고 그게 방법이 되는 건 아냐.

S#9 — 중앙 정원 실내, 낮

석율   분위기를 만들어?

영이   그러니까 하 대리님 말씀은 직원들이 장그래 씨를 더 이해할 수 있게 만들어보라는
         뜻이겠죠. 장그래 씨가 남을 만한 사람이고 꼭 남아야 되는 사람이라는 걸.

석율   어떻게?

백기   그러게요. 장그래 씨를 위한 PT를 할 수도 없고, 대학 때처럼 대자보를
         붙일 수도 없고, 드라마처럼 윗사람한테 몰려가서 읍소할 수도 없고.

석율   왜 안 돼? 가면 되지? 가서 말하고 설득하고 부탁하고 울고 그럼 왜 안 돼?
         지푸라기라도 잡는 심정으로 해볼 수 있는 거 아냐? (화가 나서) 한 사람 병신 만드
         는 건 순식간이면서, 제대로 보는 건 왜 이렇게 인색하고 어려워? (확 돌아가는데)

영이   어디 가요?

석율   뭐라도 해봐야지. 하다못해 나 병신 만든 그 방법에라도 매달려볼래! (간다)

영이/백기   …

백기   먼저 가볼게요. 나도 내가 할 수 있는 일이 생각났어요.

영이   네?

백기   (간다)

가는 백기를 한참 보고 있던 영이, 휴대전화를 꺼내 어디론가 건다. 신호 가고,

선 차장   (E) 네, 안영이 씨.

영이   차장님, 부탁드릴 게 있습니다.

S#10 — 섬유팀 + 몽타주, 낮

컴퓨터 앞에 앉아 익명 게시판에 글 쓰고 있는 석율.

석율   (E) 섬유1팀 신입사원 한석율입니다. 입사한 지 2년이 다 돼가니 신입은
         아니겠군요. 불미스러운 일로 일전에 인사드렸었던 그 한석율입니다.
         먼저 뒤늦은 사과를 올립니다. 굳이 사과를 먼저 드린 이유는, 제 이름을 보고
         바로 창을 닫으시는 분들이 계실까 봐…였습니다. 오늘은 대단히 중요한 말씀,
         아니 부탁을 드리고 싶거든요.

#엘리베이터 안(혹은 서울 스퀘어 통로). 나란히 타고 있는 선 차장과 영이(혹은 통로를 걸어가는 선 차장과 영이).

석율 (E) 2년 계약직 장그래 사원. 영업3팀에서 일하고 있는 제 동기. 그가 정규직이 됐으면 합니다.

#경영기획실. 경영기획실장과 만나서 얘기하는 선 차장. 그 옆에 서 있는 안영이.

선 차장 장그래 씨가 실적에 기여한 부분은 놓치면 안 된다고 봅니다.
실장 음… 그건 나도 그건 아는데… 사내 분위기가 말이야, 사실 그 친구가 처음에 낙하산으로 왔을 때부터 인턴들 사이에서도 특혜라고 불만이 많았잖아.
영이 꼭 그런 건 아닙니다.
선 차장 특혜가 아니라 공정한 평가를 해주시길 부탁드리는 겁니다.

게시판에 글 작성하는 석율.

석율 (E) 2년 전 저와 함께 팀을 이뤄 PT 면접을 통과하고 영업3팀에 배치,

[Flashback] 제13국 S#4 요르단 중고 자동차 PT 장면
석율 (E) 저희 동기 최초로 사장님 이하 임원분들이 참석한 PT를 진행하고, 그 파격적인 PT를 통해 묻힐 뻔한 요르단 중고차 사업을 성공으로 이끌어낸, 바로 그 장그래입니다.

[Flashback] 제1국 S#41 인턴들 탄 엘리베이터에 못 타고 물러나는 그래.

[Flashback] 제1국 S#109 꼴뚜기 회식 술집 앞에서 너덜너덜한 모습으로 인턴들과 만나는 그래.

[Flashback] 제12국 S#56 물구나무서기하는 그래.

석율 (E) 네. 누군가는 장그래를 향해 낙하산이다, 고졸이다, 란 수식어를 붙일지 모릅니다. 그는 그래서 우리 모두가 정규직으로 입사를 했을 때 2년짜리 계약직으로 입사를 했고, 인턴 시절부터 갖은 수모를 겪어야 했습니다. 하지만 꼿꼿하게 원인터내셔널을 '우리' 회사라고 여기며 누구보다 열심히 업무를 수행해왔습니다.

#철강팀. "미얀마 EPC 건" 등 몇 개 파일에 "영업3팀"이라고 적힌 파일들 펼쳐놓고 모니터 보며 작업하고 있는 백기. 뒤에서 강 대리 보면서

강 대리	장그래 씨를 위한 거예요?
백기	아… (머뭇머뭇) 네… 혹시 도움이 될까 봐요. 우리 팀 사업이랑 연관된 실적 증빙자료 만들어두려구요.
강 대리	그래요. 정규직 전환 심사 때 그런 포트폴리오가 필요하죠. 다 만들면 저한테도 한번 보여주세요.

[Flashback] 제13국 S#51
넷이 같이 출근하는.

[Flashback] 제15국 S#66
양말 판매 보고서 쓰고 나오는 그래, 백기와 만나는.

석율	(E) 저희와 같이 출근을 하고, 저희보다 늦게 퇴근을 하고, 부족한 스펙을 채우기 위해 남들보다 몇 배나 되는 노력을 했던 친구입니다.

[Flashback] 제16국 S#54
상식에게 담당자를 바꿔달라는 그래.

석율	(E) 자신이 기획하고 개발시킨 아이템이 계약직이라는 이유로 담당자에서 제외됐을 땐 묵묵히 아이템을 포기했었습니다.

[Flashback] 제16국 S#63
그래와 술 마시던 백기가 "오늘만큼 내 스펙이 부끄러울 때가 없습니다."

석율	(E) 저도 지금 그렇습니다. 대체 그 스펙이란 게 뭐길래 한 사람이 다른 한 사람과 다를 수 있단 말입니까. 그 한 사람의 노력은 왜 다른 사람들과 다른 대우를 받아야 하는 걸까요.

#인사팀장실. 경영기획실장과 만나서 얘기하는 선 차장. 그 옆에 서 있는 안영이.

인사팀장	그건 사규에 반영이 돼야 하는 거지, 무턱대고 정규직 전환이 됩니까?
선 차장	네, 맞습니다. 하지만 정량적, 정성적인 평가에서 전무님 건으로 다른 잣대를 대지 말아주십사하고 부탁드리는 겁니다.

영이　　　부탁드립니다.

게시판에 글 쓰는 석율.

석율　　　(E) 회사에 적응할 수 있음을 평가하는 데 중요한 기본. 비록 시작점에서의
　　　　장그래는 기본에 대한 증명이 어려웠다지만, 지난 2년간 충분히 그 가능성을
　　　　보여주지 않았습니까. 장그래는 정규직이 돼야 합니다. 장그래가 제게 했던 말.
　　　　"이 섬유는 한석율 씨와 함께 팔도록 하겠습니다." 제가 그 약속을 지킬 수 있게
　　　　해주십시오. 여러분께 부끄러운 모습을 보였던 저 한석율이지만 그 약속은
　　　　지키고 싶습니다. 부탁드립니다.

다 쓰고… 그대로 있는 석율…

S#11 ─ 영업3팀, 밤

어두운 3팀에 혼자 앉아 모니터 속 석율의 게시판 글을 보는 그래… 눈물이 고인다. F. O.
#비어 있는 그래의 책상 F. O.

S#12 ─ 원인터 외경, 낮(보름 뒤)

S#13 ─ 영업3팀, 낮

그래, 앉아서 일하며 통화하고 있다.

그래　　　네, 말레이시아 콘택트렌즈 건 결재 확인 부탁드립니다. 제안서 검토는 끝났고,
　　　　재고가 많아서 수익이 두 배 이상 뛴 겁니다. 빨리 부탁드립니다.

전화 끊으면 메신저로 "대졸 인턴 사원 채용 관련 현장 진행 요원 팀별 1인 지금 로비로 보내주
십시오" 사내 알림이 뜬다.

천 과장　　(동식 컴퓨터 보면서) 2년 만에 새 인턴이네.
동식　　　그러게요. 장그래 들어올 때가 엊그제 같은데 말이죠.
천 과장　　(다가와 어깨 툭! 치며) 후임 들어오니까 좋지? 가서 선배로 기선 제압 확실히

하고 오라고. 가봐.

그래　　　네.

그때 선 차장, 약간 흥분한 얼굴로 급히 와서.

선 차장　　3팀, 나 좀 봐요.

S#14 ─ 회의실, 낮

놀란 얼굴로 선 차장을 보고 있는 그래, 동식, 천 과장.

동식　　　(놀랐지만 조심스럽게) 어…떤 가능성이 생겼단 말씀이십니까?
선 차장　　(웃으며) 본사 차원에서 전 그룹사에 곧 지침이 내려올 거예요. 업무 능력이
　　　　　　뛰어나고 숙달된 계약직은 정규직으로 전환해주기로 했어요.
그래　　　!
동식/천 과장　!
선 차장　　팀장 이상급 회의에서 나온 의견인 만큼 우리 회사도 그 지침을 따를 거예요.
　　　　　　기류가 바뀐 거죠. 천 과장님과 김 대리도 도와주세요, 나도 최선을 다해서 도울
　　　　　　게요. 일단 그동안 장그래 씨 실적 관련 자료들 전부 모아서 파일화시켜두세요.
동식　　　(다급히) 네, 네, 그래야죠. 네!

동식, 천 과장. 약간 벅차오르는 마음으로 그래를 본다. 그래, 고개 살짝 숙인 채 아린 얼굴로 서
있다. 동식, 그래의 팔을 잡고 툭툭 흔든다. 천 과장, 그래의 어깨를 툭툭 친다.

천 과장　　해보자. 장그래.
그래　　　(일동을 본다)

S#15 ─ 영업3팀, 낮

천천히 상식의 빈 책상을 보면서 걸어 들어오는 그래… 멍하니 보고 서 있는 그래… 그러고 있
다가…

그래　　　(E) 제가… 다시 욕심을 가져도 되는 건가요…

S#16 —— 거리, 낮

양복에 외투 차림으로 '봉봉치킨' 스쿠터를 타고 가는 상식, 치킨 배달원 느낌이다. 대신 머리에는 값비싸 보이는 헬멧을 썼다. "빠라바라바라밤!" 경고음을 내며 속력을 부웅~ 올려 달리는 옆을 검은색 고급 승용차가 지나간다. 차 안에 탄 최 전무. 앞에 신호등에 걸려서 서는 전무의 차. 옆에 와서 서는 상식. 두 사람, 처음엔 못 보다가 전무가 먼저 상식을 알아본다. 아무 말 없이 쳐다보는 전무, 하지만 얼굴엔 알 듯 모를 듯 비웃음. 상식은 신호가 바뀌기만을 기다리고 있다. 신호가 바뀌고 상식이 먼저 출발하지만 결국 전무의 차가 상식을 지나며 앞서간다. 모르고 달리는 상식.

S#17 —— 봉봉치킨 앞, 낮

달려온 스쿠터, 주차하고 헬멧을 벗는 상식. 키 뽑아 들고 치킨집 문을 열자마자 버럭 주인아줌마(50대) 소리!

아줌마	(E) 이제 오믄 어떡해요!
상식	(고개 연신 굽실거리며) 아! 미안합니다 미안합니다 사장님~
아줌마	(E) 배달 왕창 밀려 있는데! 어쩔 거예요!
상식	(괜히 문 경첩 올려다보고 치며) 에고~ 이거 삐걱거리네. 고쳐야겠네.
아줌마	(E) 내가 못 살아아~!

S#18 —— 분식집 안, 낮

상식, 들어온다. 주인의 "어서 오세요" 소리 들으며 의자 빼고 앉으면서

상식	김밥 하나 주세요.
주인	(E) 네~

상식, 휴대전화 꺼내 식탁 위에 두는데 양복 입은 30대 남자 둘이 들어와 앉는다.

양복1	라면 두 개, 김밥 하나 주세요~
주인	(E) 예~

양복2	야, 니네 인턴은 어때?
상식	(흘깃 본다)
양복1	말 마. 대학까지 나온 놈이 복사기 쓸 줄 모른다고 어쨌는 줄 아냐?
상식	(안 듣는 척 듣고 있다가 김밥 오면 먹는다)
양복2	쪼르르 쫓아왔어?
양복1	(어이없는) 지 엄마한테 전화로 묻고 있더라. 복사기 앞에 서서.
양복2	(어이없는 웃음 파~! 터뜨리고) 아이고~ 쯧쯧.
상식	(피식 웃다가…)

[Flashback] 제2국 S#37 엘리베이터 안

그래   그래서 혼자 하지 않는 법을 모릅니다. 모르니까. 가르쳐주실 수
             있잖아요. 기회를 주실 수 있잖아요.

그래 생각에 깊어지는 상식의 얼굴… 휴대전화를 물끄러미 보고는 그래의 번호를 찾아보다 말고 '동식'으로 간다. 동식의 번호를 한숨 쉬면서 보다가 포기하려는데 '선지영 차장'에게 전화 온다.

상식	(받으며) 어, 선 차장.
선 차장	(E) 오 차장님, 오랜만이에요. 잘 지내세요?
상식	어유, 걱정 마. 먹고는 살아. 내가 이쪽 바다 쫙 닦아놓을 테니까 짤리면 와! 나만 믿어! 하하하~ 내가 레드카펫 깔아줄 거니까 이 꼴 저 꼴 다 보기 싫을 때는 마 부장 얼굴에 사표 확 던지고 와.
선 차장	(E, 웃음기, 거침없이) 마 부장이 우리 부장도 아닌데 왜 거기다 던져요?
상식	그런가? 아하하하~
선 차장	(E, 단단하게) 장그래 씨요.
상식	(장난기 걷히는 얼굴)
선 차장	(E, 거침없는 말투로) 오늘 인사팀 평가 통과됐고, 경영기획실에서 월례회의에 상정됐어요. 이제 참석자 과반수 통과만 받으면 돼요. 이런저런 채널로 얘기 들어오는데, 장그래 씨 정규직 전환, 잘될 거 같아요.
상식	(약간 벽차 잠시 말을 못하고 입 다물고 있다가…) 어… 잘됐네. 고마워. 애 좀 써줘. 결과 언제 난다고?
선 차장	모레요.
상식	그래… 고마워… 그래. (전화 끊고 숨을 들이마셨다가 내쉬며 그대로 있다)

제20국

S#20 —— 중앙 정원 실내 안, 낮

석율, 영이와 백기 있는 곳으로 급히 걸어오며

석율   아직이야?

백기   (보며) 아직이요. 회의에 선 차장님이 들어가셨으니 잘되지 않겠어요…

영이   지난번에 마 부장님하고 정 과장님 하시는 얘기 잠깐 들었는데…
물론 마 부장님은 툴툴대시지만요. 그룹 차원 논의 건인 만큼 낙관적인 것
같아요. 게다가 장그래 씨는 그동안 실적도 좋고, 추천하는 분들도 많으니까…

그때 그래가 서류 잔뜩 안고 급히 걸어온다. 그래를 보며 표정 관리하는 세 사람. 그래, 인사하
며 급히 지나간다.

백기   (뒤에 대고) 뭐가 그렇게 바빠요? 하루 종일.

그래   (바쁜 얼굴로 돌아보며) 아… 5시까지 넘겨줘야 하는 일들이 있어서요.

영이   이따 점심 같이 먹어요.

그래   아… 어려울 것 같아요. 상사분들하고 간단하게 먹으면서 일해야 하거든요.

영이   그래요.

그래   (인사하고 간다)

백기/영이   (쳐다본다)

S#21 —— 구름다리, 낮

위의 서류 안고 급히 걷는 그래. 커피 마시고 있는 황 대리와 장미라 지나며 인사.

황 대리   어 장그래 씨. 저기, 중국 심천 디지털 도어록 수출 건 진행하고 있지?
추가 물량 요청 들어왔다면서?

그래   네.

장미라   우리 팀도 중국 보안 관련 아이템 좀 뚫어야 하지 않아요?

황 대리   그치… (그래에게 장난치듯) 3팀 눈치 안 봐도 되지?

그래   어… 보셔야 할 텐데요.

황 대리   안 볼래. (웃으며 어깨 툭 치면)

그래   (웃으며 꾸벅하고 또 급히 간다)

S#22 —— 15층 엘리베이터 앞, 낮

문이 열리고 서류 안은 채 엘리베이터에서 내리는 그래. 앞에 있던 강 대리와 만났다.

강 대리   아, 장그래 씨.

그래   (인사하면)

강 대리   아까 요청했던 폐냉장고 재생 처리 건 자료 책상 위에 올려뒀어요. 철강을
제외한 구리, 알루미늄, 플라스틱 등으로 분류된 자료니까 보기 편할 겁니다.

그래   아, 네, 감사합니다.

강 대리   그리고 지난 분기 우리 TF팀 사업보고서, 저녁에 내가 좀 볼 수 있어요?

그래   아, 네, 오전에 장백기 씨가 필요하다고 해서 넘겼습니다.

강 대리   어, 고마워요. (미소) 언제 술 한번 해요. (엘리베이터 탄다)

그래   네, 감사합니다. (웃으면서 인사한다)

S#23 —— 영업3팀, 낮

일하고 있는 동식과 천 과장. 그래, 서류 안고 급히 들어와 앉으며 서류 분류하고 있다. 2팀 쪽에서는 황 대리와 장미라 느긋하게 들어와 각각 자리에 앉고… 동식은 서류를 막 뒤지면서 중얼중얼 "말레이시아 자료들이 다 어딨더라…". 서류 분류를 마친 그래, 다른 서류들을 펀치로 뚫어 파일에 철하고 있는데…

황 대리   (Off, 중얼거리는 소리) 선 차장님 오신다…

그래, 그대로 멈칫한다… 동식과 천 과장, 멈추고 돌아본다. 저쪽에서 걸어오는 선 차장. 무슨 표정인지 짐작할 수 없는 얼굴이다. 점점 다가오는 선 차장. 동식과 천 과장, 고 과장 일어나서 선 차장을 바라본다. 그래를 보면서 점점 다가오는 선 차장. 그제야 그래도 일어나서 쳐다보고…
들어오는 선 차장… 그래 앞에 선다. (처음부터 너무 아픈 표정이 아님) 선 차장을 쳐다보는 그래… 서로 말없이 한참을 쳐다본다… 쳐다보다가… 그제야 선 차장을 보며 그냥 작게 미소 짓는 그래…
동식, 고개 떨구고, 천 과장, 한숨 쉬며 돌아선다. 고 과장, 목덜미 만지면서 돌아선다. 낙담한 황 대리와 장미라. 그래, 고개를 떨구면서 웃었다가 다시 선 차장을 본다. 선 차장, 그제야 아픈 표정으로 보고 있다. 그래, 상식의 책상을 돌아본다…

S#24 — 중앙 정원 실내, 낮→밤

멍하니 유리문 밖을 보고 있는 그래… 뒤로 사람 한둘, 셋 등이 무심히 지나가고 그냥 밖만 멍하니 보고 있는 그래. 시간이 흐르듯 어두워지는 유리문 밖 풍경이다…

S#25 — 15층 입구 + 통로, 밤

컴컴한 빈 사무실. 누군가 걸어 들어온다. 그래다. 입구의 불을 켜는 그래. 천천히 둘러보다가 통로를 따라 영업3팀 쪽으로 걸어간다. 걸어 들어오면서 기억들이 펼쳐진다.

> [Flashback]
> 제1국 S#14 아버지 양복 입고 천천히 걸어오며 사람들 보는 모습.
> 제1국 S#22 영이 처음 만나서 고무줄 줍던 모습.
> 제1국 S#99 꼴뚜기 골라내던 모습.
> 제9국 S#51 영이 도와주며 다 같이 청소하는 4인방 등…

3팀으로 와서 서는 그래.

> 제3국 S#11 "사내 시스템 계정 생긴 기념으로 한번 보내봤습니다."
> 제5국 S#53 동식과 "미안하다 좀 많이" 읽는 그래.
> 제6국 S#3 우즈벡 건 성공 후 같이 엉덩이 부딪히는 상식과 동식, 보는 그래.
> 제6국 S#8 석율 와서 태국 라면 건에 대해 설레발치는 장면.

S#26 — 옥상, 밤

옥상 문을 열고 나와 옥상을 보는 그래.

> [Flashback]
> 세3국 S#87 석율과 나부던 상년 떠올리고.
> 제2국 S#51 동식에게 혼나고 오리걸음 하던 모습.
> 제5국 S#37 상식과 동식이 은지에 대해 얘기하는 걸 듣던 그래.
> 제9국 S#43 동식이 그래에 대해 좀더 알고 싶다고 말하는 장면.

다시 오른쪽으로 고개 돌리면 제4국 엔딩처럼 난간에 상식과 그래가 밖을 보고 서 있다. 그래, 쳐다보면서 천천히 난간 쪽으로 걸어가면 둘이 서 있는 장면이 제4국 엔딩의 석양 속 상식과 그래의 해당 장면으로 바뀌어간다. "버려라. 우린 모두 미생이야" 하며 멀리 보는 상식과 그래의 해당 장면에서 상식이 사라지고. 혼자서 멀리 보고 있는 그래… F. O.

S#27 ─ 상식 회사 외경, 낮

자리에 앉아 열심히 일하고 있는 상식.

김부련 (Off) 오케이! 베트남에서 헬멧 계약서 왔다!

대표 자리에서 모니터 보다가 상식이 쓰던 책상 위 헬멧을 만지며 웃고 있는 김부련.

김부련 헬멧 테스트 한 번 하고 한 달 내내 치킨집 사장님한테 들볶인 건 알지?
상식 (너스레) 일본 제품들이랑 경쟁해서 이길 국산 제품 찾는 건데 직접 바람 안 맞아보고는 베트남 바이어들 못 넘습니다. 초경량, 초강도, 벤틸레이션 시스템에 공기 저항까지… 다 따져요, 걔들.
김부련 그래! 니가 진정한 수출 역군이다! 니 덕에 계약 땄다!
상식 (으쓱) 게다가 우리 회사 최고 실적 베트남 헬멧 수출 건 아닙니까?
김부련 (OL, 얼른) 문충기가 따라왔다.
상식 네? (한참 끔벅끔벅 하다가) ! 뭐요?
김부련 (문서 상식에게 툭 주며) 메카폰, 이번에도 잘해봐.
상식 (문서 보며) ! (욱해서) 못 합니다!
김부련 (협박) 야, 너 나 월급쟁이 사장이라고 무시하는 거냐? 니네가 날 (강조해서) '전문 경영인'으로 초빙해놓고, 왜 말을 안 들어먹어? 뭐, 김상엽하고 니가 반반씩 내서 동업했다고 유세냐? (혼자 중얼중얼) 내가 원 알루미늄에서 6시면 따박따박 퇴근하면서 세상 얼마나 편하게 살고 있었는데…

상식, 픽 웃으며 중얼거리면서도 서류를 하나하나 챙겨보는 김부련을 바라본다.

[Flashback] 카페 혹은 술집
고민스러운 얼굴로 폐플라스틱 재생 설비 아이템을 찬찬히 보고 있는 상식.
숨을 크게 들이마신다. 그리고는 앞에 긴장한 채 앉아 있는 김 선배를 본다.

상식 (上) 좋다! 좋은 건이다.
김 선배 어때? 괜찮지?

상식　　　(신중한 얼굴로 김 선배를 본다) 사업은 좋네요… (잠깐 생각하다)
　　　　　좋습니다. 동업, 하죠. 합시다.

김 선배　(웃으려는데)

상식　　　대신, 대표는 다른 사람으로 합시다. 선배도 나도 아니에요.

김 선배　뭐?

상식　　　김부련 부장을 대표로 모시죠.

김 선배　(당황) 김부련!? 그… 그 까칠이를? 완벽주의자에
　　　　　너의 사나운 버전이라구.

상식　　　동의하신다면 하고 아님 전 안 하고.

김부련　(여전히 구시렁) 직장인한테 (힘줘서) 칼! 퇴근이 얼마나 중요한데…

상식　　맨날 야근한 거 다 압니다. (강조하며) 그리고! 반반이라뇨! 제가 51퍼센트,
　　　　　김 선배가 49퍼센트! 이 회사는 항상 51 대 49로 운영해야 한다구요!

김부련　그러니까 51. 좋은 말로 할 때 메카폰 해! (자리로 휙 가 앉는다. 일하는)

상식　　아놔~ 문충기, 이 의리 없어도 되는데 있는 놈의 자쉭!

김부련　(고개도 안 들고 씩 웃고 계속 일한다)

상식, 휴대전화 꺼내 김 선배에게 카톡 보낸다. "김 선배 상무님, 빨리 들어와서 사장님하고 얘기 좀 해봐요." "아~ 나…" 하고 일어나서 겉옷 걸치다가 2014년 탁상 달력에 동그라미 쳐진 6월 13일 금요일에 눈이 간다.

상식　　어! 우유 다 익어가네. 마실 때 됐네. (나가며) 명진씨앤씨 갑니다.

S#28 ─ 건물 밖 거리, 낮

건물에서 나오는데 전화 온다. 받는 상식.

상식　　어~ 우리 막둥이.

준우　　아빠 치킨!

상식　　앙님 반 프라이드 반!

하하하 웃는 상식과 준우. 상식 아내 "이리 줘봐" 소리와 함께 (분할 화면)

상식 아내　아니 회사가 바뀌었는데, 왜 퇴근 시간은 맨날 똑같아?

상식　　어…

상식 아내	새 회사 가면 자길 돌아보면서 산대매. 애들이랑 그동안 못한 대화 많~이
	하겠대매. 제주도 바닷물에 발 담근다더니 제주도는 가지도 못하고,
상식	(전화기 든 손을 하늘로 능청스럽게 든다)
상식 아내	(멀게 들리는) 캠핑은 무슨, 커튼봉 한쪽 떨어진 거 박아준다더니 3박 4일 지나도
	자기 눈곱 떼고 나가기 바쁘고, (버럭) 그래서 몇 시에 들어올 건데!
	또 술 마시고 오려고?!
상식	(그제야 전화기 귀에 대고) 어~ 거래처 세 군데 돌고 가면 좀 늦겠네. 응, 알았어.
	챙겨 먹을게. 응~ (끊고, 씨익 웃고, 계속 걸어간다)

S#29 ─ 섬유팀, 낮(다른 날)

석율, 급하게 뛰어 들어오고, 누군가를 찾으며 사무실 안을 두리번거리다가 우뚝 멈춰 선다. 후…
하며 빈 성 대리 자리를 노려보다가 겉옷을 휙 벗어 던지고 화가 나서 어쩔 줄 모르는데, 콧노래
를 부르며 들어오는 성 대리.

석율	(확!) 상파울루에서 마틴 도착했다면서요?
성 대리	(능청) 응? 아~ 내가 잘못 알았네. 공항 가서 픽업해 와. (자리로 간다)
석율	(울컥!) 저 공항 근처에서 외근이었습니다! 점심 먹고! 공항으로 가면 딱! 맞는
	시간이었다구요. 근데! 벌써 사무실에 도착했다고 해서 밥도 못 먹고 뛰어왔습니다.
성 대리	(낭창하게) 그랬어? 몰랐네. 말을 하지.
석율	(폭발 직전으로 노려본다.)
성 대리	(다시 콧노래 부르다가 돌아보며) 안 가?
석율	(대거리할 기운도 없이 일그러진 얼굴로 다시 나갈 준비한다)
성 대리	아, 석율아. 너 내일 휴가 못 가겠다. 사내 보안 교육 있어.
석율	(확! 돌아보며) 교육이라뇨? 제가 없는 거 확인했는데…
성 대리	응, 좀 전에 생겼네. 휴가 미뤄.
석율	(분노) 일부러 내일로 잡으신 겁니까? (폭발) 분명히 말씀드렸습니다.
	과장님께도 다 결재 떨어졌구요. 아버지 환갑잔치 겸! 가족 여행이라고!
	아버지 생신을 어떻게 미룹니까?!
성 대리	(벌떡 일어나 다가오고) 휴가를 고따우로 잡아놓고, 이 무식한 새끼가?
	너 지금 나한테 소리 지르는 거냐? (버럭!) 미루라면 미뤄! 너 때문에 과장님
	출장 가시는데 또 미뤄야 하냐?

웅성웅성하며 섬유팀을 바라보는 사람들. 석율, 주먹을 꽈악~ 쥐고 성 대리를 노려보다가 천천
히 자리로 돌아와 앉는다. 잠시 숨을 고르더니 서랍을 연다. 봉투 들어 있다. 성 대리를 돌아본다.

S#30 ── 헬기 옥상(혹은 중앙 정원), 낮

차가운 얼굴로 사진 봉투를 들고 보던 석율, 사진을 꺼내어 본다. 사진, 성 대리와 이 부장이 껴안고 키스를 나누는 연속 사진들.

성 대리   (E, S#28) 휴가를 고따우로 잡아놓고, 이 무식한 새끼가?

석율, 사진을 착착 봉투에 넣고는 펜을 꺼내 봉투에 "섬유1팀 성준식 대리는 유부녀인 청솔섬유 이경선 부장과 부적절한 관계를 유지하고 사업 진행에 막대한 차질을 초래하고 있으니 조사 바랍니다"라고 쓰고는 결심한 듯 돌아 내려간다.

S#31 ── 사내 일각, 건의함 앞, 낮

성큼성큼 건의함 앞으로 다가오는 석율, 당장이라도 넣을 듯 앞에 비장하게 선다. 가슴팍에서 봉투를 꺼내서 넣으려는 석율, 멈칫 손을 멈춘다. 그러다가 결연한 표정으로 마음을 다지고 다시 집어넣으려고 손을 뻗는다.

S#32 ── 섬유팀, 밤

이마를 짚고 고민하고 있는 석율, 그 앞에 봉투가 그대로 놓여 있다. 한참을 고민하다가 벌떡 일어나 성 대리의 자리를 노려보는 석율, 그대로 문 과장 자리로 가 봉투를 탁 놓는다. 그러고는 가방을 들고 퇴근하는 석율… 잠시 후, 다시 성큼성큼 들어온다.

석율   (일그러진 얼굴로) 아이씨… (문 과장 자리에서 사진을 다시 챙겨간다)

S#33 ── 헬기 옥상, 밤

고민스러운 얼굴로 담배를 피우던 석율, 담배 끄고 전화를 한다.

석율   어… 엄마. 응. 못 가서 죄송해요. 일이… 바빠서 그렇지 뭐. 그러엄~
서울 돈은 내가 다~아 벌지! 아버지 서운해하시는 거 알지. 바꿔줘봐.
응? 전화도 안 받으시겠대? 에헤이… 응. 따듯한 나라 가서 잘 쉬고 오세요. 어…
내년에는 꼭 같이 가지 그럼… (하고 전화 끊는다)

Episode 20

착잡하게 가슴팍에서 사진 봉투를 꺼내는 석율, 사진 하나를 꺼내 보다가 라이터로 불을 붙인다.

석율　　　(한심함에 혀를 차며) 인간아… 인간아… 차라리 뒷돈을 받지 그랬냐…

불붙은 사진을 철 쓰레기통에 훅 던져 넣고, 나머지 사진들도 차례로 집어넣는다.

석율　　　그럼 내가 찌르기라도 쉽지… (타는 걸 보며) 하이고… 이것도 사생활이라고.

활활 타는 사진을 바라보다가 씁쓸하게 내려간다.

S#34 ― 16층 사무실 안 입구 + 섬유팀, 낮(다음 날)

석율, 괴로운 얼굴로 기운이 훅 빠져서 16층 사무실로 들어서는데

이 부장 남편　　(Off, 우레 같은 소리) 니가 성준식이냐?!

석율, 고개를 들고 보면, 성 대리 앞에 서 있는 이 부장 남편, 벌써 성 대리 멱살을 잡고 있다. 놀란 문 과장, 일어나서 보고 있고 주변도 놀라서 고개를 빼꼼 빼고 보고 있다. 놀라서 얼른 달려가는 석율.

성 대리	(당황했지만 큰소리) 뭐… 뭐야?!
문 과장	뭡니까 당신!
남편	(들은 척도 안하고 성 대리에게) 이경선 알지?
성 대리	(순간 움찔) 누구요? 청솔 이 부장…?
남편	그래 그 청솔섬유 이 부장!
석율	(들어오다 멈칫!)
성 대리	(당황. 그러나 버럭!) 우리 거래처 분인데 왜요?! (하~) 당신 누구야?!
이 부장 남편	내가 누구겠어? (다시 멱살 쥐어 잡으며) 너 내 마누라랑 무슨 짓 했어?
성 대리	!
석율	!
주변	(호기심으로!)
성 대리	(낭패다 싶은 얼굴이지만 이내) 내… 내… 내…가 무슨 짓을 했다고…
이 부장 남편	(OL) 어~ 내가 너 이렇게 발뺌할 줄 알았다! 이래도 몰라?! 너네, 이날 나한테 딱 걸렸어! (품에서 사진을 꺼내 확 뿌린다. 석율과 같은 날 사진)

성 대리, 사진을 보고 어버버하는데 남편, 성 대리를 훅 내리꽂는다. 꽈당 하는 소리와 함께 내동

댕이쳐지는 성 대리, 코피가 쭉 난다. 주변 사람들, 누구는 놀라서 다가오고, 누구는 놀라서 바라본다. 남편, 쉴 틈 없이 주먹으로 성 대리에게 풀스윙을 날린다. 끄악! 소리를 지르며 책상에 퍽 가서 부딪히는 성 대리. 문 과장 말리고 주변, 말리려고 하지만 소용없고, 다시 화가 나서 성 대리의 멱살을 잡아 일으키는 남편.

성 대리　　(당황해서 버벅) 아… 아… 아무것도 (사진 보고 다시) 자… 잘못했습니다.

이 부장 남편　어~ 이제 증거를 보니까 잘못했냐? 갈아 마셔버릴라. 어디까지 갔어? 뭔 짓 했냐고오~?

석율, 입이 떡 벌어져서 그저 구경만 하고 있는데 성 대리, 얼른 석율의 뒤로 달려와 숨는다. 순간 남편의 주먹 석율에게로 날아오고, 재빨리 피하는 석율. 성 대리, 다시 남편의 손아귀에 잡히고, 또 바닥에 내리꽂힌다. 석율, 안타깝게 성 대리를 보고 있다.

이 부장 남편　(발악) 내 마누라한테 받은 거 한번 보자! (하면서 다시 성 대리를 잡아끌며) 내 마누라한테 받은 거 다 내놓으라고!

성 대리　　(끅끅 울면서 싹싹 빌며) 잘못했습니다. 잘못했습니다. (하면서 주머니에서 차 키를 꺼내놓고, 시계까지 풀고, 구두를 벗고는) 이… 이게… 제가 받은 거 전붑니다. 뭐… 뭐…든 시키는 대로 하겠습니다.

무릎 꿇고 싹싹 빌고 있는 성 대리를 한심하게 바라보는 석율.

S#35 ── 옥상, 낮

휴지와 겉옷과 구두를 들고 옥상으로 나오는 석율, 두리번거리며 찾는다. 구석진 곳에서 코피를 그대로 묻힌 채 겉옷도 구두도 없이 앉아 있는 성 대리. 석율, 겉옷을 주며 구두를 탁 내려놓는다. 성 대리, 흘깃 보고 "후…" 하곤 구두를 신고 옷을 입는다. 석율, 휴지를 내밀면 성 대리, 흘끗 보고는 받아 든다. 휴지로 조심스럽게 얼굴 닦으려다가 빡빡하게 지워지지 않자 침을 묻혀서 닦는다.

석율　　하휴… (한심하단 듯) 왜 이러고 사세요?

성 대리　(석율은 보지도 않고, 툴툴) 물티슈를 들고 와야지. 센스 없는 새끼.

석율, 어이없고 기가 차서 성 대리를 바라본다.

열심히 타이핑하고 있는 백기. 강 대리도 모니터와 서류 비교하며 타이핑하고 있다.

차 과장	(들어오며) 장백기, 분기 실적 예상대비 150퍼센트 달성했네?
백기	아, 네… (웃는)
차 과장	(앉으며) 곧 강 대리 따라잡겠어~ 강 대리, 긴장해야겠어. (웃음)
강 대리	(웃으며) 축하해요 백기 씨. (업무하려다가 서류 뒤적여 주며) 아 참, 이거 (서류 보이며) 지난번에 준 독일 슈하셀사에 보낼 이메일 프린트한 거예요. 단어 고칠 거 체크해놨었는데, 안 고쳐놨길래.
백기	(서류 보며) 아, 여기 "지"(Sie)는 대문자로 쓰는 게 맞습니다. 거기선 존칭으로 쓰여야 해서요.
강 대리	(다시 서류 보며) 그래요?
백기	네… 아, 참… 그리고 강 대리님…
강 대리	네.
백기	제가 지난번에 말씀 못 드린 게 있는데요. 그때 그 독일어 "W" 발음할 때 있잖습니까. 그때 칫솔질하다 너무 안쪽으로 넣어서 헛구역질하듯 발음을 굴려서 하라고 하셨잖습니까?
강 대리	(멀뚱히 보다가) 네.
백기	그게 사실은 응축한 공기를 콧구멍이 아닌 입술로 터트려 뱉어내듯 '봐아' 이렇게 하는 게 맞는 거거든요. 봐~써. 봐~겐. 봐~이스. 뷔~스트. 봐아~!
강 대리	(끔벅끔벅) 아? 그래요? 내가 다닌 독일어 학원에선 그렇게 가르쳐줬는데.
백기	어느 학원 다니셨는데요?
강 대리	봐(wahr[vaːr]) 독일어 학원이요.
백기	(쩝… 하고 자리로 돌아오며) 거기 강사가 내 동문인데. (문자 온다. 석율 E, "나 밥 먹으러 못 간다")

S#37 — 선짓국집, 낮

벌건 선짓국을 당황한 얼굴로 내려다보고 있는 백기…

영이	(Off) 영 안 되겠어요?
백기	(영이 보고) 아… 그게…

백기, 괴로운 얼굴로 선짓국을 보며 먹어야 하나 말아야 하나 망설이고 있다.

영이　　공포영화도 볼 만큼 봤고, 이제 진도 좀 빼자구요.

하는데 백기 옆에 털썩 앉는 석율. 영이와 백기, 놀라서 보는데 석율, 백기의 선짓국을 자기 앞으로 슥 끌고 와서

석율	못 먹겠으면 내가 먹을게. (거침없이 맛있게 퍼 먹는다)
백기	(찡그리고 본다)
영이	일이 바빠 못 올 것 같다더니.
석율	배가 고프니까 초능력이 발휘되더라구.
백기	성 대리님 괜찮으세요?
석율	(깍두기 씹으며) 코피 찍, 눈물 찍, 병가 찍. 개망신도 개망신도…
영이	(한숨 쉬며) 회사, 계속 다니실 수 있을까요?
석율	아유~ 사이코패스잖아. 괜~찮아. 근데 (먹으면서) 둘이 영화는 언제 봤어?
영이/백기	(멈칫)
석율	(깍두기 씹으며) 나도 영화 좋아하는데… 동기끼리 차별하는 거 아니다~
영이	공포영화 좋아해요?
석율	미쳤어? 세상에 볼 영화가 얼마나 많은데 공포영화를 봐?
영이/백기	(웃는다)
석율	(고개를 반짝 들더니) 나 장그래 보고 싶어. (옆에 빈자리 보며) 넷이 셋이 되니까 각이 안 맞아.

S#38 ── 그래 집 거실, 낮

걸레질하면서 휴대전화에서 흘러나오는 영어 강의 앱 내용을 중얼중얼 따라 하고 있는 그래, 주방에서 쌀 씻고 있는 그래 엄마. 그래, 걸레질하면서 대화.

그래 엄마	박 씨가 식당 새로 개업했다고 매니전가 머시긴가 구한다던데. 생각 있니?
그래	아뇨, 감사하지만 괜찮다고 전해주세요.
그래 엄마	어디 오란 덴 있고?
그래	만들어야죠. 학원도 몇 개 가야 히고…
그래 엄마	중국어는 좀 늘었어? 그거라도 한마디 들어보자.
그래	니하오?
그래 엄마	엄마한테 니가 뭐야? 이눔 시키.
그래	됐고요… (전화 온다. 수신자 보다가… 받는다) 안영이 씨…

영이, 술집 앞으로 다가가는데 띵, 문자 도착음 들린다. 휴대전화 꺼내 보면 석율의 문자, "영이 영이 안영이! 거의 다 왔어! 장그래 왔어? 나 금방 간다 그래!" 문자 보고 빙긋 웃으며 서 있는 영이. 저쪽에서 영이 발견한 그래가 뛰어온다.

그래	영이 씨!
영이	(보다가) 3주 만이네요…? 3년은 된 거 같아요. 매일 보다 안 보니까.
그래	(웃는)
영이	(약간 책망하듯) 송별회도 안 하고… 그렇게 담백하게 나가고 말예요.
그래	(긁적이면)
영이	…장그래 씨는 정 떼려고 그렇게 나갔는지 모르겠지만, 남은 사람들은 괜히 죄지은 거 같았어요.
그래	(당황) 아… 그건 아녜요.
영이	한석율 씨는 장그래 씨 나가고, 맥이 빠져서 15층에 내려오지도 않아요.
그래	(고개 숙이며 웃는…)
영이	회사에 새 인턴들 왔어요. 장그래 씨처럼 꽂히는 사람은 없더라구요.
그래	(멍?) 네?
영이	(시선 맞은편 보며) 다들 오네요.

그래, 돌아보면 시선 맞은편에서 웃으며 급히 오고 있는 백기와 석율.

S#40 — 술집, 밤

찌푸리고 있는 장그래를 껴안고 앉아 있는 석율.

석율	장그래, 내 사랑도 나인투식스였으면 좋겠어.
백기	(물 마시다가 푸~! 한다)
그래	(뿌리치고 주머니에서 숙취 해소제를 꺼내 영이에게 불쑥 주며) 챙겨요.
석율/백기	(동시에) 나는?
그래	전 백순데요?
석율	니 마음에서 이제 퇴근하고 싶은데 자꾸 야근을 하게 되네.
영이	(웃으며 뚜껑 따서 마시는데)
그래	오늘 술자리에서 그냥 날 해고해주길 바라요.
영이	(풉! 하고 그래를 보는데)

백기	장그래 씨 속은 석율 씨 마음대로 출퇴근할 수 있는 곳이 아니겠죠.
영이	(어이없이 백기를 본다) 왜들 이래요?
석율	장그래. 말해봐. 난 니 맘속에서 어떤 직급이야. 사원이야 대리야 뭐야?
일동	이제 그만하시죠?!
석율	재미없어?
백기	(그래에게) 오 차장님은 오라고 안 하세요?
그래	(고개 숙이며 희미한 미소)
영이	차장님 입장에선 정리도 덜 된 회사에 오라고 하기 미안할 거예요…
백기	그러게요. 모험은 당신 혼자로 족하다…라고 생각하시는 걸지도 몰라요.
석율	먼저 연락해보는 건 어때요?
그래	네?
백기	해봐요. 안부 전화처럼.
그래	…
석율	장그래, 회사도 사랑도 맘대로 그만둘 수 없는 거 같아.
일동	그만하시죠!

S#41 — 그래 집 골목, 밤

조금 취한 그래, 나직이 노래 부르면서 천천히 걸어온다…

S#42 — 그래 집 앞, 밤

노래 부르면서 집 쪽으로 걸어가는 그래. 집 올라가는 계단 입구에 멈춰 서지만 노래는 계속 부르는데…

상식	(Off) 선배들 일 시키고 너는 노니까 콧노래가 절로 나오지?
그래	(깜짝!)
상식	(어둠 속 일각에서 슥 나타나는 상식)
그래	(깜짝) 차장님.
상식	(본다) …
그래	(멍~) 여…긴 어떻게…
상식	(슥~ 아래위로 보고) 주변 정리 다 끝냈지? 3주일이나 지났는데.
그래	네?
상식	우유 나 익었나. 양복도 있고, 와이셔츠도 있고, 넥타이도 있고, 가방도 있고,

그래, 끔벅끔벅 보고 있고 상식도 말없이 보고 있다. 그렇게 서 있는 두 사람…

S#43 — 영업3팀, 낮(시간 경과, 가을)

어깨에 전화 끼고 통화하며 열심히 타이핑하고 있는 동식. 그 뒤에서 한참 열 올리고 통화하는 천 과장.

동식　　홍 차장님, 그러니까요, 부자재가 TS 안 돼 있으면 저희도 곤란하죠.
　　　　　네, 상식적으로 환적할 때 컨테이너를 싣질 못하는 게 말이 됩니까?
천 과장　아니 페이먼트 못 하겠다는 게 클레임 때문인데 해당 제품 사진은 안 보내고
　　　　　이미 폐기했다고 하면 누가 믿습니까. 네. 그러니까요.

인턴 자리 울리는 전화. 천 과장이 전화하던 수화기 틀어막고 인턴 보면 어리바리하게 얼른 가서 받으려는데 끊어진다. 천 과장 "후…". 그때, 영업2팀에서 고 과장이 넘어오며

고 과장　동식아. 필리핀 집섬* 건 입금 처리 아직 안 됐어? 빨리 좀 넘겨라. 애들은 왜
　　　　　우리한테 전화해서 이러냐아. (구시렁거리며 돌아가고)
동식　　("후아" 한숨 쉬는데 전화 걸려온다) 네, 부장님. 아, 5분 전에 기안 새로 해서 올렸거든요.
　　　　　네. 내일 다선화학이랑 미팅이요? 잠시만요. (수첩 체크하다가 떨어뜨린다. 인턴이
　　　　　일어나서 주우러 오면 됐다는 제스처 취하고) 아, 5시 화련으로 예약했습니다. 네.

전화 끊고 천 과장 보는 동식, 천 과장도 동식보고 한숨 "휴".

S#44 — 옥상, 낮

천 과장, 올라온다. 먼저 와서 난간 쪽에 서 있는 동식에게 다가간다.

동식　　요즘 참 시간 안 가네요. 쏜살같이 가는 게 시간이더니… 재미없네.
천 과장　(픽 웃으며) 넌 아직도 일에서 재미를 찾니?
동식　　그러게요…
천 과장　(한숨 쉬며 난간 멀리 본다)

●　　gypsum, 석고.

동식, 나가에서 돌아서서 일각을 본다. 상식과 그래와 조르르 앉아서 썩은 우유 먹던 곳이다. 그 장면이 떠오른다.

[Flashback] 제8국 S#14
썩은 우유 먹고 있는 상식, 그래, 동식.

장면이 스르르 사라진다. 우울해지는 동식.

동식　　　(E) …왜… 외롭냐…

S#45 — 상식 회사 사무실 안, 낮

상식 책상에 서류 놓는 그래. 엎어져 있는 가족사진 보곤

그래　　　이상하네. 원인터에서도 계속 엎어져 있더니.

세우는데, 뒤에서 상식이 탁 엎고 자리에 앉는다.

상식　　　우즈벡 건 인보이스패킹이랑 B/L이랑 잘 보냈어?
그래　　　네, 두 시간 전에 보냈습니다. 근데 차장님, 옛날부터 궁금했던 게 있는데요.
상식　　　(서류 보며 대강) 뭔데. 바뻐. 빨리 얘기해.
그래　　　왜 가족사진을 계속 엎어두세요?
상식　　　뭐?
그래　　　(엎어진 사진 본다)
상식　　　마누라 시끄럽잖아. 너 우리 마누라 잔소리 안 들어봤지?
그래　　　(끔벅끔벅)
상식　　　잔소리가 가끔 들어야 잔소리지. 자주 들으면 그냥 개가 지나가나 소가
　　　　　　지나가나~ 그렇게 되는 거거든.
그래　　　아~ (자리로 간다)
상식　　　(혼잣말) 저거 뭐 일고나 아~ 하는 거야? (그래 보며) 경력직 시원 구인 공고
　　　　　　올리란 건 어떻게 됐어?
그래　　　아… 한 시간 전에 올렸습니다.

갑자기 쾅! 소리가 난다. 놀라서 보는 상식과 그래, 김부련. 문 확 열고 들어오는 동식. 일동 놀라서 보면, 자연스럽게 들어와서

동식	(빈 책상 보고 성큼성큼 가며) 아, 여기가 내 자리지? 무역협회에 전문 무역 상사 등록은 했어요? 내가 뭐 하면 돼요?
상식/부련	(어이없이 보고)
그래	(놀라 보고)
동식	(김부련에게 꾸벅하고) 부장님! 아니 사장님. 저 왔습니다!
부련	(허! 웃고) 그래.
동식	(상식 보며) 제가 이 건물 싹 다 돌아봤는데요, 옥상이 너무 후졌네요. (장그래 보며) 장그래, 구직 사이트에 구인 공고 올린 거 빨리 내려. 15층 재미없어 못 다니겠어. 빨리 내려.
상식	야~ 뭐 하는 거야? 우리도 절차가 있는 회사야. 제대로 뽑아야 돼.
동식	(코웃음) 절차는 무슨… 판을 흔들라면서요? (그래 보며) 애도 낙하산이면서.
상식/그래	(멍)
동식	왜 그러세요? 아니, 장그래가 판 흔드는 건 받아주고 전 안 됩니까?

상식, 어이없이 허허, 허허 웃으면, 동식 끌어안는 그래. 김부련도 나와서 다가오며 웃고, 동식 웃고. 모두 웃고.

S#46 ─ 옥상, 낮

혼자 서 있는 천 과장… 쓸쓸하게 웃는다.

S#47 ─ 영업3팀, 낮

영업3팀으로 들어와서 자리로 가려다가… 문득 박 팀장의 책상을 본다. 다가가서 의자를 손으로 쓰다듬다가… 앉아보는 천 과장…

S#48 ─ 상식 회사 외경(자막 "1년 후" 혹은 "2015년 10월")

S#49 ─ 상식 회사, 낮

그래, 1화 요르단 머리 스타일에 서진상을 추적, 취조할 수 있을 만큼 성장한 분위기다.

상식   (통화한 채 벌떡 일어나며) 뭐? 서진상이?

일하던 그래와 동식, 김부련, 무슨 일인가 싶어 돌아보면, 상식 수화기 든 채 보며

상식   서진상이가 중국 공장에서 휴대전화 케이스 샘플을 빼돌려 도망갔답니다.

김부련, 자리에서 일어나 상식에게 다가오고, 동식과 그래도 놀라서 일어난다.

김부련   무슨 소리야? 우리 이번에 계약한 휴대전화 메탈 케이스 말하는 거야?
상식   네. (하고 다시 다급히 통화한다) 어디로 간 건지는 알아냈어?
김부련   (다급하게) 어디 있대. 찾을 수 있겠대?

S#50 — 원인터 영업3팀, 낮

천 과장   지금 추적하고 있습니다. 중국 출입국 관리소에 그쪽 주재원이 나가서 파악하고 있습니다. 소재지 찾는 건 어렵지 않을 것 같아요. (듣고) 네, 곧 연락 준다고 했습니다.

S#51 — 상식 회사, 낮

심각한 표정으로 전화받고 있는 상식.

상식   알았어. 바로 연락 줘. (하고 전화 끊는다)
동식   어이가 없어서. 서진상 이 인간 기어이 일을 치네 쳐! 어떡하죠?!
김부련   이러면 계약 엎어질 수 있어. 원인터는 계약이 몇 건이래?
상식   네, 세 건이라고 합니다.
김부련   (서류 뒤적이며) 우리는?
그래   저희도 두 건 있고 한 건은 진행 중입니다.
김부련   원인터는 바이어 신용 문제랑 인력관리 문제만 엮여 있지만,
            우리 회사 사활이 걸린 문제야.
동식   아! 진짜 서진상 그 자식!

전화 걸려온다. 상식이 다급히 받자마자

천 과장   (E) 파악됐습니다. 요르단으로 튀었답니다.

상식	뭐!? 요르단? 알았어. 우리도 바로 출발할게. (전화 끊고)
상식	(동식에게) 베트남 못 미루지?
동식	네, 내일 못 가면 계약 엎어질 수도 있습니다.
김부련	(그래 보고) 그럼 장그래가 가야 되겠네.
상식	비자 빨리 받고 항공권 확보해. 암만 조 대리한테 연락해놓고.
그래	네, 알겠습니다.

S#52 — 공항 안, 낮 혹은 밤

캐리어 끌고 걸어가는 그래.

S#53 — 공항 에띠아뜨 항공 발권 창구, 낮 혹은 밤

발권 카운터 앞에 서 있는 그래.

승무원	(티켓 하나 가리키며) 이건 인천에서 아부다비까지 가는 탑승권이고,
	(나머지 티켓 가리키며) 이건 아부다비에서 암만으로 가는 탑승권입니다.
	여권, 수하물 태그 받으시고요, 즐거운 여행 되세요.
그래	(받으며) 감사합니다.

돌아서는 그래, 전화가 온다. 받는.

그래	네, 차장님. 지금 발권 막 끝내고 들어가려구요.
상식	(E) 어, 아부다비에서 비행기 바꿔 타야 하는 거 알지? 거기서 나가면 안 돼!
그래	네, 알고 있습니다.
상식	(E) 어, 그래. 암만에 내리면 조 대리 나와 있을 거야. 조 대리 전화번호 알지?
그래	네, 알고 있습니다.
상식	(E) 어, 그래. 뭐 아무거나 먹지 말고.
그래	차장님…
상식	(E) 어?
그래	저 어린애 아니거든요…
상식	(E) 어? 어 그래.
그래	다녀오겠습니다. (꾸벅하고 끊은 다음 뚜벅뚜벅 안쪽으로 걸어간다)

S#54 — 하늘, 밤 혹은 낮

날아가는 에띠아쁘 항공 비행기.

S#55 — 암만 카페 야외 테라스, 낮

암만 시내가 펼쳐 보이는 카페의 야외 테라스. 풍경을 보며 있는 그래.

조 대리   (Off) 장그래 씨!
그래   (보고 일어서며) 아! 조 대리님.

악수하는 두 사람, 앉는다.

조 대리   먼 길 오시느라 피곤하시죠?
그래   괜찮습니다. 서진상은요?
조 대리   암만에 있다는 건 확인이 됐는데요 (난감한) 호텔과 게스트하우스를
다 뒤져도 없어요. 대체 어디 박혀 있는지.
그래   지인 집이라든가.
조 대리   (고개 젓는다) 묵을 만한 지인도 없어요.
그래   …

    [Flashback] 제17국 S#15
    진상   (그래에게) 아! 장그래 씨는 이번에 요르단 사업 했잖습까?
    요르단 가봤습까? 나는 한 세 번 갔다. 거기 가면 다운타운
    뒷골목에 아주 싸고 좋은 작은 호텔이 있습다. 하루에 만 원이면
    됩다. 담에 가실 일 있으면 내한테 물어보십쇼.

그래   혹시 구시가지 쪽 호텔들도 찾아보셨나요?
조 대리   구시가지 쪽 호텔이요? 그쪽은 호텔이 있을 만한 곳이 아닌 (하다가)
어 두어 개 있긴 있는데… 거긴… 좀…
그래   아주 오래되고,
조 대리   네, 오래되고
그래   저렴한.
조 대리   네. 하룻밤에 만 원이면 묵을 수 있는 곳이에요. 하지만… 서진상이 여기까지
와서 그런 곳에 들어가지는 않을 텐데요.

그래	아뇨, 한번 찾아봐주세요.
조 대리	(끄덕이며) 알겠습니다. 근데 오 차장님은 어디 계세요?

이 위로 '뒷걸음치는 야생마' 노래가 깔린다.

S#56 —— 와디럼, 낮

'뒷걸음치는 야생마' 노래가 깔리면서 달려오는 지프. 선글라스를 낀 상식이 시원시원하게 운전하며 노래 속 야생마처럼 달려온다. 모래바람을 휘날리며 멈춰 서는 상식. 귀에는 이어폰이 끼워져 있고 '뒷걸음치는 야생마'가 처절하게 계속 울려 나온다. 차에서 내리는 상식. 진지한 얼굴로 주변을 둘러본다. 사방에 아무것도 없는 사막이다. 망원경을 꺼내 더 멀리 다시 둘러본다. 고립무원 느낌의 사막. 그때 이어폰 속의 노래가 멈추고 전화벨 소리, 받으면 그래다.

그래	(E) 오 차장님, 어디세요?
상식	어, 지금 땅 보고 있어.
그래	(E) 땅이요? 아, 진짜 그렇게 하실 거예요?
상식	너 러시아 마피아가 무릎에 왜 문신을 새기는 줄 알아?
그래	(E) 네?
상식	절대 무릎 꿇지 않겠단 뜻이야.
그래	(E) 네?
상식	포기란 없어. 할 수 있는 건 다 해봐야지.
그래	(E) 아… 네에… 근데 꼭 그렇게까지,
상식	(OL) 우리 일엔 항상 플랜 B가 있어야 돼. 이번 일에 우리 사업의 성패가 달렸으니까 너도 정신 바짝 차려. 알아보니까 한 채 짓는 건 얼마 안 걸린다더라. 끊는다. 전화 요금 많이 나와.

전화 끊는다. 다시 노래가 나온다. 비장한 얼굴로 다시 사막을 둘러보며 노래를 따라 부른다. 사막 저 멀리 해가 진다. 비장한 얼굴로 쳐다보는 상식. 사막에 깔리는 어둠… 상식, 다시 전화를 건다.

그래	(E) 여보세요.
상식	네 시간 뒤에 페트라에서 보자.
그래	(E) 네? 페트라는 왜요?

전화 끊고 다시 제법 진지한 얼굴로 먼 사막을 쳐다보던 상식… 자기도 모르게 영시를 읊기 시작

한다. 최선을 다하나 부족한 발음의, 그러나 감정만큼은 진지하게.

상식　　　Two roads diverged in a yellow wood,

S#57 — 페트라 협곡로, 밤

길을 따라 늘어진 촛불들 사이로 밤의 페트라 협곡로가 펼쳐져 있다.

상식　　　(E) And sorry I could not travel both
　　　　　　And be one traveler, long I stood

카메라 안으로 들어오는 그래. 멀리 협곡로를 보다가 천천히 걸어간다.

상식　　　(E) And looked down one as far as I could
　　　　　　To where it bent in the undergrowth;

캄캄한 어둠, 촛불, 하늘의 별, 별빛에 문득문득 보이는 협곡의 끝을 보며 상념에 잠겨 걸어가는 그래…

상식　　　(E) Then took the other, as just as fair,
　　　　　　And having perhaps the better claim,
　　　　　　Because it was grassy and wanted wear,
　　　　　　Though as for that the passing there
　　　　　　Had worn them really about the same,

멀리서 피리 소리가 들려오고 멀리 희미한 빛 속에 알카즈네의 상부가 드러난다. 그래, 천천히 걸어간다. 점점 밝아지는 알카즈네. 알카즈네 입구에 서 있는 누군가의 실루엣.

상식　　　(E) And both that morning equally lay
　　　　　　In leaves no step had trodden black.
　　　　　　Oh, I kept the first for another day!
　　　　　　Yet knowing how way leads on to way,
　　　　　　I doubted if I should ever come back.

멈춰 서는 그래, 다시 걸어 다가간다. 점점 드러나는 실루엣의 주인, 상식의 뒷모습이다.

Episode 20

S#58 — 알카즈네 안

그래, 상식의 옆에 조용히 다가가 선다. 상식을 보면 명상에 잠긴 듯한 상식.

상식 　　　　　(E) 숲속에 두 갈래 길이 있어 나는 사람이 덜 다닌 길을 택했습니다.
　　　　　　　　　그리고 그것이 내 인생을 이처럼 바꿔놓은 것입니다, 라고…

그래, 그 자리에 서서 밤의 알카즈네를 돌아본다. 경이로움에 잠시 빠져드는데

상식 　　　　　(E, 묵직한 소리로) 알카즈네. 파라오의 보물. 페트라의 대문.

그래, 깜짝 놀라 상식을 본다.

상식 　　　　　(뒤를 돌아봤다가 다시 페트라 길목을 보며) 대상이 반드시 지나는 길목이지.
　　　　　　　　　동쪽 페르시아만과 서쪽 홍해, 서북쪽 지중해를 잇는 고대 무역로의 중심이었거든.
그래 　　　　　아… 실크로드요.
상식 　　　　　생각해보니 내 열여덟 살 때 꿈은 세계를 누비는 사람이었어. (알카즈네를 보며)
　　　　　　　　　〈인디아나 존스〉 쓰리를 보면서 결심했지.
그래 　　　　　아… 인디아나… 존스 (눈치 보며) 쓰…리…
상식 　　　　　까맣게 잊고 있었는데 요르단에 오니까 생각이 나지 뭐야. 꿈이.
그래 　　　　　(끄덕이며) 꿈…
상식 　　　　　여기 페트라도 말야. 대상 무역이 쇠퇴하면서 수세기 동안 잊혀온 길이 됐었지.
그래 　　　　　아… 네…
상식 　　　　　그러니까 말야… 그런 생각이 들어. 꿈을 잊었다고 꿈이 꿈이 아니게 되는 건
　　　　　　　　　아니라는 거. 길이 보이지 않는다고 길이 길이 아닌 건 아니라는 거.
그래 　　　　　(무슨 말인지 머릿속에 뱅뱅 돌기 시작한다. 끔벅끔벅)
상식 　　　　　루쉰이 그런 말을 했지. 희망은 본래 있다고도 할 수 없고, 없다고도 할 수 없다.
　　　　　　　　　그것은 마치

Ins. 밤의 협곡로.

상식 　　　　　(E) 땅 위에 난 길과 같다. 사실 지상에는 원래 길이 없었다. 가는 사람이

　　　많아지면 길이 되는 것이다.

그래, 상식을 멍~하게 보며…

그래　　네에…
상식　　(흡족하게 다시 피리 부는 사람을 본다)
그래　　저… 근데 차장님…
상식　　(피리 부는 사람을 본 채) 응?
그래　　여기서 왜 만나자고 하신 겁니까?
상식　　(멈칫했다가 그래를 보며) 방금 말했잖아?
그래　　네? 어… 언제요?
상식　　방금.
그래　　네?
상식　　(답답해서 약간 흥분) 방금 말했잖아 내가!
그래　　네?
상식　　(답답. 중얼중얼) 안영이를 보여줬어야 했어. 안영이였으면 척 알아들었을 텐데,
　　　　　안영이가 왔어야 했다구, 안영이가.
그래　　(난감하게 보다가 자신 없게) 저기… 혹시 그 말씀, 서진상을 꼭 잡으라는 뜻…입니까?

상식, 그래를 보고 그제야 씩 웃는다. 그래도 씩 웃는다.

S#59 ── 암만 시가지, 낮(제1국 S#2)

4~5차로의 큰 도로를 사이에 두고 양쪽으로 빼곡하게 늘어선 상가들. 낯선 아랍 문자들이 적힌 무질
서한 각양각색의 간판들. 시장 안 다양한 상인들의 다양한 모습들과 소음. 달리는 차들의 시끄러운
엔진 소리와 뒤섞여 활기를 준다. 그 사이를 다급한 걸음으로 걷는 남자의 얼핏얼핏 보이는 모습들.

S#60 ── 다운타운 삼거리 삼각지대(제1국 S#3)

다운타운 삼거리 중앙으로 건너간 그래, 시장 안내판을 보며 방향을 가늠하다가 고개를 들어 둘
러본다. 무질서하고 복잡한 다운타운의 사방이 빙글빙글 눈에 들어온다. 난감한 얼굴이 되는데
그때 울리는 휴대전화 소리! 급히 전화를 받는데 다급히 들려오는 수화기 너머의 남자 목소리.

조 대리　　(E) 장그래 씨!

그래	(다급) 찾았습니까?
조 대리	카이로 호텔입니다!

재빨리 안내판에서 카이로 호텔을 찾아 손가락으로 탁! 짚는 장그래.

그래	(다급) 호텔 앞에서 만납시다.

진화를 끊으며 급히 길어가는 그래, 발길음이 점점 빨라지더니… 뛴다. 달리는 그래의 옆으로 해질 녘 암만 다운타운의 풍경들이 힘 있게 지나간다.

S#61 ── 호텔 안 2층 카페, 저녁(제1국 S#6)

다급히, 그러나 조용히 안으로 들어서는 그래와 조 대리. 천정의 조악한 붉은색 조명등 장식과 낡은 이슬람식 모자이크 벽면이 눈에 들어오는 허름한 이슬람식 카페다. 벽면 한쪽에는 큰 장식용 유리 물 담뱃대가 있고, 그 옆으로 실제 사용하는 청동 물 담뱃대가 수십 개 진열되어 있다. 여기저기서 물 담배를 피우며 중동식 마작을 하고 있는 남자들도 보인다. 두리번거리던 조 대리는 발코니에서 물 담배를 피우고 있는 남자를 본다.

조 대리	잠시만요.

다급히 남자에게 가서 인사를 건넨 후 짧게 얘기를 나누고 다시 돌아오는 조 대리.

조 대리	502호랍니다.
그래	(끄덕하면)

S#62 ── 502호 앞, 저녁(제1국 S#7)

502호 앞에 선 그래와 조 대리. 문이 반쯤 열려 있다. 다소 불안한 얼굴로 서로를 바라보는 그래와 조 대리. 안을 보면 하우스키퍼가 청소 중이다.

조 대리	(당황, 난감) 체크아웃한 건가…?
그래	헬로!
하우스키퍼	(돌아보면)
그래	이 방 주인, 체크아웃했습니까?

하우스키퍼 (뚱한 얼굴로 청소 도구함을 안고 나온다)

조 대리 미스터 서라고,

두 사람을 쳐다보던 하우스키퍼의 시선이 둘 너머를 향한다. 돌아보면 막 다가오던 비리비리해 보이는 젊은 한국인 남자. 멈칫하고 서서 상황 파악 안 되는 얼굴로 멍하게 그래와 조 대리를 번갈아 본다.

그래 서진상 씨!

진상, 머뭇거리더니 휙 돌아 냅다 계단을 올라 도망간다. 쫓아가는 그래와 조 대리.

S#63 ― 호텔 옥상, 밤(제1국 S#8)

옥상 밖으로 나오는 진상, 궁지에 몰린 쥐처럼 이리저리 왔다 갔다 하는데 뒤이어 쫓아온 그래와 조 대리. 숨을 고르며 이리 오라고 한다. 겁이 난 진상, 왔다 갔다 하다가 그대로 냅~다 옆 옥상(호텔 옥상보다 낮다)으로 뛰어내린다.

그래/조 대리 !
조 대리 저… 저 인간이…!

돌아보는 진상, 여유를 찾은 얼굴로 약 올리듯 보며 혀를 길게 쭉 빼고 '메~에롱' 하는데… 갑자기 그쪽으로 달려가는 그래. 진상, 혀를 뺀 채 설마 하는 표정으로 보는데, 그대로 휘~익! 긴 다리로 옥상을 건너뛰는 그래.

조 대리 (깜짝!) 자… 장그래 씨!

혀 내민 모습 그대로 눈을 휘둥그레 뜨고 서 있는 진상. 탁! 내려서는 그래. 진상, 놀라 일그러진 얼굴로 도망가 다음 옥상으로 건너가는데 쫓아가서 또 휘~익 점프하는 그래!

S#64 ― 옆 긴물 옥상, 밤(제1국 S#9)

도망가고 쫓아가고.

진상 (돌아보며 울상으로) 아~ 진짜! 따라오지 마!요오~

Episode 20

다다다다 달려서 다시 옆 옥상으로 뛰어내리려다 좀 넓은 간격에 '헉!' 하는 진상. 울상으로 돌아보면 달려오고 있는 그래. "이씨~!" 하며 다시 옥상 쪽을 보면 너무 넓은 간격, 깊은 아래. 울상으로 일그러지는 진상, "에잇!" 하더니 뒤로 후다다닥 가서 다시 앞으로 다다다다 달려와 눈 딱 감고 넘으려는데 간신히 확 잡아당겨 구르는 장그래. 진상을 일으키는데 아파 죽는다고 "팔팔, 다리다리" 하며 엄살을 피우는 진상.

그래	(말없이 보다가) 서진상 씨. 물건 어딨습니까?
진상	무… 무… 무슨 물건요…
그래	당신이 중국 공장에서 빼돌린 샘플들 말입니다.
진상	(불안하게 눈을 깜박거리며) 빼, 빼돌리다뇨? 뭘요?
그래	서진상 씨, 물건만 돌려주면 해고로 끝날 겁니다. 계속 버티면 민형사상 책임을 져야 할 겁니다. 집을 팔고 감옥에 가야 한단 뜻이죠.
진상	무… 무슨 소리예요오. 사표 내고 여행 온 게 가… 감옥 갈 일이라구요?
조 대리	(다급히 들어오며) 룸에는 없어요. 이 자식! (진상의 멱살을 잡는다)
진상	아아아~ 목, 목! 당신들, 당신들 가만 안 둬. 대사관에 연락할 거야! 이거, 외교 문제 돼! 증거 있어?! 증거 있어?!
그래	…안 되겠군요…
진상	에?

그래, 조 대리를 보면 진상의 멱살을 확 놓고 주머니에서 두건을 확 꺼내는 조 대리. 눈이 왕방울만 해지는 진상. F. O. 깜깜해지는 화면.

S#65 —— 베두인 천막 안, 밤

화면이 다시 확 밝아진다. 진상의 머리에서 두건이 벗겨진 것. 의자에 묶인 채 어리둥절한 얼굴로 껌벅껌벅 보는 진상.

그래	정신이 들었군요.
진상	여… 여기가 어디요?!
그래	와디럼 한가운데지.
진상	! 뭐?! 와, 와디럼? (의자 묶인 그대로 일어나 문 쪽으로 뛰쳐 간다)

따라가려는 조 대리를 제지하며 진상을 쳐다보는 그래. 진상, 머리로 문을 헤치고 나가려는데 잘 안 된다. 그래 다가가 확 열어젖혀주면.

S#66 — 천막 밖, 밤

어둠 속 펼쳐진 사막 풍경에 기겁하는 진상! 아득하고 캄캄한 사막 위에 덩그러니 서 있는 천막 하나의 부감 풍경. 의자에 묶인 우스꽝스러운 몸짓으로 왼쪽으로 오른쪽으로 후다닥 후다닥 왔다 갔다 어쩔 줄 몰라 하는 진상의 모습. 망연자실해서 서 있는 진상.

S#67 — 천막 안, 밤

망연자실한 진상을 쳐다보고 있던 그래.

그래   들어와! 추워!

제자리로 가서 얌전히 앉는 진상, 그 앞에 턱 서는 그래, 옆에는 조 대리.

그래   서진상 씨, 다시 말하죠. 물건만 돌려주면 해고로 끝날 겁니다.
진상   몰라요~ 나한테 왜 이래요오~ (하다가 돌변) 이봐요, 장그래 씨, 당신이 뭔데 날 위협하는 거예요? 내가 당신 회사 직원이에요? 내가 한국인인가?!
그래   (싸늘하게 쳐다보는)

진상, 씩씩대며 애써 뻔뻔해진 얼굴로 받는다. 그래, 말없이 진상을 쳐다보다가 전화 꺼내 단축 버튼 누르는 척한다.

그래   오 차장님. 네. 잡았습니다. 잡긴 했는데… (뻗대고 있는 진상을 본다) 말하지 않네요. 저희도 증거가 없으니 뭘 더 어쩔 수 없겠는데요.
조 대리   (당황해서 보면) 장그래 씨.
진상   (헹~! 그럼 그렇지 하는 얼굴)
그래   네? (심각해지는 얼굴로 끄덕이며) 러시아 마피아 무릎 문신이요. 네. 네. 알겠습니다. (끊으면)
진상   (더 뻔뻔해진) 내가 샘플 빼돌렸단 증거 내놓으면 내 발로 간다니까요!
그래   리시아 바실리사에서도 당신 엄청 찾는다는데?
진상   !
그래   조 대리님, 바실리사에 러시아 마피아 지분이 얼마나 됩니까?
조 대리   네?
그래   오 차장님 말로는 70퍼센트쯤 된다는데, 말이 되는 소립니까?
조 대리   아~ 맞다. 몇 년 전부터 그쪽에서 돈 댄단 얘긴 들었었는데… 벌써 그만큼

먹었답니까? (진상을 슬쩍 보며) 아, 그럼 그건 마피아 회사지.

진상　　(당황당황 벌벌)

그래　　서진상 씨, 오 차장님이 전해주란 말씀이 있네요.

진상　　(불안) 네?

그래　　(다가서) 러시아에서는 특히 법보다는 주먹이 가깝다네요.

진상　　(겁먹은) 에?

다시 울리는 그래의 전화, 진상을 흘깃 보고 받는다. 그래, 상대의 말을 잠깐 듣는 듯… 짧고 굵게 러시아어를 하고 툭 끊고는 진상을 본다. 진상, 엄습하는 불안감에 벌어진 입이 더 벌어지는 순간! 지프들의 굉음 소리와 함께, 천막 안으로 무자비하게 쏟아져 들어오는 헤드라이트 불빛! 놀란 진상, 눈이 튀어나올 듯! 그런 진상을 바짝 내려다보며 내뱉는 그래.

그래　　법보다 가까운 주먹.

이어서 밖에서 험악한 러시아어가 마구 쏟아진다. 진상, 거의 혼절할 지경이고.

그래　　지금이라도 어디 뒀는지만 말해. (밖 가리키며) 친구니까 말 잘해줄게.

진상　　(다급하게) 암만 공항 라커에 있어요. 28번이요! 28번! 죄송해요. 잘못했어요!

그래　　(싱긋 웃으며 조 대리 보면)

조 대리　　(웃으며) 장그래 씨, 원인터 사람 다 됐네요.

그때 출입문이 확 열린다. 문 앞에 서 있는 워커 신은 다리! 쳐다보는 그래, 매력적인 미소.

상식　　(E) 누구더러 원인터 사람이래?

일동 보면 천막 안으로 들어서는 상식.

진상　　(놀라 벌어진 입으로) 어… 어…

상식　　(조 대리를 휙 보며) 얘가 왜 원인터 사람이야?

조 대리　　(웃으며) 비유하자면 그렇단 거죠. 장그래 씨가 이번 일로 원인터 손해 볼까 봐 얼마나 뛰었는데요.

상식　　그게 왜 원인터 때문이야? 우리 회사 손해 볼까 봐 그런 거지.

조 대리　　그게 그거죠. 원인터 손해가 오 차장님 회사 손해고 오 차장님 회사 손해가,

상식　　(OL) 시끄러! 우리 회사 사훈 못 들었어? 일은 뺏겨도 사람은 안 뺏긴다.

조 대리　　(웃으며) 그거 오 차장님 개훈이라던데요?

상식　　(찌푸리며) 김동식이 이거.

멍하게 쳐다보고 있는 진상을 흘깃 보는 상식, 앞에서 했던 엉터리 러시아어를 왈왈왈 한다. 그 제야 앞뒤 사정을 깨달은 진상, 멍~하게 그래를 본다. 싱긋 웃어주는 그래.

S#68 ── 천막 밖 사막, 새벽

여명의 사막, 새벽의 빛이 부옇게 밝아오고 있다. 부르르릉 시동이 걸린다. 지프의 운전대를 잡은 그래와 옆에 탄 상식.

상식	(짐짓 무거운 목소리로) 장그래.
그래	네?
상식	(짐짓) 너 왜 원인터 사람이라는데 가만있었어.
그래	네?
상식	너 아직도 원인터에 미련 있냐?
그래	아니요.
상식	언제는 4대 보험만 되면 된다더니 1년 지나니까 이제 연봉에 복지에 그런 게 막 보이지?
그래	그러니까요. 상여금 좀 올려주세요.
상식	뭐?

그래, 싱긋 웃고는 부앙~ 엑셀을 밟는다. 튀어 나가는 차가 멀리 떠오르기 시작하는 사막의 해를 향해 힘차게 달려간다.

상식	(E) 너 진짜 원인터에 미련 없지?
그래	(E) 글쎄요.
싱식	(E) 이 자식 봐라!
그래	(E) 차장님, 저 홀려보세요.
상식	(E) 뭐?
그래	(E) 홀려서 저 잡아보세요. 차장님의 뭘 팔 수 있어요?

대답 없더기 잠시 후 뒷통수를 뻑! 치는 소리, 그래의 짧은 비명 소리.

상식	(E) 가! 인마!

엑셀 밟는 소리와 함께 차에 속도가 붙는다. 해가 떠오르는 새벽의 사막을 달리는 차.

[Flashback] 제1국 S#81

그래   네. (흔들림 없이 정면 본다)

상식   너 나 홀려봐.

그래   네?

상식   홀려서 널 팔아보라구. 너의 뭘 팔 수 있어?

상식   없어? 없지?

그래   노력이요.

상식   (본다)

그래   (당황) 그… 그러니까… 전 지금까지 제 노력을 쓰지 않았으니까… 제… 제 노력은 새삐시 신상입니다!

상식   뭐… 뭔 신상?

그래   열심히 하겠습니다. 무조건 열심히 하겠습니다.

상식   안 사, 인마!

웃으며 옆자리 상식을 쳐다보는 그래. 다시 힘차게 엑셀을 붕~ 밟는다. 달려가는 상식과 그래의 차. 해가 떠오르는 새벽의 사막을 달리고 달리는 차. 차 안에서 웃고 있는 그래와 상식. 드디어 정면 지평선에 떠오른 사막의 붉고 큰 해를 향해 마주 보고 달리는 그래의 차. 해 속으로 들어간다.

끝.

영원히 기억될 인생작

배우 이성민

'오상식이라면 상황에 어떻게 반응할까?'
배우 이성민이 「미생」을 촬영하는 내내 본인에게 끝없이 던졌던 물음이다.
그만이 보여줄 수 있는 자연스러운 리액션은 드라마에 사람 냄새를 더해 시청자의
몰입도를 높여주었다. 정윤정 작가는 '이성민 씨가 오상식을 연기했기에 드라마의 초반 온도가
절묘하게 체온처럼 맞아떨어졌다'고 표현했다. 합리적이면서도 차가웠던 원작 속
오상식이 조금은 더 따뜻한 인간으로 그려지기까지의 과정들을 시간이 흐른 뒤 다시 들어본다.

Editor 강현지

이성민 그리고 오상식

제가 생각하는 오상식은 똑똑하고 유능한 상사맨입니다. 일하면서 편법을 쓰는 법이 없고,
부당하거나 불합리한 과정을 극도로 싫어하는 고지식한 면도 있지요. 가정적이고 따뜻한 성품을
지녔고, 후배 직원들에게도 그런 태도를 유지합니다. 하지만 잘못된 일에 있어서는 선후배,
동료를 가리지 않고 저항할 줄 아는 꼿꼿한 성품의 사람입니다. 오상식은 저와 어떤 면에서
교집합을 이루는 사람입니다. 외골수 같은 자기만의 스타일, 정치적이지 못한 모습이 닮았습니다.
한편 오상식의 정의로움이나 따뜻함, 냉철한 모습은 제가 지향하는 부분이지만 부족하다고 느끼는,
그래서 닮고 싶은 지점입니다.

원작과 드라마 사이에서

미생 원작이 당시 엄청난 사랑을 받으면서 오상식은 많은 이에게 비주얼적으로 정확히
형상화되어 있었습니다. 심지어는 감정과 심리 상태까지요. 그러다 보니 원작 속 상식과 내가
너무 달라 보이는 것은 아닐까, 하는 생각에 많이 부담스러웠습니다. 저는 대본을 받으면 이 글이
어떤 이야기를 하는지, 무슨 말을 전하고 싶은지, 캐릭터는 어떻게 행동하고 무엇을 이야기하려고
하는지를 생각합니다. 관객이 내 캐릭터를 어떻게 봐줬으면 좋겠는지를 떠올려보기도 하고요,
대본으로 알 수 있는 작가님의 해석을 참고하여 상상을 더하기도 합니다. 상식은 원작보다 조금 더
정열적이고 따뜻한 사람이길 바랐습니다. 그래서 사람들 머릿속에 자리 잡은 상식의 모습과
닮은 점, 다르게 묘사할 점을 두고 감독님과 많은 이야기를 나눴습니다. 그때마다 배우의 마음을
십분 헤아려 소신 있게 표현할 수 있도록 응원해주신 감독님께 감사하다는 말씀을 전하고 싶습니다.

30대에 상경해서도 줄곧 이방인 같았어요.
그런 시간이 있었기에 "우리 애"라는 말의
소중함을 조금은 알고 있었습니다. 장그래에게
좋은 선배가 되어주어야겠다고 생각했던
첫 순간이었지요.

원인터내셔널과 그때의 우리들

「미생」현장은 조금은 독특했습니다. 넓은 사무실에서 촬영해야 하는 환경 특성상 카메라
앵글에 걸리는 많은 배우가 타 부서 촬영 때도 자기 위치를 지켰습니다. 상대 팀이 알아서 배경이
되어주어야 하는, 어떻게 보면 번거롭지만 그렇기에 많은 배우가 항상 마주할 수 있는 그런
현장이었어요. 드라마 촬영장에서 모든 배우가 함께 식사하는 일은 상당히 특별한 이벤트입니다.
그런데 「미생」현장에서는 식사 시간을 맞춰 근처 백반집에서 다 함께 밥을 먹을 수 있었어요.
정말 직장인이 된 것 같았습니다. 극 중 영업3팀과는 진짜 팀이 된 것처럼 촬영이 없을 때도 함께
모여서 토론하고 움직여볼 수 있었습니다. 임시완, 김대명 배우는 극 중 캐릭터와 많이 닮았습니다.
실제로도 성격이 착하고 수더분해요. 물론 연기도 더할 나위 없이 뛰어났고요. 상대 배우가
어떤 걸 표현하는지 관찰하던 대명 씨의 눈빛이 특히 기억에 남네요.

오상식과 장그래

오상식에게 장그래는 지켜줘야 할 것 같은 존재였습니다. 오상식이 미생이었던 시절을 떠올리며
초심을 돌아보도록 만드는 존재이기도 했고요. 장그래 덕분에 살아오면시 만났던 이상적인 선배와
선생님들을 다시 떠올렸습니다. 때론 단호하게, 때론 따뜻하게 말을 건네주고 가족처럼
품어주던 분들이 계셨기에 지금의 제가 있는 거거든요. 운이 좋았지요. 그래서 저와 오상식 또한
이상적인 선배에 가까워지고 싶을 거라 생각했습니다. 이건 상식을 표현할 때 제가 첨가한 지점인
것 같습니다. 좋은 선배들을 떠올리면 오상식이 장그래를 "우리 애"라고 부르던 대사가 생각납니다.
20대 초반에 지방의 소도시에서 아무런 연고가 없던 대도시로 연극만을 바라보고 올라왔어요.
그때 저는 장그래처럼 외로웠고, 한참 동안 낯섦이란 감정에서 자유롭지 못했습니다. 30대에
상경해서도 줄곧 이방인 같았어요. 그런 시간이 있었기에 "우리 애"라는 말의 소중함을 조금은
알고 있었습니다. 장그래에게 좋은 선배가 되어주어야겠다고 생각했던 첫 순간이었지요.

내 삶에서 결코 뗄 수 없는

「미생」이 세상에 공개된 지도 많은 시간이 지났습니다. 작품집 인터뷰 질문을 듣고 어느덧
8년이나 지났다는 사실을 알게 됐습니다. 시간이 그렇게 오래 지났다는 것을 미처 실감하지
못한 이유는, 여전히 저를 오상식으로 기억하고 「미생」을 다시 보고 있다며 말씀해주시는 분들을
자주 뵙기 때문입니다. 그만큼 「미생」이 가지고 있는 메시지와 진정성이 깊다는 의미겠지요.
「미생」은 제 인생에서 뗄 수 없는 인생드라마이고, 어쩌면 영원히 제 대표작으로 기억될
작품이라고 생각합니다.
어떤 작품을 촬영한다고 해서 삶을 대하는 태도나 철학이 쉽게 바뀌지는 않습니다. 하지만
정말 많은 분이 저를 보며 오상식을 떠올리시기에 저는 그의 범주에서 너무 멀어지지 않고
인생을 겸허하게 살고자 노력하게 됩니다. 미생을 여전히 기억해주시고, 또 이렇게 대본으로
읽어주시는 독자분들께 감사하다는 말씀을 전하고 싶습니다. 제게도 인생드라마인 작품에
참여할 수 있게 되어 영광이었습니다.

2022년 11월 진행한 인터뷰를 재구성했습니다.

어떤 작품을 촬영한다고 해서 삶을 대하는
태도나 철학이 쉽게 바뀌지는 않습니다.
하지만 정말 많은 분이 저를 보며 오상식을 떠올리시기에
저는 그의 범주에서 너무 멀어지지 않고 인생을
겸허하게 살고자 노력하게 됩니다.

작가의 말

정윤정

인물의 진짜 마음 찾아내기

캐릭터의 출발선

인물의 시작점은 어찌 되었든 작가일 수밖에 없어요. 완성하는 것은 물론 배우겠고요.
"극 중 인물은 어디서부터 시작되나요?"라는 질문에 저는 마음속에 서랍이 있다고 표현해요. 사람은
살아온 시간 동안 자의든 타의든 수많은 일을 경험하며 사유하고, 경험이 남긴 가치를 판단하여
마음속 서랍 안에 저장하는데요. 오랜 시간이 흐르면 그 서랍 안이 숙성되면서 각양각색의 사람들이
탄생한다고 느껴져요. 나이가 들수록 서랍은 많아지겠죠. 또 서랍은 내면화되기도 하는데
이때 '그 캐릭터들이 내 안에 있다'라고 표현하곤 합니다. 그 캐릭터들은 '작가 자신'이라기보다
'내가 잘 아는(혹은 알 법한) 사람'이 되는 거예요. 어떨 땐 '되고 싶은 사람'까지 서랍을 열어
캐릭터의 범위를 확장하기도 합니다. 캐릭터가 판타지 영역까지 넘어가는 거죠. 드라마 속 주요 인물
장그래와 오 차장이 현실적이면서도 판타지적인 인물이라 느껴진다면 아마 그런 이유일 겁니다.
「미생」에는 인물들이 많잖아요. 드라마가 70분짜리 이야기를 20개나 끌고 가야 하기 때문에
원작 속 캐릭터들의 확장이 반드시 필요했어요. 원작에는 없는 인물들도 만들어야 했고요. 그런데
그 인물들이 다 서랍 속에서 나왔잖아요. 제가 가진 캐릭터 서랍이 그렇게 많은 줄 몰랐기 때문에
나중엔 '내가 다중인격자인가?' 하는 실없는 생각까지 했답니다.
작가는 서랍 속 캐릭터가 마땅한 이야기를 만났을 때 그를 꺼내거나, 캐릭터를 먼저 꺼내놓은 뒤
그를 통해 하고 싶은 말을 이야기로 만드는데 저는 주로 후자 쪽입니다. 그래서 각색 작업을
하다 보면 부딪힐 때가 있어요. 원작에서 준비된 에피소드를 수행하자니 캐릭터는 그런 일을 하지
않을 것 같고, 그 에피소드는 전개에 꼭 필요하고… 이럴 때는 이야기와 캐릭터 사이에 개연성을
촘촘하게 채워서 결국 캐릭터가 에피소드를 수행하게 만들기도 합니다. 원작에서 캐릭터가
에피소드의 결말을 향해 직진한다면, 각색에서는 돌아가고 넘어가고 옆으로 갔다가 되돌아가기도
하면서 캐릭터가 그 결말을 향해 갈 수밖에 없도록 개연성을 확보하거든요. 이때 에너지를
가장 많이 쓰지요.

가장 열기 싫었던 서랍

원작이 있는 이야기였지만 처음에는 인물들을 어떻게 끌어가야 할지 오리무중이었어요.
조금 재미있는 제 개인 에피소드를 들려드리자면, 인물들을 두고 막막해하고 있는데 남편이
회사 동료 중 한 분의 말을 전해줬어요. '왜 남편들이 그렇게 매일 술을 먹고 들어오는지
아내가 이해할 수 있게 좀 만들어달라'고요. 이마를 탁! 쳤어요. 그건 저도 궁금했으니까요.
제가 이해할 수 있게 쓰면 될 것 같았어요. 오 차장을 어떻게 움직여야 할지 감이 온 거죠.
하지만 장그래는 잘 모르는 사람이었어요. 원작에 있는 설정 정도로 파악하고 있었죠.
어린 시절부터 바둑과 함께했지만 결국 포기하고 뒤늦게 사회에 편입했다, 아는 사람의 빽으로
원인터내셔널에 입사하여 적응하고 성장한다, 열심히 일해 인정도 받고 영업3팀으로 소속감을
갖게 됐지만 비정규직의 벽을 넘지 못하고 퇴사한다…. 하지만 장그래의 기본 정서는 제가
잘 모르겠더라고요. 정서란 장그래가 자신이 처한 상황에 어떤 태도를 보이느냐인데 제 마음속
어떤 서랍을 열어야 할지도 몰랐고요. 그런데 장그래가 계속 모르는 사람으로 남아 있으면
이 이야기는 시작될 수가 없어요. 특히 1화에서는 장그래의 주요 정서가 담겨야 했으니까요.
정서가 담겨야 '저런 아이가 정글 같은 곳에 던져졌는데 이제 어떻게 되는 거지?'로 가는 게
가능하거든요. 그래서 장그래가 어떤 인물인지가 필요한데 잡히는 게 없는 거예요.
저는 할 수 없이 제가 별로 열고 싶지 않은, 아니 제일 싫어하는 서랍을 열 수밖에 없었어요.
대학 졸업 후 제 꿈은 직장에 다니는 것이었어요. 아무 직장이나 상관없었지만 네모나고 큰 빌딩
안에 속한, 정돈된 시스템과 매뉴얼이 있는 회사에 들어가서 열심히 일하는 게 꿈이었어요.
요즘 들어 다시 그 시기를 돌이켜 마음을 들여다보니 사실은 직업을 갖는 게 꿈이었던 것 같아요.
그런 걸 꿈이라고 하는 데는 좀 더 많은 설명이 필요하지만 어쨌든 그때는 굉장히 갈망했어요.
취업하고 싶다는 생각과는 또 다른 개념이에요. 취업은 먹고살 방편을 마련한다는 의미가
큰데 직장에 다니고 싶다는 마음은 시스템 안으로 들어가 사람들과 관계를 맺고 그 구성원으로
살고 싶다는 개념이었어요. 결국 어떤 세계의 일원이 되는 게 꿈이었던 거죠. 직업을 가져도
그 직업 세계의 일원이 될 수 있다는 걸 오랜 세월이 지난 뒤에 깨달았지만요.

하여튼 저는 꿈을 이루기가 쉽지 않았기에 점점 더 세계 밖으로 밀려나는 느낌이었고 괄호 밖
외톨이라는 감정을 느끼면서 고독하고 불안하고 슬펐어요. 괄호 밖에서 안을 들여다보는 애
같았어요. 그리고 괄호 안의 사람들이 궁금하면서도 싫었어요. 이런 복잡하고 모순된 감정들이
모여 마음 안에 아주 큰 서랍이 생겼어요. 그 서랍 주인의 감정은 회색빛이었는데 어쩐지 영향력이
굉장히 커서 제 본체를 지배했어요. 젊었을 때의 나는 그 서랍 주인에게 휘둘려 늘 결핍되고
불안하고 불행한 감정을 느꼈어요.

대학 졸업하고 9개월 간 다닌 첫 직장은 직원이 5명인 작은 광고 편집 대행사였어요. 한번은
클라이언트인 대기업에 업무차 가야 할 일이 생겼어요. 담당자 일정상 제가 옆구리에 교정지를
끼고 지하철을 타고 내려 그 회사로 갔어요. 제게 자유롭게 허락된 공간은 로비까지였어요.
거기서 멍하게 기다리고 서 있었더니 잠시 후 사원증 목걸이를 한 담당자가 내려와서 절 사무실로
데리고 올라갔지요. 그리고 자신의 업무를 다 마치고 올 때까지 저를 동그란 회의 테이블에
앉혀놨어요. 원인터내셔널만큼 큰 사무실 안에서 모두들 각자 일로 바쁜, 그야말로 총성 없는
전쟁터 같은 공간에서 저는 완벽한 이방인이자 이물질이었어요. 사방에선 업무용 전화기가 울리고
사원증 목걸이를 한 잘난 사람들이 다들 업무에 몰두하고 있었어요. 손에 종이를 들고 왔다 갔다
하는 사람들이 제 옆을 지났지만 전 그냥 투명인간이었어요. 혼자서 안절부절하며 일어났다 앉았다
했었죠. 예의 그 서랍 주인이 또 문을 열고 튀어나와 제게 불행감을 안겨줬어요.

그때 느꼈던 완벽한 소외감과 결핍과 불안감, 절대로 편입될 수 없는 세계에 들어와서 흩어져가는
자존감. 그런 것들이 만들어 낸 회색빛 정서가 있어요. 그걸 장그래에게 얹었어요. 그렇게 해두니
그제야 장그래가 움직여졌어요. 비로소 내가 알 수도 있는 사람이 된 거죠.

저 아이는 이제 어떻게 될까

드라마를 한 줄로 정의한다면 '주인공이 목적을 달성하기 위해 어려운 과정을 풀어내는 것'이에요. 그러자면 주인공에게는 목표가 있어야 하고, 드라마 초반에는 그 인물이 무엇을 하려고 하는지 드러나야 합니다. 그래야 시청자들이 인물을 응원하면서 따라갈 수 있어요. 작법의 기본인데요, 목표가 직관적이고 강력할수록 이야기는 힘 있게 진행될 수 있어요. 예를 들어 '내 아비를 죽인 원수에게 복수하겠어!' 같은 거요.

「미생」을 드라마화하며 이 부분에서 어려움이 많았습니다. 웹툰으로는 충분했는데 드라마로 옮겨 가니 주인공의 합당한 목표가 보이지 않는 거예요. 서사를 끌고 갈 인물의 목표가 직관적으로 드러나야 20화를 끌고 갈 힘이 생기는데, 「미생」에서는 장그래가 능동적인 의지로 입사한 게 아니잖아요. 바둑을 그만둔 장그래는 이제 일반 사회에 편입해야 하고 지금까지와는 다른 방식으로 살아가야 하는 상황이에요. 바둑만 두다가 스물여섯 살에 사회 초년생이 된 장그래가 당장 업으로 삼을 수 있는 일은 비전문적인 아르바이트로 한정되어 있어요. 이런 장그래는 어디든 제대로 된 회사에 입사할 기회가 생긴다면 입사했을 거예요. 그 말은 즉슨 꼭 원인터내셔널이 아니라도 된다, 라는 얘기거든요. '이런 상황에서 과연 장그래의 목표는 뭘까?'라는 질문을 계속해봤어요. 답은 이렇게 저렇게 아무리 갖다 붙여도 '버티는 것이 목표겠네…'밖에 없었어요. 감독님한테도 물어봤어요. "그럼 장그래의 목표는 뭘까요?" 감독님 역시 '(이 조직에서) 살아남는 것'이라고 답하셨죠. 여기서부터 머리가 더 아파지기 시작했어요. 이야기 20개를 만들려면 주인공을 움직여야 하는데 그에게 살아남는 일이 목표라면 저는 살아남기 어려운 환경을 만들어줘야 하잖아요. 그 속에서 고군분투하는 주인공이어야 극적 대비가 도드라지고 드라마틱해지면서 인물을 더 응원하는 재미가 생기니까요. 그런데 그럴 수가 없는 거예요. 왜냐면 원작의 전체적인 톤이 호들갑스럽지 않고 담담하면서 우직하거든요. 때에 따라서는 건조한 정서를 보여주기도 하고요. 그러니 주인공이 살아남기 어려운 강력한 환경(=사건)을 만들면 드라마의 극성이 강해지면서 뜨거워지긴 하겠지만 원작의 정서가 거의 사라지게 되더라고요. 이 부분이 정말 힘든 고민거리였어요. 마치 뫼비우스의 띠 위에서 달리기를 하는 느낌이었어요.

그래서 뫼비우스의 띠를 어떻게 해결했느냐… 그냥 장그래를 작품 안에 던져놨어요. 주인공의 목표에 너무 매달리지 말고 그가 스스로 어떻게 살아서 나가는지를 따라가기로 했어요. 대신 지금 장그래가 어떤 상황에 놓여 있는지를 생각하며 그 상황을 밀도 있게 보여주는 쪽을 택했고요.

'저 아이가 어떻게 할까'가 아니라 일단 '이제 어떻게 될까'라는 질문을 따라가다 보면 인물이 해야 할 일이나 목표가 생기겠지, 그때 '저 아이는 이제 어떻게 할까'로 이야기를 만들어가면 되겠다고 생각했어요. 그러려면 주인공에게 감정이입을 하며 드라마가 시작되어야 좀 더 쉽거든요. '시청자의 무엇을 건드리며 시작해야 할까?'와 같은 말이기도 해요. 그 고민과 해결이 1화 전반부에 담겨 있습니다. 인물을 향한 연민과 궁금증으로 밀고 나가기로 했거든요. 연민의 감정은 프롤로그 신 다음부터 계속 고조되어 1화 꼴뚜기 시퀀스에서 절정을 이루게 되고, 결국 '아… 이제 쟤는 어떻게 되는 거야?'라는 관심의 발판을 마련하게 되는 거예요.

임시완 배우가 「미생」을 작업하면서 감독님께 한 말이 있어요. 우리 드라마의 톤을 알 수 있는 말이기도 한데요. '지금까지는 감정 연기에 있어 표현의 폭을 1부터 100까지라고 했을 때 80이나 20의 감정을 표현하면 됐는데, 이 작품은 49에서 51을 표현해야 하기 때문에 쉽지 않다'는 말이었어요. 감정을 평균선 50의 아래위로 1정도만 가감하면서 인물이 처한 감정상태를 다 표현해 내야 하는 거잖아요. 화가 나면 80으로 업, 슬프면 20으로 다운하는 표현이라면 좀 쉬울텐데요. 하지만 49와 51이 우리 드라마의 정서거든요. 캐릭터를 입체적으로 만드는 데 있어 저와 감독님은 어떤 인물이 보여주는 마음과 행동 사이의 틈을 찾아내고 그 속에 숨겨둔 진짜 마음을 캐릭터화하는 방향에 서로 동의합니다. 사람들이 대체로 숨기려고 하는 솔직한 감정을 담는 것이죠. 그런 것들이 인물의 입체감을 만들고 크게는 캐릭터를 구축하는데 영향을 미친 것 같아요.

임시완 배우는 정말 명민하게 이런 지점을 표현해냈어요. 그리고 인물을 주체적으로 해석하여 덧입힌 장그래의 정서로 완벽하게 연기했어요. 김원석 감독님이 대본을 해치지 않으면서도 연출이 보이게 하신 것처럼, 임시완 배우 역시 대본 속 캐릭터의 정서를 존중하면서 본인의 장그래를 만들었다고 생각해요. 8년 전이나 지금이나 한결같이 좋은 배우예요.

캐릭터를 입체적으로 만드는 데 있어 저와 감독님은
어떤 인물이 보여주는 마음과 행동 사이의 틈을
찾아내고 그 속에 숨겨둔 진짜 마음을 캐릭터화하는
방향에 서로 동의합니다. 사람들이 대체로 숨기려고 하는
솔직한 감정을 담는 것이죠.

중요한 건 상황을 받아들이는 태도다

저는 인물을 '탄탄하게 세우는 것'뿐 아니라 '제대로 전달하는 일'까지가 캐릭터 구축에 포함된
개념이라 생각합니다. 그리고 이것은 주로 인물의 리액션을 통해 이뤄진다고 봅니다.
인물이 상황과 사건을 맞닥뜨렸을 때 어떻게 반응하느냐… 그 인물이라서 할 법한, 그다운 반응.
이게 캐릭터를 만든다고 보고 여기에 집중합니다. 어떤 상황 앞에서 장그래는, 오 차장은, 장백기,
한석율, 안영이는 물론 그 외 캐릭터들까지… 그들이 어떻게 리액션하고 있느냐가 캐릭터를
만들고 이야기를 진행시킵니다.

장그래와 오 차장의 캐릭터를 확장시키면서 가장 많이 고민했던 것은 인물의 정서였어요. 두 인물
에게 어떤 정서를 입혀야 하느냐… 저에게 있어서 캐릭터의 정서란 이런 거예요. 원인터내셔널에
입사한 장그래는 자신에게 쏟아지는 편견과 차별을 감내해요. 이때 '장그래는 감내한다'로 캐릭터를
매듭 짓지 않고 그가 어떤 태도로 감내하느냐, 오 차장도 초반에 장그래를 믿지 않고 구박하지만 '
구박한다'에서 끝나는 게 아니라 어떤 태도로 그렇게 하느냐는 것이에요. 다른 인물들도
마찬가지입니다. 상사들의 횡포를 안영이는 어떻게 견뎌내느냐, 장백기는 사수인 강 대리의 냉대를
어떻게 겪어내느냐는 거예요. 신입 세 사람이 얼핏 보면 같은 리액션을 하는 것 같잖아요.
그러나 자세히 보면 장그래는 '감내하고' 안영이는 '견뎌내고' 장백기는 '겪고' 있어요.
장그래는 조직에 들어가기에 자신이 자격미달이라는 걸 알고 있어요. 인정하고 받아들이는 거예요.
자신이 못났다는 걸 인정한다는 게 아니라 여기 들어오려고 노력한 다른 사람들의 시간을 존중하는
거죠. 자신도 바둑을 위해 쏟았던 인생이 있었으니까요. 무엇인가를 이루려고 쏟는 노력과
시간들에 대해 누구보다도 잘 알고 있겠죠. 그래서 자신이 낙하산이라는 비아냥거림도 받아들여요.
'양적, 질적으로 그냥 열심히 하겠다. 열심히 하는 수밖에 없다' 생각하는 거예요. 그렇기 때문에
자신을 보는 시선도 감내한다는 거고요.

자신이 못났다는 걸 인정한다는 게 아니라
여기 들어오려고 노력한 다른 사람들의 시간을 존중하는 거죠.
자신도 바둑을 위해 쏟았던 인생이 있었으니까요.

안영이는 장그래와 달라요. 견뎌내면서 자신을 증명하려고 해요. 장그래는 자신을 증명하려고
하지 않거든요. 안영이의 실력은 회사 안 누구나 알고 있고 본인 역시 알고 있어요. 그렇기 때문에
장그래처럼 감내하는 게 아니고 견뎌내는 태도를 보이는 거예요.

장백기 역시 본인의 실력에 자신 있어요. 그러나 안영이처럼 견뎌내는 태도는 아니에요. 그냥
강 대리의 냉대를 겪고 있을 뿐이에요. 안영이가 장백기와 다른 점은 자원팀 마초남들이 자신을
왜 그렇게 대하는지 이유를 안다는 거예요. '당신들이 왜 그러는지 이해해. 근데 언제까지나
그럴 순 없잖아. 그런 시대착오적 가치관은 언젠가 버려야 할 때가 올 거예요. 그때는 제대로
보이겠죠. 그때까지 나는 묵묵히 나를 증명하고 있을게요' 하는 마음으로 견뎌내는 거예요.
장백기는 안영이와 달리 강 대리가 왜 그러는지 몰라요. 강 대리가 하는 말을 인정하지도 않아요.
자신을 증명하려는 태도는 안영이와 같지만 강 대리가 왜 그러는지 모르기 때문에 상황을 타개하고자
하는 장백기의 노력은 계속 핀트가 어긋나는 거예요. 그래서 장백기는 '겪고 있다'고, 안영이는
'견뎌낸다'고 표현한 거예요.

인물들은 공통적으로 자신을 억압하는 부정적인 상황에 놓여 수용하고 있지만 태도들이 각각
달라요. 물론 다른 조연들도 마찬가지입니다. 저는 이야기부터 만들고 그에 맞는 캐릭터를 설정하는
쪽이 아니라, 서랍 속 캐릭터를 끄집어내어 그가 하는 이야기를 써주는 쪽이기에 무엇보다
캐릭터의 내면을 파고들어야 하는데요. 그러다 보면 어쩔 수 없이 감정이 섬세하게 다뤄질 수밖에
없어요. 감정을 섬세히 다루면 입체감이 좀 더 살아나게 되기도 합니다. 이렇게 인물이 느끼는
감정의 개연성을 확보해나갔어요.

재료를 모아 글을 짓는 일

저는 사실 자료 공부를 열심히 하고 쓰는 작가가 아니에요. 게으르기도 하고 너무 자료를 열심히 조사하면 이것저것 다 써야 할 것 같고… 그러다 보면 다큐멘터리가 될지도 모르거든요. 초반에 책들을 사거나 빌리기도 했지만 책은 차례만 참고하는 것으로 영감을 많이 받았고 그것으로 충분했어요.

초반에 감독님이 정말 열심히 자료를 날라주셨어요. 도서관 가서서 직장인 관련 자료들을 복사해 제본까지 해주셨으니까요. 이야기를 하나하나 만드는 데 도움이 되진 않았으나 감독님의 이런 수고가 헛수고였는가? 아뇨. 저한텐 굉장히 중요한 과정이었어요. 감독님의 생각을 알 수가 있었으니까요. 이 자료들을 선별하실 때는 이유가 있으셨을 거잖아요. '이건 이래서 골랐겠지. 저건 저래서 골랐겠지.' 그렇게 이유들을 짐작해가면서 감독님이 작품 안에 담으려고 하는 것들이 뭔지 따라가볼 수 있었어요.

자료조사보다 유용한 것은 사실 살아 있는 사람들을 만나는 일이에요. 활자보다 대화에서 얻는 바가 많은 저는 필요한 각 분야의 사람들을 취재하는 데 좀 더 신경을 썼어요. 감독님과 함께 바둑 기사분들을 만났고, 기원을 찾아갔고, 한국 기원도 탐방했어요. 원인터내셔널의 배경이 되는 대우인터내셔널을 방문하여 상사맨들을 취재했고요. 대우인터내셔널 쪽은 윤태호 작가님께서 원작을 작업하실 때 이미 관계를 맺으셨던 터라 좀 더 편안하게 취재할 수 있었어요.

그 후 본격적인 작업을 위해 디테일한 2차 취재를 준비했어요. 2차 취재는 1차 취재 후 버릴 것과 본격 취재가 필요한 것들을 정리하여 좀 더 정밀하고 구체적인 정보를 파악하는 단계예요. 미생 작업 때는 취재 협조와 상황이 무척 좋았어요. 그래서 보조작가들이 한 달간 대우인터내셔널에 출근해 취재할 수 있었습니다. 여느 직원처럼 9시에 출근하고 6시에 퇴근했으며, 책상을 한 자리씩 맡아 하루 종일 그 안에서 일어나는 일과 느낀 점을 기록했습니다. 저는 그 기록을 매일 저녁 전달받았고요. 제가 그 기록에서 캐치해야 할 것들은 지식이나 정보가 아니라 분위기예요. 회사 안의 분위기. 지금도 그 출근 일지를 보면 웃음이 납니다. 누구의 숨소리가 어떻고, 누구는 하루에 아메리카노를 몇 잔 마신다는 사소한 부분까지 기록되어 있어요. 우리 보조작가들이 고생을 많이 했어요.

다행이라면 다행이랄까, 보조작가 3명 모두 직장 경험이 있는데 특히 대우인터내셔널에 출근한 정다희 작가와 김정훈 작가는 대기업에 근무한 경험이 있어서 출근 취재에서도 순발력 있게 상황을 파악했고 회사 안에서 일어나는 일들에 대한 기본 이해가 되어 있었어요. 이후 제가 대본 작업을 할 때도 두 작가의 근무 경험이 크게 도움되었어요. 조금 늦게 투입된 조현주 작가는 고등학교 선생님으로 무려 10여 년을 근무했던 경험이 있어요. 회사란 곳을 다녀본 경험이라곤 딸랑 9개월 밖에 없는 제가 현실적인 오피스물을 쓸 수 있었던 건 세 보조작가가 아주 든든하게 받쳐준 덕분이에요. 정신적으로 그리고 물리적으로 아주 큰 힘이 되어준 작가들입니다.

취재: 출근 일지

날짜	기록
2014. 1. 13.	자리를 표시하는 명패 같은 게 없다. 다른 사람 자리도 마찬가지다. 그래서 누군가는 자신의 명함을 붙여놓기도 한다. 자리를 꾸미는 방법은 다양하다. 너무 화려하지만 않다면 연예인 사진을 오려 붙여둔 사람도 있다. 기혼자는 역시 아이들 사진이 주를 이룬다.
	영어는 기본이고 중국어도 능숙한 A 대리의 통화 소리. 이건 완전히 다른 세계다. 아무리 학원을 다녀봤자 저렇게 될 수는 없을 것 같다. 사무실에서 벌어지는 통화 대부분이 영어를 필요로 한다.
	연말정산이 곧 시작된단다. 장그래는 아마 할 줄 모르겠지…?
2014. 1. 14.	A 대리님은 40대. 결혼을 늦게 하셨다. 4살짜리 아이가 한 명 있다. 남편은 수학학원을 운영하는데 새벽 4~5시에 귀가한다. 두 분은 생활 패턴이 많이 다르다. 대리님이 결혼은 사이클이 비슷한 사람과 해야 한다고 말씀하신다. 워킹맘은 어렵다. 특히 나이가 많을 때 결혼과 출산을 해서 체력적으로 힘들다고 한다. 그래도 가장 힘든 건 아이가 아플 때라고. 갑자기 휴가를 써야 하기 때문에.
2014. 1. 15.	O팀 분위기가 좋지 않은 것 같다. "무슨 억하심정으로 제가 이러는 거 아니잖아요." "다 계약 잘되려고 그러는 거잖아요." 한 대리의 울상 섞인 대화가 계속된다. 몇 번이고 반복된다.
2014. 1. 16.	연말정산 기간이라 사람들이 모두 바쁘다. 업무 와중에 틈틈이 하느라 정신이 없다. "누가 카드값 제일 많이 나왔어?" 하고 경쟁이 잠시 펼쳐졌다. 연말정산 액수에 관한 이야기를 하며 10여 분 이야기 나누다가 이내 업무 모드로 전환.
	B 씨에 대해 알게 된 새로운 캐릭터가 있다. 부문별 인트라넷 게시판이 있는데 거기에 댓글을 잘 단다는 거다. 최 대리님이 따끔하게 혼낸 적이 있다. 그래서 요즘은 댓글을 잘 안 단다고.
	세제 원료팀에 배치를 받은지도 어느새 3개월. 'TDM'이라는 아이템을 맡게 된 C 씨는 선적 시기를 요청하기 위해 처음으로 중국 지사에 전화를 걸게 되었다. 두근거리는 마음을 가라앉히고 해야 할 말을 일목요연하게 정리한 후 마음속으로 리허설까지 마친 그. 청도 지사에 전화를 걸어 자신 있게 "Hello?"를 외친 순간, "네, 여보세요" 하며 너무나 능숙한 한국어를 구사하시는 현지인. 세계엔 한국어를 잘하는 외국인이 많다.
2014. 1. 21.	입사한 지 1주일 된 사람들에게 "업무 좀 알겠어요?" 하고 물어보면 돌아오는 답이 늘 똑같다고 한다. L/C와 B/L을 말한다고.
	농수산부 사무실엔 정말로 가끔 날파리가 날아다닌다. 샘플 때문이라고 한다.
	예전에는 섬유 파트가 인기가 없었다고 한다. 하지만 각종 위기를 겪고 살아남은 사람들 중 섬유 쪽 출신들이 많다고 한다. 진짜 힘든 걸 경험해본 사람들이기 때문이라고.

	상무님 주관 회의. 중국에서 문제가 있었던 건에 대해 상무님이 물으셨다. 회의 참석자들이 해당 건을 잘 기억하지 못하자 상무님이 담당 대리에게 직접 전화를 걸었다. 그런데 담당 대리님이 설명을 듣더니 "아, 제가 해결한 건요?"라고 했다. 상무님이 피식 웃으며 "니가 해결했냐. 돈이 해결했지"라고 하셨다. 다들 한참 웃었다.
2014. 1. 22.	상사에서는 지사를 흔히 전쟁터로 비유한다. 지사에 근무하는 사람은 본사에 늘 "총알을 달라"고, "총알이 있어야 싸운다"라고 얘기한다. 여기서 총알이란 경쟁력 있는 가격, 바이어의 니즈 등이다. 신기한 건 사람들이 본사에 근무할 땐 당연히 본사 입장에 기울어져 있는데, 지사에 있을 땐 거래처에 기울 수밖에 없다고 한다. 그래서 상사가 재밌는 거라고. 본사에도 있다가 지사에도 있다가, 바이어도 되어보고 셀러도 되어보고 에이전트도 되어보고. 여러 가지 입장을 겪게 되는 상사맨이다.
	Y 씨에게 왜 회사를 다니냐고 물었다. 그녀는 그냥 숨 쉬는 것과 비슷하다고, 회사를 왜 다니는지 생각해본 적이 없다고 답했다. 누군가에게는 회사를 다니는 것이 당연한 삶의 순서인 것이다. 결혼하고 그만둘 생각도 전혀 없다고 했다.
	"팀의 생존은 뭐든 하는 것에 있다." 얼마나 남겼느냐도 중요하겠지만, 얼마나 팔았느냐가 더 중요하다고 한다. 일반 대기업에서는 상상도 못 할 말이다. 영업 실적은 어느 회사나 순이익에 기반하는데, 그렇다면 아무리 팔아도 돈이 되지 않는 일이라는 것은 회사라는 조직의 궁극적인 목표인 이윤 추구에 반하는 일이 아닌가? 하는 생각이 들었다. 하지만 상사는 단기적 이익보다 사업을 할 수 있는 틀을 먼저 본다고 한다. 기업은 이미지로 먹고 사는 것이다. 회사 밖에서는 수주 실적이 이미지에 크게 영향을 미친다. 그래서 상사맨들은 기본적으로 사업을 크게 벌이면 그만큼 많은 거래선이 남고 부가사업 건이 발생하므로 다음 사업에 유의미한 도움이 되는 점을 크게 생각한다.
	산업전자팀. 8시 50분인데 이미 업무가 한참 전에 시작된 것처럼 어수선한 분위기가 전혀 느껴지지 않는다. 마치 내가 늦은 것 같은 느낌. 다행히 방금 전 도착한 한 분이 계신다. 출근하면 재킷 등 개인 물품은 벽 쪽 사물함에 넣는다. 개인 물품이 깔끔하게 가려지고, 안정성도 있어 보여서 좋다.
	팀원 중 막내인 T 씨를 찾는 사원들이 없어지자 T 씨가 홀로 나간다. 이 시간쯤이면 담배 피우는 시간인 듯하다. T 씨가 자리를 비웠다가 돌아오는 시간을 보면 1층까지 내려갔다가 정말 쏜살같이 담배 한 대만 피우고 달려 들어오는 것 같다. 기호식품인 담배조차 마음대로 피울 수 없는 것이 회사 생활인가 보다.
	재외국민인 C 씨는 아직도 끝내지 못한 연말정산 서류 모으기에 정신이 없다. 은행에 갔는데도 해결 못 한 일이 있나 보다. 결국 포기. 지금 있는 것으로 연말정산을 마무리하기로 한다.
	팀장님이 퇴근하신다. "전화 당겨 받지 마. 내 전화로 돌려놨으니까." 오늘은 퇴근 후에도 업무가 있으신가 보다. (집에서도 회사 업무로 통화하는 오 차장의 얼굴이 떠오른다.)

2014. 1. 24.	대리님은 팀장님이 사신에게 지도편달 중 '편달(채찍으로 때림)'만을 행하신다며 투덜거린다. 그 예로 대리님이 모자 달린 점퍼를 입고 오면, 회사에 뭘 이런 걸 입고 오냐 그리고 W 씨가 모자 달린 옷을 입고 오면 금요일인데 뭐 어떠냐고 하신단다. 예가 구체적인 걸 보니 한두 번 당한 건 아닌가 보다. 툴툴거리는 모습이 귀엽기도 하고, 신입직원인 장그래에게 질투 느끼는 김 대리 같다는 생각도 해본다.
	스피커폰으로 통화하시는 분이 많은데, 스피커폰으로 통화하는 이유는 하루 종일 너무 통화를 많이 하다 보면 전화를 들고 있는 것조차 괴로울 때가 있어서라고 한다. 또, 통화를 하면서 손이 자유로워 업무를 할 수 있기에 바쁜 분들은 그렇게 하는 거라고. 다 그렇게 하는 분위기라 편하다고 한다. 하지만 팀 막둥이 C 씨가 스피커폰으로 통화하는 모습은 한 번도 본 적이 없다. 장그래도 업무에 익숙해지기 전까지 스피커폰으로 통화한다는 건 생각도 못 할 것 같다. 일 년 정도 입사 후 마음이 급하자 어느 순간 스피커폰을 켜놓고 통화하던 장그래가 자기 자신의 모습을 깨닫고 그제야 '내가 이 회사에 익숙해졌구나' 하고 자신과 회사를 돌아보는 모습을 보여도 좋겠다는 생각을 해본다.
2014. 1. 27.	이곳은 시간과의 싸움, 사람과의 싸움이다. 사건 사고는 언제 터질지 모른다. 시시각각 변화하는 가격, 어제 다르고 오늘 다른 사람들의 말. 거래 한 건에는 다양한 입장을 가진 사람들이 관여하고 있기 때문에 긴장의 끈을 놓치면 막대한 손해를 끼치게 되는 일이 발생할 수도 있다. 신경이 곤두설 수밖에 없는 부분이다.
	팀장이나 상무 이상은 서로에게 적당히 존대한다는 의미로 '선수'라는 말을 붙인다.
	B 씨가 신입사원 시절, 그의 자리는 화장실 바로 앞이었다고 한다. B 씨는 전무님이 화장실에 갈 때마다 인사를 했다. 전무님은 잠깐 당황하셨지만 '인사성이 밝은 친구군' 하고 이내 좋아하셨다. 그러나 시간이 지나면서 화장실 앞을 지나가실 때마다 B 씨에게 인사를 받게 되자 전무님은 굉장히 부담스러워 하셨고, 회의 때 "그 사원 인사 좀 그만하라 그래"라며 이야길 특별하게 하셨다는 이야기…
	신입일 때 난감한 점. 지사에 나가신 분들 전화를 당겨 받으면 "나한테 전화왔다고 전해줘"라고 하는데 도대체 누군지 알 수가 없다는 것…
	오늘 들었던 인상 깊은 이야기는 "많은 사람이 인재상을 착각한다"라는 것이다. 종합상사에서 리더십을 요구한다면 이는 '개척자(Pioneer) 정신의 리더십'을 이야기하는 것일 때가 많다. 새로운 길을 개척하고 장애물이 있으면 기꺼이 도전하여 뛰어넘는 그런 사람. 섬기는 마음을 중시하는 '서번트 리더십'과는 엄연히 다르다.
	중국은 중추절 연휴가 무려 10일이다. 그래서 중국과 거래할 경우 중추절을 앞두고 배가 잘못 도착하면 열흘이나 비용이 발생한다. 자칫 잘못하면 큰 문제가 될 수 있는 상황이라 다들 연휴 시작 전에 미리미리 끝내려 바쁘게 일한다.
2014. 2. 6.	입찰이 떴다는 소식을 듣고 말레이시아로 간 과장님. 보통 출장은 3~4일 정도이며 입찰 10건당 1~2건 정도만 성사된다. 그쪽에서 요구하는 자료나 검토해야 하는 자료가 사과박스로 4~5개에 이른다고. 입찰 일정에 맞춰 빠듯한 일정으로 출장을 가면 그 지방 특산품이 뭔지 알 수도 없고, 그 나라에서도 촌구석으로 보내지는 경우가 종종 있어서 입찰 기간 동안 관광하는 것이 거의 불가능하다고 한다.

보조작가들이 취재 가 있는 동안 감독님과 저는 계속 작품의 방향을 놓고 얘기했어요.
아침 10시부터 새벽 2시까지 그렇게 오래 얘기하고 또 해도 안개 속을 헤매는 기분이었어요.
원작의 각색 방향부터 캐릭터, 작품의 톤, 대서사까지 몇 가지 풀리지 않는 요소들이 있었지만,
그래도 아주 조금씩 진전하더라고요. 그러고는 원작을 분해해보았어요. 남은 보조작가가
원작 에피소드를 전부 추출하고 각 에피소드별로 쪽수 분량까지 체크하여 한눈에 볼 수 있게
표를 만들면 전체를 조감했어요. 장그래의 성장 서사에 맞추어 필요한 에피소드들을 재배치해야
하니까요. 이 과정에서 원작에서는 뒤에 있던 에피소드가 성장 서사에 맞게 앞으로 옮겨지기도
했고, 작았던 에피소드가 커지기도 했고, 어떤 에피소드는 사라지기도 했어요.
그렇게 원작 에피소드를 재배치해서 구성표를 만들고 나면 표 안에서 빈자리가 보여요. 예를 들어
1회에 누구, 누구, 누구의 에피소드가 들어가야 전체 인물들의 성장 서사가 이루어지는데 원작의
에피소드만으로는 양이 부족해서 해당 표가 빈칸일 때가 있죠. 그럼 그 부분을 채울 새로운
에피소드를 만드는 겁니다. 취재 출근 기록을 꼼꼼히 읽으면서 에피소드 아이템으로 확장시킬 만한
것들이 있는지 봤어요. 단어 하나, 분위기 하나에서 에피소드가 만들어지기도 하기 때문에
출근 기록이야말로 책 보듯 열심히 봤습니다.
원작 분해와 재배치 그리고 새로운 에피소드를 만드는 동안 한 달이 지났고 보조작가들이
복귀했어요. 그들이 새로운 에피소드를 만드는 데 힘을 보태면서 기획안 작업을 시작했어요.
한 달 반 정도 작업 끝에 120쪽에 달하는 기획안과 시놉시스를 완성했고, 그때부터 대본을
쓰기 시작했어요.
보조작가들이 대우인터내셔널에 출근하여 취재하던 중에 직원분들과 가까워지면서, 당시 자문 역
이 필요할 때면 그분들에게 많은 도움을 받았어요. 대본을 쓰면서 궁금한 것, 필요한 것, 확인해야
하는 것 등을 메신저로 주고받았어요. 협조해주시는 분이 여럿이니까 한 분이 바빠서 바로 대답을
못 하면 다른 분에게 다시 물어보거나 크로스 체크도 할 수 있었어요. 업무 중에 일어나는 아이디어
나 아이템을 구할 때도 "대본에서 인물이 이러이러한 상황인데 여기서 한 번은 좌절했다가 아주
쉬운 발상으로 해결책을 찾아야 하거든. 여기에 맞는 아이템이 뭐가 있을까? 여기서 핵심은 너무
긴박하게 벌어진 일이라 아무도 해결할 엄두조차 못 내는 상황을 원시적인 방법으로 해결한 경험이
있느냐야"라고 하면 보조작가들이 이를 직원분들에게 공유하여 이런저런 경험과 에피소드를

취합해줬어요. 그중에서 쓰려는 이야기에 가장 부합하는 케이스를 고르면 보조작가들이
집중적으로 그 케이스에 대해 묻고 보완하는 것이 전부 메신저로 이루어졌어요.
이에 해당하는 대표적인 에피소드가 15화에서 장그래가 배의 구멍을 막는 솔루션을 제시하는
장면이에요. 철강팀의 사업 물건을 실은 배가 바다 한가운데서 구멍이 뚫리는 사고가 발생해서
비상이 걸리는데, 철강팀 에이스 직원들이 모여 긴박하게 회의해도 뾰족한 해결 방법이 없는
거예요. 그런데 옆에서 우연히 얘기 들은 장그래가 "배에 구멍이 났으면 때우면 되는 거 아닌가요?"
하고 말해요. 장백기 입장에선 참으로 한심한 얘기죠. 그래서 장그래한테 장난하냐며 화를 내려는
순간, 장그래의 그 얘기가 강 대리에게 해결의 단초를 주는 결과를 만들어요. 장백기는 칭찬받는
장그래에게 알 수 없는 열등감을 느끼고 화가 치밀어 오르죠.

총성 없는 전쟁터

이 작품의 방향성을 논의하던 중 감독님은 원인터내셔널이 '총성 없는 전쟁터'로 보였으면
좋겠다고 하셨어요. 많은 얘기를 나눴지만 이 말이 가장 임팩트 있게 다가오더라고요. 또 드라마
안의 청각적인 요소들을 최대한 살리고 싶다고도 하셨어요. 전화 소리, 키보드 소리, 프린터 소리,
복사기 소리, 종이 소리, 발자국 소리, 얘기 소리, 펜 놓는 소리, 다이어리 넘기는 소리 등 사무실
안에서 나는 모든 소리를 자연스럽게 살리고 싶다고요. 그 소리들이 날 수 밖에 없는 바쁘고 부산한
사무실을 떠올리니 이 상황이 '총성 없는 전쟁터'의 서막이 될 수 있겠다고 생각했어요. 그래서
군더더기 없이 각자 업무에 집중하고 프로페셔널하게 처리하는 모습들을 보여주면서 동시에
그곳에 놓인 장그래의 두려움과 소외감을 보여주고 싶었어요. 본인이 지금 어디에 서 있는 것인지
스스로 직면하라고, 네가 느낀 압박에서 도망칠 것인지 겪어낼 것인지 선택하라고, 버티고
살아남을 수 있는지 가늠해보라고요. 감독님의 '총성 없는 전쟁터'와 저의 '총성 없는 전쟁터'가
같은 것인지는 모르겠어요. 확실한 건 장그래가 원인터내셔널에 간 첫날 풍경은 감독님의 그
'총성 없는 전쟁터'라는 한마디에서 영감을 얻어 그렸다는 것이죠.

한 프레임을 놓고도 밤새 고민하는 사람들

감독님과 의견이 다를 때는 치열한 토론밖에 답이 없어요. 치열하다고 말하지만 사실은 길고
지루한 토론이요. 했던 말 또 하고… '아니, 왜 내 말을 못 알아들어' 하는 심정으로 하고 또 하고…
계속해서 자기 생각을 똑같이 말하고 또 말하고 또 또 말하고…
기획 회의 기간에는 아침 10시에 만나 회의를 시작하면 저녁 10시쯤 보조작가들이 퇴근하고
감독님과 저는 새벽 2시까지 다시 얘길 해요. 대본 회의 기간에는 아예 날밤을 새며 얘기할 때도
많았어요. 똑같은 얘기를 하고 또 하고… 그러다 보면 시계 초침 움직이듯 조금씩 의견이 합치하는
방향으로 가게 되더라고요. 근데 나중에 생각해보니 했던 얘기를 각자 반복하는 데는 감독님과
제 이유가 다른 것 같았어요. 감독님은 저를 설득하거나 이해시키려고 반복하고, 저는 감독님 말과
생각이 무슨 의미인지 이해하기 위해서 제 생각을 말하며 계속해서 질문한 거죠. "이건 제 고집이
아니라 질문이에요"라고 서두를 달았으면 그렇게 무식하고 지루하게 하던 얘기를 무한 반복하는
시간을 줄였겠지요. 저는 감독님 생각을 충분히 이해했고 어떻게 구현하면 될지 감이 오면 의견을
받아들여요. 다만 이해하고 구현 방법까지 떠올리려면 얼마나 많은 시간의 설왕설래가 필요하겠어요.
제가 긴 토론 끝에 주로 감독님 의견을 받는 것은 결국 그게 재밌어서예요. 누군가의 머릿속에 있는
어떤 느낌이나 생각들을 구체화시켜서 형상을 만드는 것도 재미있고요.
가끔 감독님과 저는 49.7과 49.8을 두고도 지난한 시간을 보내요. 임시완 배우가 49에서 51 사이의
감정 표현법에 대해 고충을 토로했다고 했잖아요. 이 49에서 51이라는 것이 어떻게 보면
「미생」의 정체성이거든요. 모든 요소의 기준이에요. 49, 50, 51이라는 미세한 범위 안에서 감정을
표현해야 해요. 그러니 그 감정이 3 안에서 얼마나 잘게 쪼개지겠어요. 극단적으로 예를 들어
어떤 상황을 대하는 인물의 감정에 대해 토론한다고 가정하면 저는 "그 인물의 감정이 49.7이에요"
하고, 감독님은 "49. 8이에요" 하는 거죠. 사실 둘 다 똑같은 49잖아요. 그런데 감독님과 제가
느끼는 차이는 크거든요. 옆에서 이 회의를 보는 사람들은 둘이 왜 저렇게 오랫동안 했던 말을 하고
또 하는지, 나중에는 도대체 무슨 말을 하고 있는 건지 모르겠다며 지쳐 나가떨어지곤 해요.
어쨌든 다행히도 저는 김원석 감독님과 대화하는 걸 엄청 좋아하기 때문에 지난한 시간들을
즐겼습니다. 감독님과의 작업에 있어 좋은 점은 대본을 믿고 쓸 수 있다는 거예요. 흔들릴 때에도
지지받는 느낌이죠. 제가 감독님과 첫 작업에서 인상적이었던 경험들이 있어요. 「미생」이전 작품인
뮤직드라마 「몬스타」를 같이 작업할 때 가편집본과 파인본을 보내주신 적이 있어요. 보고 의견을
말해달라고요. 그저 도식행위가 아니라 정말 작가를 믿고 의견을 중요하게 반영하시려는 거였어요.

작품은 작가가 가장 잘 알고 있다는 거죠. 전 구성작가, 특히 교양 다큐멘터리 작가로 10년 넘게 일했어요. 제가 일할 당시 교양 다큐멘터리 작가는 촬영본을 보면서 편집 콘티를 짰거든요. 이 때문에 가편집 영상을 초, 분 단위로 보는 게 훈련된 셈이에요. 그래서 감독님께 의견을 드릴 때 '몇 분 몇 초에서 몇 분 몇 초까지 이런 의견이 있다'라고 전달하는 게 제게는 효율적인 방법이었어요. 두루뭉술하게 전달하는 게 아니라 콕 집어 말하는 거요. 이런 방식은 감독이 열려 있지 않으면 기분 나빠할 수 있어요. 그래서 처음에 죄송하다며 "이렇게 전달드려도 될까요?" 했는데 '그게 뭐가 문제냐?'라는 식으로 반응하셨어요. 지금 중요한 건 형식이 아니라 작가의 정확한 의견 전달이라는 거죠.

저는 집요하고 디테일하게 따지는 사람이라 '대~강 어느 장면 즈음~'으로는 불안했어요. 1분 1초냐 1분 2초냐로 하루 종일 생각하는 사람이거든요. 그건 감독님도 마찬가지예요. 언젠가 제가 "이렇게 따지는 게 다른 사람들을 피곤하게 하는 게 아닐까?"라고 심각하게 고민을 토로한 적이 있는데 그때 이렇게 얘기하시더군요. "작가님, 우리 일은 편집하면서 한 프레임을 더 가야 되나 잘라야 되나로도 밤새도록 고민하는 사람들이에요"라고요. "사람들이에요"라고 말씀하셨지만 저는 '사람들이어야 해요'로 이해하면서 마음의 평화를 얻었지요.

감독님은 작품에 대한 작가의 예민함을 불쾌해하거나 달래는 게 아니라 더 좋은 작품을 만들 때 필요한 요소로 보시니까 가편본에서 개진한 작가의 의견을 대부분 반영하세요. 이런저런 이유로 반영이 어려울 때는 꼭 얘기하거나 의논하십니다.

감독님과 「몬스타」를 작업할 때 가편본을 보면서 깜짝 놀란 적이 있어요. 대본을 쓰면서 만들어간 정서와 호흡이 그대로 구현된 느낌이었어요. 저는 장면의 리드미컬한 흐름을 중요하게 생각하면서 대본을 쓰는데, 감독들과 그 부분을 맞추기가 참 힘들어요. 왜냐면 리듬은 개인 고유의 성향이거든 요. 감이라던가 느낌 같은, 여기선 몇 초, 저기선 몇 초라고 규정될 수 없는 거요. 그래서 대본을 영상화했을 때 이 부분에서 겪는 좌절이 커요. 리듬이 엇갈리면서 감정이나 유머, 재미나 의미가 전달되지 않거든요. 그런데 김원석 감독님은 그렇지 않았어요. 제가 전적으로 감독님을 신뢰하게 된 가장 큰 이유는 바로 이 지점이에요. 감독님을 믿지 않았다면 「미생」을 맡지 않았을 거예요.

"작가님, 우리 일은 편집하면서 한 프레임을
더 가야 되나 잘라야 되나로도 밤새도록 고민하는
사람들이에요"라고요.

동료애와 회사 속 일상

원작의 다양한 요소 중 제가 직관적으로 관심 갔던 부분은 '동료애'와 '회사 생활'을 이루는
일상정보들이었습니다. 전자는 홍콩 영화의 르네상스 시대를 지나왔던 세대로서 그 시절 열광했던
브로맨스를 실컷 덧칠할 수 있는 좋은 판이었고, 후자는 제가 궁금한 것들이었어요. 특히나
'회사 생활'이라고 불릴 수 있는 일상요소들은 상상력의 범위 안에서 얼마든지 상황을 더 만들어나갈
수 있으니까 재미있었어요. 출근해서 커피를 마시고 점심을 먹고 휴게 시간을 갖고 복사하고
통화하고 슬리퍼를 신고 쓰레기통을 버리고 파일을 정리하는. 그런 사소한 것들에 현미경을
들이대서 작은 상황을 만들고 드라마를 완성해가는 즐거움이 있었어요. 이건 직장 생활을 하지
않는 시청자더라도 금방 이해할 수 있는 상황들이거든요. 상사 업무 관련 에피소드는 좀 더 전문적인
영역이라 공부와 이해가 필요했지만, 드라마 속 일상은 상상력으로 해결할 수 있었어요.
한편 극 중 배경이 되는 원인터내셔널은 무역회사인 만큼 어려운 용어들과 복잡한 업무 프로세스들
이 있었어요. '회사어'로 되어 있는 기업 운용 시스템을 이해하는 데도 어려움이 있었기에, 드라마를
소비하는 어떤 분들에게는 '회사어' 자체가 생소할 수도 있을 것 같았어요. 글이라면 다시 읽으며
이해할 수 있지만 영상은 지나가버리면 끝이라 머무를 수 없고 머물러 있어서도 안 되니까요.
그래서 대본을 작업할 때는 되도록 시청자가 작품에 몰입하고 스토리를 쉽게 이해할 수 있도록
만드는 일에 집중했습니다. 업무적인 상황을 정확히 이해하지 않더라도 드라마적으로 인물들에게
대강 무슨 일이 벌어지고 있고 그 때문에 무엇을 기대해야 하는지 따라갈 수 있도록 대사와 상황을
조율했습니다. 인물들의 감정 서사에 집중할 수 있도록요.

관계성 만들기 1 | 장백기와 강 대리

가장 많이 각색된 것은 각 인물들의 서사와 감정이에요. 장백기와 강 대리 이야기는 장백기가
배추 숨죽이기를 당하고 있다는 원작 설정으로 시작됐는데, 그것을 강 대리라는 캐릭터를 세워서
둘의 이야기로 확장시켰어요. 강 대리는 제가 개인적으로 좋아하는 취향의 인물이에요.
아예 오민석 배우를 머릿속에 세워놓고 만들어 낸 캐릭터인데요. 오민석 배우는 어리둥절했대요.
본인이 그런 캐릭터로 보이리라고는 생각 안 했다고요. 캐릭터도 캐릭터지만 장백기와 강 대리
같은 관계성을 개인취향으로 좋아해요.

관계성 만들기 2 │ 안영이와 하 대리

안영이가 자원팀에서 겪는 서사와 사수인 하 대리와의 서사 역시 새롭게 짜거나 확장한 이야기예요. 안영이의 서사를 위해 하 대리라는 인물도 만들었어요. 꼴 보기 싫으니 하지 말라는데도 우직하게 자원팀의 뒤치다꺼리를 하는 안영이를 보며 하 대리의 반응이 서서히, 조금씩 달라지거든요. 처음에 그는 안영이를 싫어해요. 안영이가 잘난 척하는 것 같았고, 동시에 '여자가…'라는 편견이 있었죠. 이건 자원팀 고유의 인자 같은 거예요. 나중에는 안영이를 업무에서 배제하지만 그녀가 불가능한 사업을 가능하게 만들어 오자 사업기획서에서 이름을 빼라는 극단적인 수까지 둬요. 그런데도 안영이가 자원팀의 일원이 되기를 포기하지 않고 하 대리의 허드렛일을 하겠다고 나서자 그의 스트레스는 극에 달합니다. 자원팀원들 역시 쓰레기통까지 비우는 안영이에게 당황하고 불편한 마음이 들어요. 그러나 시간이 갈수록 안영이의 행동에 익숙해진 팀원들은 쓰레기통 좀 비워달라, 편의점 가서 물건 좀 사다달라는 지시를 자연스럽게 하고, 하 대리는 그런 팀원들이 마음에 안 들기 시작해요. 안영이가 문제가 생긴 평택 물류센터에서 인천항까지 4번 왕복하며 직접 물건을 옮기는 무식한 솔루션을 감행할 때 결국 하 대리는 터져요. 이를 계기로 안영이를 팀원으로 받아들이죠. 장백기와 강 대리 같은 관계성만큼이나 안영이와 하 대리와의 관계성도 개인적으로 좋아하는 취향이에요. 당연하지요. 그런 관계성은 로맨스 드라마에서도 주효하니까요.

정해진 결말에 무사히 도착하기 위한 확장의 여정

중국 꽌시 관련 에피소드는 참 기억에 많이 남는 이야기입니다. 가장 많이 각색한 이 에피소드는 16화 엔딩에서 시작돼서 19화에서 끝납니다. 원작에서는 단행본 1권 분량인데요. 원작에서든 드라마에서든 가장 중요한 에피소드였어요. 이 사건을 겪으며 오 차장이 회사를 떠나고 이야기는 끝을 향하니까요. 전 모든 이야기를 통틀어 이 에피소드가 가장 힘들었습니다. 원작에서 중요하게 다루어진 이 에피소드를 드라마 서사에 맞게 재창조된 캐릭터가 자연스럽게 만들어나가도록 이끌어야 했거든요. 동시에 이 드라마가 무엇을 향해 달려가는지 알려주어야 할 시점이 왔었고요. 이때는 모든 이야기와 인물들이 목표를 향해 힘을 모아야 드라마 후반부가 힘에 달리지 않고 끝까지 강력하게 밀고 나갈 수 있는 것이지요.

초반에 장그래 캐릭터를 세울 때 주인공의 강력한 목표를 세우기가 어려웠다는 점을 말씀드렸잖아요. 이제는 극 후반부로 왔기 때문에 주인공의 목표가 생길 수 있는 시기입니다. 그리고 모든 주요 인물들과 이야기가 '주인공이 목표를 이루느냐'로 모이는 구조가 형성되어야 하는 시기입니다. 그래서 원작의 가장 많은 부분이 각색되어야 했습니다. 이 에피소드를 위해 그 앞 에피소드들이 밑작업으로 만들어졌고요. 영업3팀과 함께하는 동안 단단해진 장그래는 정규직에 대한 욕심을 가져봅니다. 그러나 현실의 벽은 호락호락하지 않아요. 앞서 요르단 건이 성공하며 장그래의 공이 인정되었지만 그가 계약직이란 사실은 변함이 없습니다. 처음으로 혼자서 사업 아이템을 기획하고 회사의 승인을 기다리면서 기대가 컸지만 역시 계약직의 한계만을 다시 확인했을 뿐입니다. 이야기는 이제 조금씩 장그래 정규직 만들기로 각도를 틀어갑니다. 크고 작은 에피소드가 자연스럽게 쟁점 안으로 들어오면서 드라마의 목표가 만들어집니다.

중국 꽌시 에피소드에서는 이 사업이 독이 든 성배란 걸 오 차장이 알면서도 진행을 받아들이도록 이유와 명분을 계속 쌓아줬습니다. 이제껏 쌓은 오 차장의 캐릭터에도 일관성이 있어야 하니까요. 김동식 대리의 해외파견이 또 좌절되는 에피소드를 만들어 오 차장에게 명분을 주었고, 이것만으로 약해서 장그래의 정규직 쟁점을 끌어들였습니다. 부서장이 되면 재량으로 원하는 인원을 쓸 수 있기 때문에 장그래를 계속 회사에 둘 수 있을 거라고요. 그러나 이 사업이 잘못되면 팀이 박살 날 수도 있기에 오 차장은 쉽게 결정할 수 없어요. 깊은 고민 끝에 결국 상식은 사업을 받아들입니다. 팀원들은 의아해하죠. 김동식 대리는 이 사업이 아무래도 오 차장 스타일이 아니라는 것을 금방 알아봅니다. 장그래도 의아해하지만 정보의 한계가 있으니 그저 열심히 일할 뿐입니다. 결국 오 차장은 중국 상대 업체와의 계약서에서 업체 커미션과 관련한 이상 조짐을 발견하고 사업을 잠시 멈춘 후 최 전무를 만나 상황을 확인합니다. 최 전무는 당연한 관행이라 문제될 것 없다고

하며 장그래를 위하는 오 차장의 마음을 은근슬쩍 건드립니다. 오 차장은 최 전무가 중국 업체에게
리베이트를 받고 있다고 생각하지만 다시 사업을 진행시킵니다. 반대하는 김동식 대리에게는
그제야 이유를 말해줍니다. 장그래가 걸려 있다고요. 이즈음 장백기 역시 오 차장이 장그래의
정규직 전환을 위해 이 사업을 맡은 걸 알게 됩니다. 안영이와 한석율도 알게 되지요. 세 사람은
한마음으로 이 사업이 성공하기를 바랍니다. 이렇게 이야기 구조는 장그래의 계약직 쟁점으로
하나둘씩 옮겨갑니다. 결국 사실을 알게 된 장그래는 오 차장을 만나 자신을 구제하기 위해서라면
사업을 그만둬달라고 합니다.

그래   저 때문에 팀을 위험에 빠뜨리고 싶지 않습니다. 부탁드립니다. 그만둬주십시오.

그러나 오 차장은 생각을 접지 않습니다.

상식   걱정할 것 없어. 이 일은 내가 반드시 되게 할 거다. 아무도 위험에 빠뜨리지 않을
       거야. 최선의 결과를 낼 수 있는 방법을 찾을 거다.
그래   차장님.
상식   그래. 널 구제할 수 있는 기회. 맞아. 그래서 마지막으로 내가 할 수 있는 건 할 거다.
       왜냐고? 지금 안 하면 다시 기회가 온다 해도 내가 이런 마음을 또 가질 수 있을런지
       모르겠으니까.

그리고 상식은 그래에게 마지막으로 당부합니다.

상식   (그래를 보다가) 내려가. 니가 할 일은 일이야. 그거 말고는 아무것도 하지 마.
       아무것도 의심하지 말고.

그러나 그래는 상식의 당부를 지킬 수 없었습니다. 자신 때문에 팀이 위험에 빠질 수 있다는 불안감이 쉽사리 거둬지지 않았던 겁니다. 그래서 실수하고 맙니다. 그래의 작은 실수는 나비효과를 불러오죠. 부사장을 눈앞에 둔 최 전무는 다른 계열사로 좌천되고 오 차장은 사표를 내게 됩니다. 바로 이 감정 라인을 만드는 데 가장 많은 시간과 에너지를 썼습니다. 제가 초반에 말씀드린 '캐릭터가 원작에서 정해둔 결말로 향할 수밖에 없도록 필요한 이야기들을 붙이고 개연성을 확보해 가는 예'가 바로 꽌시 에피소드입니다. 오 차장이 찜찜해하며 사업을 받고 진행시키고 장그래가 실수하는 등 큰 포인트는 원작과 같지만 그 포인트들을 연결하는 이유와 인물들의 감정과 동기는 달라져야 했습니다. 구축된 인물들이 하나의 큰 이야기를 향해 가는 물길을 만들어놨기 때문에 그걸 타야 했거든요.

장그래 역시 이 에피소드에서 보여준 선택이나 행동을 하게 만들려면 또 다른 이야기와 동기가 필요했습니다. 지금까지 진행된 드라마 속의 장그래는 자기 자리를 알고 한발 물러서 있을 줄 아는 캐릭터입니다. 원작 속 장그래와는 차이가 있으니 같은 실수를 할 수가 없습니다. 그래서 '자신 때문에 팀이 위험에 빠질 것이 두려운 장그래'를 만들어 순간적으로 그가 실수하게 되는 상황으로 이끌었습니다. 16화부터 19화까지 정규직 장그래를 향한 등장인물들의 감정과 오 차장의 선택들이 있었기에 두 사람의 마지막 독대자리가 감정적 울림이 있었던 것이지요.

그렇다면 원작이 이 에피소드에서 하려고 했던 이야기와 드라마에서 이 에피소드를 활용한 이야기는 다소 달라질 수밖에 없습니다. 원작에서는 이 에피소드를 통해 전무라는 캐릭터로 대표되는 '회사의 임원진' 이야기를 했는데요. 드라마에서도 동일하게 이야기하게 되면 무게 중심이 전무에게로 넘어가면서 주인공 장그래의 서사가 약해지기 때문에 달라질 수밖에 없었습니다. 드라마 초반이라면 같은 의미로 기능하도록 만들 수 있겠지만, 대서사의 마무리로 갈 때는 유효하지 않은 설정이기 때문에 드라마에서는 원작의 의미를 축소시킬 수밖에 없었습니다.

장그래가 원인터에 인턴으로 입사한 첫날 풍경은 개인적으로도 제가 가장 좋아하는
설정과 표현이에요. 아무 스펙도 없는 장그래가 얼떨결에 대기업에 인턴으로 입사해서
직면하는 여러 상황과 문제들을 디테일하게 그리면서 '이 드라마의 힘은 현실성이겠구
나…' 하는 확신이 들었어요. 동식이 장그래를 처음 만나 옥상에 데려 간 뒤 하는 질문들
과 그의 리액션, 윗선의 낙하산이라 대단한 인물인 줄 알았던 장그래에 대한 시선의
변화, 직원들의 은근한 무시와 비아냥, 따돌림. 결국 그것이 장그래가 꼴뚜기 사건까지
가게 만드는 드라마를 끌어냈고 이로 인해 장그래가 각성 아닌 각성을 하는 것까지.
원작의 에피소드가 본격적으로 들어가기 전, 이야기가 채워지도록 만들었습니다.
'장그래는 원인터내셔널의 낙하산 인턴이고, 기존 인턴들 사이에선 낙하산이 1명
있다는 소문이 돌고 있다' 정도로 지나가는 설정을 1회 분량으로 확장시킨 거죠.
저는 1화에서 특히 김대명 배우의 장면이 인상 깊어요. 처음 캐스팅되어 파마머리를
하고 나타나셨을 때 알 수 없는 싱크로율에 깜짝 놀랐거든요. 그리고 옥상에서 장그래와
처음 대화를 나누는 신을 보면서 멘톨 원액을 마신 것처럼 충격적이었어요. 갑자기
몽골인 시력이 된 것처럼 시야가 트이는 느낌이랄까? 그 연기에 대한 찬사는 어떤
수사도 부족해요. 사실 그런 연기는 처음 봐서 너무 즐겁고 재밌고 가슴이 뛰었었어요.
오 차장과 장그래에게 캐릭터를 입히기 위해 앞서 말씀드린 것처럼 여러 가지 몸부림을
쳤잖아요. 그러나 김 대리는 그렇게 하지 않았거든요. 김 대리는 상사인 오상식을 믿고
우직하게 열심히 일하는 부하직원까지만 생각했어요. 그의 정서를 파헤치려고 하지 않고
그냥 흔하고 흔한 평범한 회사원으로 두었어요. 그러나 너무 노멀하면 재미가 없잖아요.
어떤 배우가 와서 여기에 색을 입힐지 궁금하기도 했어요. 그런데 김대명 배우가 TV
드라마에선 처음 보는 연기를 하시는 거예요. 그런데 또 그게 겉돌지 않고요. 신기했죠.
저는 지금도 김대명 배우가 신기해요.

제1국 S#15

안영이가 러시아와 통화하는 장면은 리드미컬한 흐름으로 생기 있게 잘 구현됐어요.
어쩌면 그냥 뻔하게 나올 수도 있는 장면이거든요. 그런데 장면 연출에서 굉장히 유연한
리듬감이 느껴져서 좋았어요. 물론 강소라 씨의 연기가 깜짝 놀랄 정도로 좋기도 했고요.

제1국 S#30

1화 장면들은 전체적으로 기억에 남아요. 그중 요르단 장면은 20화를 시작하는 이야기의 도입이기도 한데요. 요르단 장면으로 오프닝을 시작한 것은 원작과 가장 다른 부분 중 하나예요. 기획 단계에서 저희가 가장 걱정했던 부분은 이 작품을 '바둑 드라마'라고 단편적으로만 바라보는 선입견을 차단하는 일이었어요. 바둑을 잘 모르는 시청자들에게는 이것이 자칫 어려운 요소로 느껴질 수 있거든요. 그래서 도입을 원작과 다르게 갔습니다. 회사 이야기지만 적당히 오락적인 재미도 있는 드라마니까 어려워 말고 들어와주십사 하는 마음으로 장그래의 요르단 액션 신으로 오프닝을 열었어요.

제1국 S#3

요르단 오프닝 이후 2년 전 과거로 돌아가 이야기가 시작되는데요. 이때 장그래는 드라마에서 보듯이 그저 따라가고 적응하고 버티는 것조차 버거워 보이는 모습으로 등장합니다. 이랬던 장그래가 어떤 시간들을 보냈길래 이후 요르단에서 펄펄 날아다닐 수 있게 된 건지 궁금해하면서 1화를 시청하길 바랐어요. 1화의 오프닝과 20화의 엔딩은 판타지죠. 저는 그래요. 장그래니까 그 정도 판타지는 선물처럼 가져갈 수 있다고요. 감독과 작가가 장그래한테 그 정도는 해줄 수 있다고요. 이 드라마는 김동식 대리가 오상식의 회사에 들어가면서 끝나지만, 우리는 고생한 장그래에게 무엇인가 좀 더 주고 싶었어요. 그러니까 요르단 시퀀스는 엔딩이라기보다 에필로그예요. 판타지는 누구 가슴에나 다 있으니 그것도 현실인 거죠. 이 장면이 기억에 남는 이유는 짧은 촬영기간 동안 너무 많은 걸 완성도 있게 해내서예요. 임시완 배우가 액션도 훌륭히 해낼 수 있단 걸 이 장면을 통해 보여주기도 했고요.

인턴들의 PT 신 역시 정말 대단한 연출이에요. 길이가 어마어마하거든요. 대본에서 A4 용지로 4~5장 정도 되는 신이에요. 한 신의 길이가 그렇게 길면 지루해져요. 시청자를 한 신 안에 계속 가둬두어야 하는 부담감도 굉장히 크지요. 보통은 그렇게 쓰지 않는데 상황 자체가 길고 원작에 나와 있지 않은 동선들까지 구성상 채워 넣어야 해서 더 길어졌어요. 전적으로 감독님의 연출을 믿고 그냥 무식하게 써내려 갔는데 그 긴 신을 몰입감 있게 뽑아내셨어요.

제4국 S#46

마지막으로 말씀드리고 싶은 장면은 오 차장이 회사를 떠나기 전, 장그래와 독대해서 대화를 나누는 신이에요. 장그래의 정규직 전환을 위해 무리하게 사업을 강행하던 오 차장은 결국 회사를 떠나게 돼요. 기억에도 없던 때부터 넣어뒀던 사직서를 마침내 가슴에 넣었을 때도 장그래의 자리를 물끄러미 봐요. 사직을 결심했을 때 선 차장과 나눈 대화의 끝도 장그래예요. '사표를 내는 건 별것 아니다. 다만 그놈이 걸리는 거지…'라고요. 그렇게 사직서를 내고 장그래와 마지막으로 마주 앉은 상식은 빙긋이 웃고 있죠.

S#77 소회의실, 낮

고개 떨군 채 앉아 있는 그래와 그 앞에 빙긋이 앉아 있는 상식.

상식	죽는 거 아냐.
그래	…
상식	회사를 나가는 것뿐이야.
그래	(금방이라도 울 것 같이 먹먹한 표정으로 떨구고 있다) …
상식	노력의 질과 양이 다른 장그래.
그래	네.
상식	버텨라.
그래	(말이 안 나온다… 삼키며 겨우) 차장님은요.
상식	(피식 웃으며) 난 많이 버텼고, 이제 좀 쉬어야겠다. 다리가 후들거려.
그래	(떨구며)
상식	꼭 이겨라.
그래	(울지 않으려고 입을 꼭 문다)
상식	안 될 것 같더라도 끝은 봐. 살다 보면, 끝을 알지만 시작하는 것도 많아.
그래	(숙이고) …
상식	(한참 보다가) 장그래.
그래	(숙인 채) 네…
상식	끝까지 책임져주지 못해서 미안하다.
그래	(본다)
상식	(본다)

전 이 장면을 제일 좋아해요. 둘 사이의 관계성은 바로 이 장면을 위해 쌓아 올렸거든요.
오 차장이 장그래를 앉혀놓고 하는 말들이 보는 이들에게 진심으로 가닿을 수 있기를,
시청자들이 진심으로 오 차장의 마음이 되어 함께 울컥해질 수 있기를 바랐어요.
이성민 배우님은 아마 모르시겠지만 배우님이 초반에 엄청나게 중요한 역할을 하셨어요.
이 드라마의 초반 온도를 37.2도로 잡아 주신 분이시라고 생각하거든요. 절묘하게 체온
에 맞춰주셨다는 생각을 해요. 그래서 시청자 진입을 훨씬 쉽게 해주셨지요. 드라마를
보고 나서 대본을 보면 잘 못 느끼겠지만 대본을 먼저 본다면 차이를 알 수 있을 거예요.
기획과 대본에서의 오 차장은 이성민 배우님의 오 차장보다 조금 차갑거든요.
작품이 마무리되고 몇 번 만날 때마다 제 지친 마음을 아셨는지 반복해서 응원과 격려
그리고 존중을 보여주셨죠. 그런 분이시니까 37.2도의 오 차장을 만드셨겠죠?

오 차장이 장그래를 앉혀놓고 하는 말들이
보는 이에게 진심으로 가닿을 수 있기를,
시청자들이 진심으로 오 차장의 마음이 되어
함께 울컥해질 수 있기를 바랐어요.

제19국 S#77

감사의 글

이번 미생 작품집 출간을 위해 그간 방치해놨던 대본을 살펴보다가 어느새 8년의 시간
이 지났다는 걸 깨달았어요. 드라마가 한 편 나오기까지는 여러 과정을 거치잖아요.
온전히 작품의 처음과 끝을 함께 하는 사람은 당연히도 작가이겠지요. 그리고 그
시간 대부분을 작품과 싸우는 데 씁니다. 비유가 좀 험하지만 작품이 하나의 생물이라고
친다면 저는 칼을 들고 그것의 내장을 휘젓는 기분이고, 그것 역시 칼로 제 내장을 마구
휘젓는 기분이에요. 그렇게 짧게는 1년, 보통은 2~3년간의 악다구니를 끝내고 나서는
아이러니하게도 내가 뭘 썼는지 기억이 나지 않아요. '미생'은 특히 더 그랬어요. 일부러
기억에 담아두지 않으려고 했거든요. 여전히 미생 대본을 좀 줄 수 있냐는 말들을
심심찮게 듣고 있어요. 그때마다 저는 '다 불살라버려서 없다'고 했어요. 반은 맞는 말이
었어요. 최종고들을 제대로 챙겨두지 않아서 찾기가 어려웠거든요. 마음속으로
불살라버린 게 맞아요. 이번 작품집 출간 작업을 위해 당시 보조작가들과 제작PD에게
최종고들을 보내달라고 연락했어야 할 정도니까요.
지금에야 드는 생각인데 방영 당시 이 작품은 '하나의 현상이 됐었구나…' 싶어요.
그 정도로 반향이 컸지만 저는 당시에 어떻게 해서든지 그 밖으로 나가 있으려고
했었어요. 알지 못하는 외부의 물결들이었고 저는 몇 가지 이유로 그런 것에 휩쓸리고
싶지 않았고 떠들썩하면 할수록 알 수 없는 불행감을 느꼈어요. 그래서 그 대단한 성공
을 보지도 듣지도 느끼지도 않으려고 애썼어요. 그 미성숙한 시간들을 지나오는 와중에
미처 챙기지 못한 것들이 있었다는 걸 이번 출간 작업을 통해 깨달았습니다.

감사를 표할 사람들이 있다는 것도요. 당시에 저는 어떻게 해서든지 도망치는 것에만 온 정신이 팔려 화난 고슴도치처럼 날 서 있었기 때문에 그들을 돌아볼 여유가 없었어요. 그래서 지금이라도 지면을 빌려 늦은 감사 말씀을 전하고 싶습니다. 대본 작업은 보조작가들의 헌신이 없었으면 훨씬 더 힘들었을 거예요. 조현주 작가, 정다희 작가, 김정훈 작가 그리고 잠시 머물렀지만 큰 도움을 남긴 여서준에게 늦었지만 감사한 마음을 전합니다. 처음부터 끝까지 흔들림 없이 쓸 수 있게 지지해준 김원석 감독님과 넘버쓰리 픽쳐스 김미나 대표님, tvN 이찬호 당시 CP님, 이재문 PD님, 힘든 여정에 수족이 되어 케어해준 이수연 당시 제작PD님께도 감사드립니다. 드라마가 현상이 될 기반을 닦아놓으신 윤태호 작가님께도 감사를 전합니다.

그리고 여전히 도망쳐 있던 저를 설득해서 묻어뒀던 대본을 세상 밖으로 끌어내주신 김원석 감독님께 다시 한번 감사드리고 출간 과정에서 번거로운 조율 작업을 마다하지 않고 도와준 함승훈 당시 조연출님도 감사합니다. 글로 된 캐릭터의 부족한 부분들을 채워주신 이경영 배우님, 성병숙 배우님, 강소라, 강하늘, 변요한, 손종학, 오윤홍, 박해준, 신은정, 정희태, 김종수, 김희원, 류태호, 오민석, 태인호, 전석호, 황석정, 최귀화, 신재훈, 이시원 배우님도 감사합니다. 짧은 분량이라도 기꺼이 연기해주신 모든 배우님들께도 감사드립니다.

무엇보다 저작자보다도 대본의 가치를 알아봐주시고 출간을 기획, 제작해주신 세계사컨텐츠그룹 최동혁 대표님과 강현지 에디터님께는 어떤 감사의 말씀을 드려야 할지 모르겠습니다. 모두 감사합니다.

미생 3

초판 1쇄 인쇄 2023년 1월 2일
초판 1쇄 발행 2023년 1월 17일

지은이   정윤정
펴낸이   최동혁

기획본부장   강훈
영업본부장   최후신
책임편집   강현지
기획편집   장보금 오은지 조예원 한윤지
디자인팀   유지혜 김진희
마케팅팀   김영훈 김유현 양우희 심우정 백현주
영상제작   김예진 박정호
물류제작   김두홍
재무회계   권은미
인사경영   조현희 양희조
디자인   mykc
일러스트   손은경

펴낸곳   (주)세계사컨텐츠그룹
주소   06071 서울시 강남구 도산대로 542
              8,9층(청담동, 542빌딩)
이메일   plan@segyesa.co.kr
홈페이지   www.segyesa.co.kr
출판등록   1988년 12월 7일 (제406-2004-003호)
인쇄   예림
제본   에스엠북

ISBN   978-89-338-7200-0 (1권)
             978-89-338-7201-7 (2권)
             978-89-338-7202-4 (3권)
             978-89-338-7199-7 (세트)

Segyesa Contents Group

더 한 나위 없었다!!
Yes, 비상

이명박